MA MÈRE LA TERRE

Sue Harrison

MA MÈRE LA TERRE

Traduit de l'américain
par Marie-Louise Navarro

Données de catalogage avant publication (Canada)

Harrison, Sue

Ma mère la terre

Traduction de : Mother Earth, Father Sky.

ISBN 2-89111-816-2

I. Navarro, Marie-Louise. II. Titre.

PS3558.A797M6814 1998 z813'.54 C98-941463-9

Cet ouvrage a déjà été publié sous le titre
MA MÈRE LA TERRE MON PÈRE LE CIEL
aux Éditions Jean-Claude Lattès

Titre original
MOTHER EARTH, FATHER SKY

Traduction
MARIE-LOUISE NAVARRO

Maquette de la couverture
FRANCE LAFOND

Éditions Libre Expression
2016, rue Saint-Hubert
Montréal, (Québec) H2L 3Z5

Dépôt légal :
4e trimestre 1998

ISBN 2-89111-816-2

A Neil
qui m'a tout appris sur la joie et la vie
à nos enfants
Neil et Krystal
qui nous ont tout appris sur l'amour

et à la mémoire de notre fille
Koral

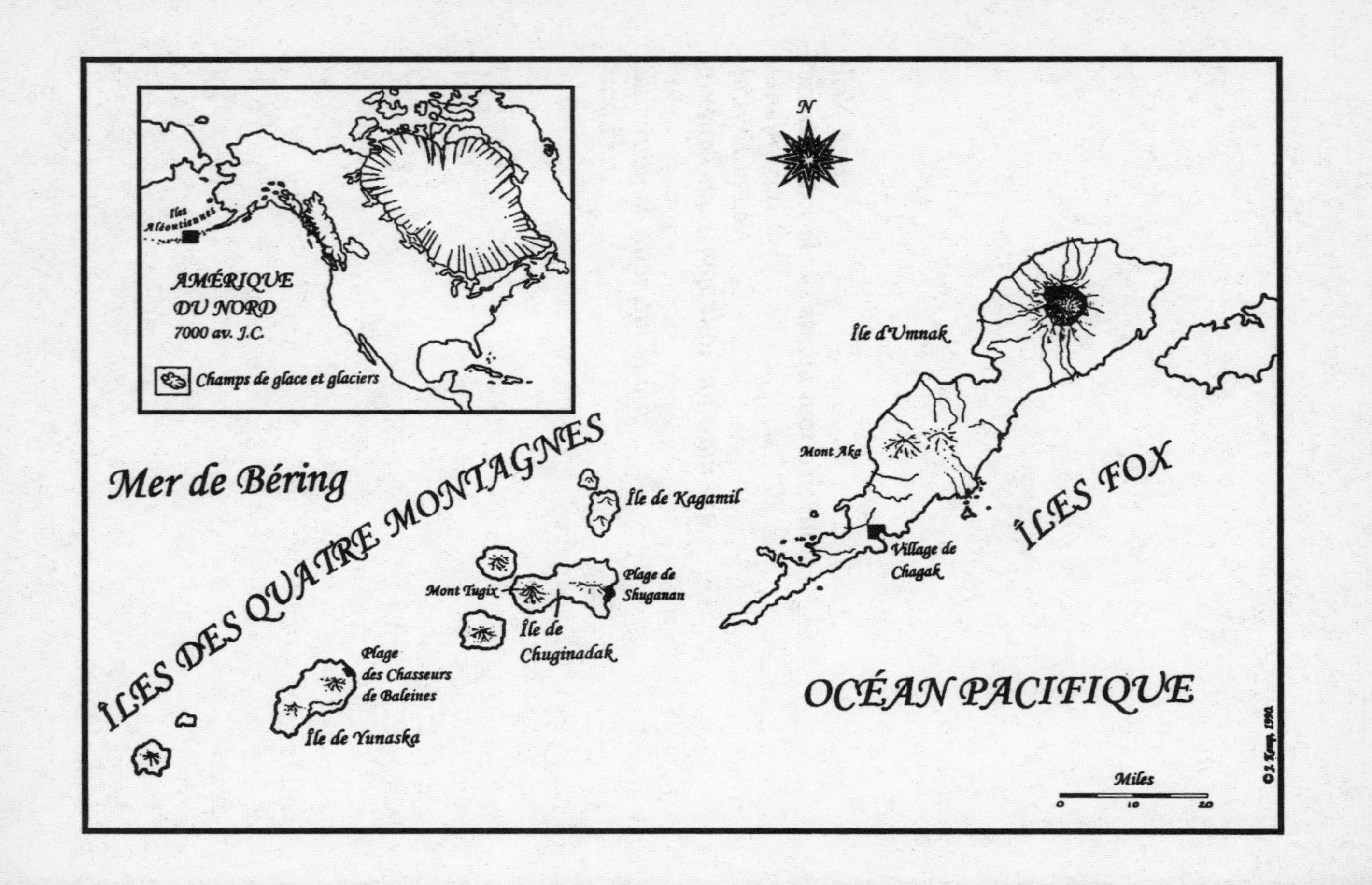
Îles Aléoutiennes
AMÉRIQUE
DU NORD
7000 av. J.C.
Champs de glace et glaciers
N
Mer de Béring
ÎLES DES QUATRE MONTAGNES
Île de Kagamil
Mont Tugix
Plage de
Shuganan
Île de
Chuginadak
Plage
des Chasseurs
de Baleines
Île de Yunaska
Île d'Umnak
Mont Aka
Village de
Chagak
ÎLES FOX
OCÉAN PACIFIQUE
Miles
0
10
20
© J. Kemp, 1990.

PROLOGUE

Le bâton à creuser en os de baleine était froid dans la main de Shuganan. Il s'appuya dessus en marchant et l'extrémité de la canne marquait son passage par de petits trous dans les graviers sombres de la plage.

La raideur des articulations de Shuganan avait déformé son corps. Autrefois il était grand et mince, maintenant son dos était voûté, ses mains déformées et ses genoux enflés. Mais quand il se trouvait près de la mer et que les vagues venaient se briser à ses pieds, il se sentait jeune encore.

Au bord du rivage, à l'endroit où la marée avait laissé une flaque d'eau, Shuganan vit plusieurs oursins. Il pataugea dans l'eau et utilisa son bâton pour pousser les oursins dans son panier qui était presque plein.

Puis il aperçut le morceau d'ivoire. Ses mains tremblèrent en ramassant ce fanon de baleine, cadeau rare offert par quelque esprit bienveillant.

Un autre signe, pensa-t-il, quelque chose de plus qu'un rêve. Shuganan ferma les yeux et serra la sculpture inachevée qu'il portait suspendue à son cou. C'était une des nombreuses figurines qu'il avait exécutées, mais celle-ci semblait être sortie de l'ivoire de son propre gré. Shuganan avait tenu le couteau, mais en travaillant c'était comme si d'autres mains avaient guidé la sienne, comme s'il avait seulement regardé pendant que la lame faisait jaillir l'image.

— Bientôt ! dit-il.

Dans sa joie il se mit à rire et pendant un moment son rire parut aussi fort que le vent, plus bruyant que la mer.

Première partie

ÉTÉ 7056 AVANT J.-C.

1

Six jours. Les chasseurs étaient partis depuis six jours, et pendant ce temps il y avait eu un orage, de la pluie et du tonnerre qui semblaient venir des montagnes et les vagues avaient laissé les plages nues.

Six jours. C'était trop long, pensa Chagak. Beaucoup trop long. Et pourtant elle s'assit sur le bas monticule de l'ulaq en terre de son père et attendit en regardant la mer. Elle lissa les plumes sombres de son suk. Sa mère lui avait donné ce vêtement le matin afin de remplacer le parka à capuchon pour enfant devenu trop petit. Ce cadeau était un signe que Chagak était maintenant une femme, mais il représentait encore davantage. C'était aussi la façon de sa mère de s'adresser aux esprits, une petite voix de femme qui disait : « Vous voyez, ma fille porte un nouveau suk. Il est temps de se réjouir. Sûrement vous n'allez pas plonger ce village dans le malheur. »

Aussi Chagak tendit-elle ses bras dans le vent, prière silencieuse pour que les esprits la voient, remarquent ce magnifique suk que sa mère avait confectionné avec tant de soin, utilisant plus de vingt peaux d'oiseaux; les plumes de cormorans avaient toujours la riche senteur de l'huile employée pour adoucir les peaux.

— Regardez-moi, avait envie de crier Chagak aux esprits de la grande montagne Aka qui veillaient sur leur village. Cette fille est une femme maintenant et certainement, pour son bonheur, vous allez ramener les chasseurs de la mer. Sûrement vous n'allez pas nous laisser devenir un village de femmes et d'enfants.

Mais seuls les hommes pouvaient faire appel aux esprits. C'est pourquoi la jeune fille se contenta d'étendre les bras et retint les mots qui se pressaient sur ses lèvres.

Un vent souffla de la mer apportant une senteur de poisson et une fraîcheur qui poussa Chagak à rentrer ses longs cheveux sous le bord du haut col de son suk. Celui-ci dépassait ses genoux de sorte que lorsqu'elle se baissait, il était assez long pour toucher le sol et garder ses pieds nus au chaud. Elle remonta ses mains à l'intérieur des manches et scruta la ligne grise et blanche entre le ciel et la mer à l'endroit où les points noirs des ikyan* se distingueraient en premier.

C'était l'été, mais même en cette saison, le ciel était habituellement gris, l'air brumeux et lourd, empreint de cette buée s'élevant de la mer. Ce vent qui gardait les hivers chauds — avec la pluie aussi fréquente que la neige — rendait aussi les étés frais. Et il ne s'arrêtait jamais, jamais de souffler.

Chagak ouvrit la bouche et laissa le vent gonfler ses joues. L'imaginait-elle ou y avait-il un goût de lion de mer dans cette bouffée de vent ? Elle ferma les yeux et avala. Oui, il avait un goût de lion de mer, pensa-t-elle, et pourquoi y aurait-il eu des lions de mer aussi près de l'île du Premier Homme ? A nouveau elle remplit sa bouche de vent. Oui, oui, elle avait bien ce goût dans la bouche. Peut-être que les chasseurs revenaient avec les lions de mer qu'ils avaient attrapés au cours de leur chasse. Cependant Chagak n'appela pas sa mère. Pourquoi éveiller des espoirs quand ce n'était peut-être que le tour d'un esprit malin faisant goûter à Chagak ce qui n'était pas là ?

Elle surveilla l'horizon en gardant les yeux grands ouverts jusqu'à ce que le vent les remplisse de larmes. Elle essuya l'humidité de ses joues avec sa manche et au moment

---

* Ikyan : pluriel d'ikyak (embarcation).

où la douceur des plumes de cormoran frôla sa peau elle aperçut le premier ikyak, une fine ligne noire sur la ligne blanche de la mer. Puis un autre et un autre encore.

Chagak appela sa mère à travers l'ouverture carrée, à la fois entrée et trou pour la fumée, qui était creusée à travers le toit d'herbe et les chevrons en bois de l'ulaq.

— Ils arrivent ! Ils arrivent !

Au moment où sa mère surgissait de l'ulaq, d'autres femmes émergeaient de l'intérieur sombre d'autres ulas*. Elles clignaient des yeux et les abritaient de la lumière du jour.

Ces femmes attendaient en silence mais Chagak entendit le doux murmure de sa mère qui comptait les embarcations. Dix ikyan étaient partis. Dix revenaient.

L'une des femmes entonna un chant d'action de grâces à la mer et en l'honneur des chasseurs. De jeunes garçons et de vieux hommes se pressaient de descendre des falaises et des ulas pour aller aider les chasseurs à tirer leurs ikyan à terre.

Les femmes suivirent, en chantant toujours. Étant la plus jeune parmi ces femmes, Chagak se tint derrière le groupe mais qui devant les petites filles.

Les lions de mer étaient attachés à l'arrière des deux premiers ikyan : les animaux étaient presque aussi longs que les embarcations.

Parmi les chasseurs : Soleil Rouge, l'oncle de Chagak, et Traqueur de Phoques, l'un des plus jeunes chasseurs du village, mais qui déjà au cours de l'été avait rapporté six phoques et maintenant un lion de mer.

Quand son ikyak fut dans les eaux peu profondes, Traqueur de Phoques sauta et commença à tirer l'animal à terre, avant de couper la ligne qui le retenait à l'embarcation.

Chagak s'efforça de regarder les autres chasseurs afin que son chant fût autant pour son oncle que pour Traqueur de Phoques, mais il semblait que quelque chose la forçât à regarder le jeune homme et à deux reprises, tandis qu'il aidait à ramener l'animal sur la pente couverte de galets, le

---

* Ulas : pluriel de ulaq (maison).

regard de Traqueur de Phoques rencontra celui de Chagak et chaque fois, bien qu'elle continuât à chanter, un frisson la secoua comme si le lion de mer n'avait été ramené qu'en son honneur.

La mère de Traqueur de Phoques vint chercher sa part de la chasse : les ailerons du lion de mer et l'épaisse couche de graisse sous la peau. Mais soudain Traqueur de Phoques secoua la tête et se tourna vers le père de Chagak en lui tendant un long couteau de chasse en pierre :

— J'ai besoin d'une femme, dit-il. Que cet animal soit le premier paiement pour le prix de ta fille.

Le père de Chagak hésita et la jeune fille couvrit son visage de ses mains tandis que derrière elle, ses amies se mettaient à rire. Mais elle observait son père à travers ses doigts tremblants pendant que celui-ci se tournait vers la mère de Chagak. Celle-ci inclina la tête comme si elle avait toujours su ce que Traqueur de Phoques préparait. Alors le père de Chagak découpa la peau épaisse et commença à donner à chaque homme une part pour sa famille. Chagak regarda Traqueur de Phoques et détourna aussitôt les yeux, ses joues devenant soudain trop chaudes même sous ce vent froid. Mais sa mère frappa des mains et la poussa vers le lion de mer et là, devant tout le village réuni, Chagak et sa mère commencèrent le dépeçage.

Chagak fut soulagée que son père ait récemment aiguisé son couteau de femme de sorte que la lame entamait facilement la chair et la graisse. La jeune fille commença le dépeçage de façon si vive et si précise que bientôt sa mère s'assit sur ses talons et laissa sa fille terminer la besogne.

Traqueur de Phoques la surveilla longtemps et Chagak sentit la chaleur de son regard sur le sommet de sa tête et sa nuque à l'endroit où ses cheveux noirs disparaissaient sous le col de son suk. Malgré sa timidité, et tout en continuant à travailler le cœur battant, elle risqua un coup d'œil vers Traqueur de Phoques. Il lui sourit. Mais finalement il se détourna pour aider les autres chasseurs et prendre sa part de l'autre lion de mer.

Quand Chagak et sa mère eurent terminé, elles plièrent

et roulèrent la peau, la chair à l'intérieur, puis elles enveloppèrent les os dans une vieille dépouille de phoque. Plusieurs femmes les aidèrent à porter les paquets dans leur ulaq.

Chagak s'était attendue à commencer tout de suite le dépeçage de la peau, mais sa mère lui indiqua les rangées de bateaux de femmes près de la plage.

— Nous devons rendre visite aux loutres de mer, dit-elle.

Aussi Chagak et sa mère transportèrent-elles jusqu'au bord de la mer leur bateau de femme, un ik ouvert, construit en bois sec et doublé de peau de lion.

La mère grimpa la première et Chagak poussa l'embarcation dans les eaux peu profondes. La fraîcheur de la mer engourdit ses chevilles au point de lui faire mal. Lorsque l'ik fut assez loin de la rive, elle sauta à bord et sa mère lui tendit une pagaie en l'invitant à se diriger vers les lits de varech où vivaient les loutres de mer.

D'abord Chagak crut que sa mère allait lui raconter l'histoire du jour où une loutre avait sauvé la vie de son père. C'était une histoire qu'elle avait entendue bien souvent, à propos de la façon dont la loutre avait dirigé son père vers la terre, alors que son ikyak avait été retourné par un orage. Depuis ce temps, son père considérait les loutres comme sacrées et ne les chassait plus pour leur peau ou leur chair.

En soupirant Chagak ferma les yeux et attendit que sa mère commence son récit, mais celle-ci demanda :

— Qui sont de meilleures mères que les loutres ? N'ont-elles pas enseigné à la première femme à soigner ses enfants ?

Alors Chagak ouvrit les yeux et regarda les loutres pendant que sa mère lui expliquait comment être une bonne épouse et plaire à son mari. Elle parla des traditions de leur peuple, celui du Premier Homme. Comment le monde n'était constitué que d'eau avant que les loutres décident qu'elles avaient besoin de la terre ferme pour se cacher quand il y avait des orages. De leur côté, les phoques voulaient des plages où ils pourraient mettre leurs bébés au monde. Aussi chacun de ces animaux travailla dur et creusa le fond de la mer pour rapporter de la boue jusqu'à ce qu'il y en ait assez pour constituer une longue courbe de terre au-dessus de la mer. Puis les montagnes se formèrent pour garder les plages. De l'herbe verte et brillante grimpa à l'assaut des montagnes. La bruyère et toutes les plantes poussèrent. Les oiseaux arrivèrent, puis les petits mammifères rongeurs appelés lemmings et enfin les hommes.

Le peuple de Chagak était le premier à s'être installé sur cette terre et avaient pris le nom de Premiers Hommes. Aka, la montagne sacrée, protégeait leur village comme d'autres montagnes protégeaient d'autres villages à l'est et à l'ouest, tout le long d'une bande de terre qui s'étendait jusqu'aux confins du monde, de la glace à la glace.

Tandis que la mère de Chagak parlait, les loutres aussi semblaient écouter. L'une d'elles s'approcha de l'ik, son bébé cramponné sur son dos, une autre loutre nagea assez près pour que Chagak pût la toucher. Mais lorsqu'elle leva la main, la loutre plongea dans une vague, s'entoura de varech et se mit à flotter, son petit museau pointu juste au-dessus de l'eau, les yeux clos comme si elle dormait.

Puis Chagak ressentit un picotement sur son bras, un pincement à son ventre car une voix — peut-être celle de l'esprit d'une autre loutre — chuchota : « Bientôt, toi aussi tu auras des bébés, tes propres bébés. »

Ce soir-là après leur retour, Traqueur de Phoques vint dans l'ulaq. Tout d'abord Chagak fut intimidée. Bien qu'elle ait toujours connu Traqueur de Phoques, il était difficile de penser à lui comme à un mari.

Pendant que le jeune homme parlait de chasse et d'armes avec son père, Chagak resta assise dans un coin sombre, tête baissée, mais le travail qu'elle faisait était de ceux qu'elle exécutait depuis son enfance et ne nécessitait pas la surveillance de son regard mais seulement l'agilité de ses doigts pour sentir l'épaisseur de la peau. Aussi il semblait qu'un esprit dirigeait ses yeux vers Traqueur de Phoques et elle vit que tout en parlant à son père, le regard du jeune homme parcourait les murs de l'ulaq, les rideaux séparant la pièce principale de celles où l'on dormait, les niches qui renfermaient les cannes à creuser et les réserves de nourriture.

Oui, pensa Chagak, Traqueur de Phoques s'intéressait à son ulaq. Lui et Chagak vivraient là avec sa famille, du moins jusqu'à ce qu'ils aient leur premier enfant.

C'était un bel ulaq sec et solide. L'un des plus grands du village, assez haut pour qu'un homme pût s'y tenir debout et même Chagak qui avait maintenant atteint sa taille adulte pouvait se tenir droite dans la pièce où elle dormait sans s'accrocher les cheveux aux chevrons. Son père pouvait franchir cinq pas dans toutes les directions, depuis le tronc d'arbre central permettant de grimper sur le toit, avant d'atteindre les épais murs de terre.

« Nous serons heureux ici », pensa Chagak. Traqueur de Phoques la regarda et sourit ; puis il demanda quelque chose au père de la jeune fille, se leva et vint s'asseoir à côté d'elle. La lampe à huile de phoque dessinait des halos jaunes sur les parents de Chagak. Son père aiguisait la pointe d'un harpon, sa mère terminait un panier.

Il faisait chaud dans l'ulaq, aussi Chagak ne portait qu'un tablier en herbe tissée, son dos et ses seins nus. Traqueur de Phoques commença à raconter sa chasse, ses yeux noirs brillaient en parlant et ses cheveux voletaient sur ses épaules.

Soudain il attira la jeune fille sur ses genoux et la serra dans ses bras. Elle en fut surprise et heureuse, mais craignait de se tourner vers ses parents et se sentait trop intimidée pour regarder Traqueur de Phoques.

Il lui caressa les bras et le dos et Chagak jeta un coup d'œil inquiet vers son père. Mais il ne semblait pas se soucier d'elle et ne même pas remarquer qu'elle était assise sur les genoux de Traqueur de Phoques.

Alors elle ne dit rien et resta seulement immobile redoutant que tout mouvement intempestif vienne trahir sa joie et attire l'envie de quelque esprit jaloux.

Chagak ramassa une autre framboise sauvage et la laissa tomber dans le sac tressé qui était maintenant plein à ras bord au point que les baies du fond s'écrasaient et que le jus dégoulinait sur ses pieds nus.

Sa mère lui avait accordé une journée de liberté. Aussi Chagak était-elle partie dans la montagne en essayant de retrouver le carré d'ivraie qu'elle avait découvert deux étés plus tôt. L'herbe y était plus sauvage que celle poussant près de la mer et en séchant elle prenait une couleur vert foncé. Chagak l'utilisait pour faire les bordures quand elle tissait les modèles des rideaux et des tapis de sol, faisant ressortir l'herbe blanchie par le soleil qui poussait sur le toit de l'ulaq de son père.

Elle regarda le ciel ainsi que la position du soleil au nord-ouest et hâta un peu le pas. Son père serait fâché si elle rentrait tard, mais la botte d'herbe qu'elle avait récoltée valait bien une gronderie.

Cette botte était lourde, mais Chagak était forte. Elle pensa aux tissages qu'elle devait faire — de nouveaux rideaux pour la pièce qu'elle et Traqueur de Phoques partageraient bientôt — et elle se mit à chantonner.

Il faisait une journée exceptionnelle avec un ciel bleu sans nuage et un soleil brillant. Les collines étaient recouvertes de plantes : canneberges, rhodioles odorantes aux feuilles pâles, fougères à feuilles dentelées, bruyères roses à longues tiges.

Chagak s'arrêta et changea son sac de baies d'un bras à l'autre. Elle n'était plus loin de son village. Déjà elle sentait l'air salé qui soufflait de la mer avec un arôme de poissons et d'animaux de la mer.

Puis elle vit un buisson d'airelles, ces petites baies noires brillantes à moitié cachées par la bruyère et s'arrêta pour en cueillir. En posant son sac par terre elle fit glisser sa botte d'herbes de son épaule, frotta les muscles de son bras endolori à force de tenir le sac à l'écart de son suk, et elle mangea lentement quelques baies, savourant ses dernières minutes de solitude avant de retourner au sein de sa famille dans le bruyant ulaq. Il était agréable parfois d'être seule, d'avoir le temps de penser et de faire des plans, de vivre dans un rêve.

Elle redressa encore son dos pour l'assouplir et jeta sa

botte d'herbes sur son dos, mais quand elle se baissa pour ramasser son sac de baies, elle entendit un cri, presque un hurlement, qui semblait venir de la plage.

Chagak saisit son amulette et abandonna à la fois l'herbe et les baies pour se mettre à courir en direction du village. Quelqu'un était mort, elle en était sûre. Peut-être un chasseur.

Pas son père. Pas Traqueur de Phoques, pria-t-elle.

En s'approchant de la crête de la montagne, une lueur éclaira le bleu et le pourpre du ciel et elle s'arrêta au sommet de la colline, abasourdie par ce qu'elle voyait.

Un ulaq était en feu, le toit en herbe flambait. Des hommes couraient d'un ulaq à l'autre, des hommes au corps trapu, avec de longs cheveux. Leurs parkas ne ressemblaient pas aux familières peaux de cormorans noires mais étaient constitués par un mélange de marron et de blanc comme s'ils étaient confectionnés à partir de peaux de différents rongeurs rassemblées n'importe comment.

Ces hommes tenaient des torches et mettaient le feu aux toits de chaume avant de les lancer à l'intérieur des ulas.

La peur paralysa les pieds de Chagak et serra à ce point sa gorge qu'elle ne put crier.

Deux hommes tenant chacun deux grandes outres d'huile en versèrent le contenu sur l'ulaq de son père et jetèrent une torche à l'intérieur par le trou du toit. Des flammes jaillirent embrasant la bruyère et le chaume. Même à travers le crépitement du feu, Chagak crut entendre les cris de sa mère.

Le frère aîné de Chagak surgit du trou, en haut du toit. Tenant le harpon de son père à la main, il renversa un des hommes mais l'autre l'attrapa par la taille et le poussa pardessus l'ulaq.

En se relevant le premier homme se jeta dans l'ulaq et quand il en sortit il brandissait une lance ensanglantée. Chagak combattit une envie de vomir.

Sa mère apparut ensuite tenant dans ses bras Pup, son petit frère né au printemps dernier. La malheureuse essaya de courir entre les hommes mais ils la saisirent. L'un d'eux voulut lui arracher le bébé mais elle le lança sur le côté, tandis que l'autre coupait le cordon à la taille retenant le tablier couvrant ses genoux.

Au même moment, la jeune sœur de Chagak émergea de l'ulaq. Échappant aux hommes, sa mère se précipita vers la fillette et la prit dans ses bras. Elles restèrent debout, silhouettes sombres devant le toit en flammes, se tenant dans les bras l'une de l'autre tandis que les hommes s'approchaient avec leurs lances. L'un d'eux leva son arme en direction du visage de l'enfant et Chagak se couvrit la bouche des deux mains, avalant l'air à grosses goulées pour s'empêcher de hurler.

En voyant le second homme approcher, la mère de Chagak se glissa devant sa fille. L'homme tira un couteau de son étui fixé à sa taille et frappa la femme sur la poitrine avant de s'avancer vers la fillette.

— Aka, supplia Chagak, Aka, Non. Aka, s'il te plaît!

Malgré ses blessures, d'un mouvement rapide, la mère de Chagak attira sa fille dans ses bras et l'entraîna dans les flammes qui s'élevaient sur le toit de l'ulaq.

Chagak tomba à genoux. Les cris qu'elle avait retenus s'élevèrent pour se joindre à ceux de sa mère et de sa sœur.

Un coup de vent souffla de la mer emportant des flammes comme des vagues orange dans le ciel et le village se couvrit de fumée.

Chagak pressa son visage contre la terre et resta immobile, sanglotant. Elle s'agrippa à l'herbe comme la loutre de mer s'était accrochée au varech, pour empêcher les vagues de l'emporter, de l'emporter...

2

Tapie dans l'herbe haute, Chagak attendit toute la nuit.

Elle tenait son couteau de femme et frottait le manche en bois contre sa joue. Si les hommes la trouvaient elle se tuerait avant qu'ils ne la touchent.

Mais finalement quand les cris eurent cessé et que les feux ne brûlèrent plus que sporadiquement entre les ulas, les hommes partirent. Chagak les vit charger leurs ikyan de fourrures, d'huile et de provisions du village. Elle les surveilla jusqu'à ce qu'ils aient disparu derrière les falaises qui bordaient la baie abritée du village de son peuple.

Une douleur lancinante oppressait la poitrine de la jeune fille et pesait sur ses épaules comme si l'un des assaillants l'avait poignardée, elle aussi, comme si un couteau était logé entre ses côtes, pénétrant plus profondément à chaque mouvement. Et quand elle ne put plus supporter son désespoir, elle pleura vidant son corps de toute substance et resta immobile jusqu'à ce que le vent ait séché les larmes de ses joues.

Au petit matin, un brouillard épais tourna autour de chaque ulaq couvrant tout le village d'une robe de deuil. La fumée perçant le brouillard apportait une odeur repoussante de chair brûlée.

Chagak observa longtemps le village mais ne vit aucun

signe de vie et finalement elle rampa derrière la colline, hors de vue de l'ulakidaq et se fraya un chemin vers le sud, jusqu'au sommet de la plus basse colline d'où elle pouvait voir la plage.

Celle-ci était orientée à l'est et s'étendait en une longue courbe au-dessous des falaises. C'était une belle plage de graviers avec de nombreuses flaques d'eau laissées par la marée où les enfants et les vieilles femmes pouvaient ramasser des oursins et de petits poissons. Les falaises abritaient les nids des pingouins et des macareux. Au printemps, Chagak et ses amies escaladaient les falaises et se hissaient au sommet avec des cordes et des harnais pour poser des pièges à l'entrée des trous où nichaient les oiseaux, pour ramasser des œufs blancs de pingouins ou des œufs tachetés de noir des guillemots. Un récif s'étendait au-delà de la plage et à marée basse, les femmes pagayaient dans leurs iks largement ouverts pour récolter des mollusques et des arapèdes attachés aux rochers.

Au cours des plus claires journées d'été, les petits garçons s'allongeaient en haut des falaises, tandis que leurs pères circulaient dans leurs ikyan au-dessous d'eux. Lorsque l'un des enfants distinguait un des lents lamantins dans les eaux sombres, il le signalait par ses cris et les hommes dirigeaient leurs légères embarcations à l'endroit où se trouvait l'animal. Leurs harpons étaient attachés à l'extrémité de l'ikyak au bout d'une corde fixée sur le côté de l'embarcation et quand tous les hommes avaient lancé leur harpon, ils tiraient le lamantin sur le rivage avec leurs nombreuses lignes et appelaient les femmes pour préparer une fête avec cette viande délicieuse, une viande qui gardait sa saveur même lorsqu'elle commençait à se décomposer et à se couvrir d'asticots.

Chagak se redressa sur son ventre en prenant soin de ne pas écarter les herbes autour d'elle afin de rester cachée. Elle se sentait plus vulnérable le jour. Certains de ces hommes aux longs cheveux pouvaient être restés en arrière-garde.

Cependant la plage semblait déserte. Chagak voyait les traces laissées dans les graviers par les quilles des ikyan des agresseurs. Elle attendit longtemps, craignant de bouger de la falaise. Et si les hommes avaient caché leurs embarcations ? Et s'ils attendaient ceux qui avaient pu s'échapper ? Il y avait sûrement d'autres survivants au village en dehors d'elle-même.

La jeune fille avait la bouche sèche et regrettait de ne pas avoir son panier de baies avec elle. Le sommet des falaises était trop rocailleux pour qu'il y pousse autre chose que de l'oseille et de l'herbe. Elle arracha une poignée d'herbe et la mâcha, espérant y trouver un peu d'humidité, mais l'herbe salée ne fit qu'accroître sa soif.

Elle resta longtemps sur la falaise jusqu'à ce que le soleil commence à se glisser vers le nord-ouest. Finalement elle se leva pour se diriger vers le village.

En marchant elle se prit à espérer que tout ce qu'elle avait vu était un mauvais rêve et qu'elle retrouverait le village inchangé avec ses toits d'herbe verte, les femmes occupées à tisser, les hommes regardant la mer et les enfants courant et riant dans leurs jeux habituels.

Mais l'odeur de fumée était partout, apportée par le vent, aussi quand Chagak atteignit le haut de la colline et vit les ruines calcinées, elle ne ressentit aucune surprise, mais seulement la lourde conscience de son impuissance.

Lorsqu'elle retrouva son panier de baies, elle en saisit une poignée qu'elle porta à sa bouche, et après en avoir exprimé tout le jus, elle avala la pulpe. Pendant un moment elle resta à l'écoute du moindre mouvement, mais seul un vent léger remuait des petits morceaux de rideaux brûlés, de mâts calcinés et de l'herbe noircie.

Chagak commença à se demander si elle était seule, si de tout son peuple, elle demeurait l'unique survivante. Cette pensée la fit frissonner et soudain elle se mit à pleurer, bien qu'elle eût l'impression d'avoir versé toutes les larmes de son corps la nuit précédente. Tout en continuant à verser des larmes amères, elle se mit à descendre vers le village, tenant son couteau d'une main et son amulette de l'autre.

Le premier corps que Chagak découvrit fut celui du shaman, le prêtre du village, ce n'était pas un bon signe, pensa-t-elle. Il avait été tué au moyen d'une lance ou d'un couteau, et portait une profonde entaille au milieu de la poitrine, mais le feu l'avait épargné. Les flammes avaient laissé un cercle d'herbe intacte autour de lui.

Les agresseurs n'avaient pas découpé le corps. Chagak en fut surprise et soulagée. Quand un corps était séparé de ses membres, l'esprit était privé de son pouvoir et ne pouvait se venger ni aider les vivants. Pourquoi avaient-ils laissé le shaman intact ? Pensaient-ils que leurs pouvoirs étaient tellement supérieurs aux siens ? Des mouches commençaient à s'installer sur le corps et Chagak les chassa.

Le visage du shaman offrait encore le rictus de la mort et son dos était arqué comme si son esprit s'était échappé par la blessure de sa poitrine, soulevant le corps en s'enfuyant. L'une de ses mains était agrippée à un bâton sculpté, emblème sacré transmis du shaman d'un village à son successeur. Lentement Chagak se pencha, prête à reculer, elle allait se brûler en touchant cet objet tabou. Car quelle femme serait autorisée à s'approprier ce symbole de puissance ? Mais dans sa main le bâton parut fort ordinaire.

Cependant quand elle essaya de le détacher de la main du mort, il le tenait tellement serré qu'elle ne put le lui faire lâcher. Espérant que son esprit se trouvait près de là et l'entendrait, Chagak murmura :

— Je ne désire pas le prendre pour moi mais pour aider les esprits de mon peuple.

Pourtant le shaman refusa de lâcher prise.

— Comment pourrais-je les enterrer? reprit Chagak dans un sanglot.

Elle se détourna et aperçut une amulette à une courte distance du corps. Plus grande que celle des chasseurs, c'était la plus puissante source de pouvoir du shaman. D'une main tremblante, Chagak la ramassa.

Levant l'amulette au-dessus de sa tête, elle se tourna vers la montagne Aka :

— Tu vois ceci, cria-t-elle, en élevant la voix pour dominer le bruit du vent et de la mer, si tu ne veux pas que je la prenne, je la rendrai au shaman.

Elle attendit un signe, un rayon de soleil en haut de la montagne, un changement dans le vent, mais la montagne ne se manifesta pas et Chagak glissa l'amulette autour de son cou et ressentit quelque réconfort à ce poids contre sa poitrine comme si un autre cœur battait près du sien.

Elle aurait voulu courir à travers le village pour voir si, par chance, Traqueur de Phoques était encore en vie. Mais aucun esprit ne pouvait se reposer, ne pouvait prendre sa place dans la joyeuse danse des Lumières du Nord, tant que son corps ne serait pas honoré et le shaman devait être enterré le premier.

Chagak vit une natte tressée près du plus proche ulaq. Son extrémité était brûlée, mais le reste était intact et solide. Elle la posa près du corps du saint homme et tira celui-ci sur la natte. Puis elle commença à traîner le shaman vers l'ulaq des morts à l'orée du village.

L'ulaq des morts était à l'écart comme une maison réservée aux défunts ou à tout esprit venu rendre visite au village des Premiers Hommes. Le conduit de fumée était bouché par des branchages et seuls le shaman ou le chef des chasseurs étaient autorisés à l'ouvrir pour recevoir le corps de celui qui venait de mourir.

Chagak avait toujours évité de s'approcher de l'ulaq des morts et n'avait jamais emprunté le sentier qui y conduisait, mais avec l'amulette elle savait qu'elle avait une protection.

Le corps du shaman était lourd et elle ne pouvait le traîner plus de quelques pas sans être obligée de s'arrêter pour se reposer, mais elle était forte et habituée à transporter des outres d'eau du ruisseau chaque matin.

Elle travailla jusqu'à ce qu'en dépit du vent froid elle sentît la chaleur. L'air était encore chargé de fumée et chaque respiration semblait alourdir encore la tâche de la jeune fille, mais finalement elle amena le corps du shaman en haut de l'ulaq. Elle retira le bois qui obstruait l'ouverture en serrant l'amulette et en se demandant ce que les esprits pourraient lui faire à elle, faible femme, pour avoir osé ouvrir l'ulaq, mais elle réfléchit qu'il n'y avait rien de pire que de laisser des corps sans sépulture et que mieux valait utiliser cet endroit réservé aux morts. Cette pensée calma ses frayeurs.

Elle n'avait pas de couverture pour envelopper le corps du shaman, pas d'herbes sacrées à faire brûler, pas d'huile pour oindre son corps, alors elle se mit à chanter une complainte qu'elle avait toujours entendue à l'occasion d'une mort, un plaidoyer à Aka, une prière en faveur de l'esprit disparu. Puis elle fit rouler le corps vers l'ouverture et le laissa tomber à l'intérieur.

Ensuite elle remit les branchages en place et se retourna vers le village. De ce côté d'autres corps étaient en vue, des hommes pour la plupart; certains tellement brûlés qu'ils étaient méconnaissables. Soudain Chagak ressentit un grand besoin de retrouver son père et Traqueur de Phoques. Avaient-ils pu s'échapper? Et s'ils ne comptaient pas parmi les morts?

Elle alla lentement de corps en corps. Malgré l'horreur, elle s'habituait à l'odeur de la mort, à la puanteur qui semblait se loger au fond de sa gorge, et parfois, en reconnaissant un oncle, une tante, un cousin ou un ami, elle était obligée de se détourner et de se presser vers d'autres corps.

Elle trouva le jeune frère de Traqueur de Phoques et le traîna jusqu'à l'ulaq des morts. Il n'avait pas plus de huit ou neuf étés et il ne fut pas aussi lourd que le shaman à transporter, mais le chagrin qu'elle éprouvait semblait ajouter du poids à son corps.

A l'ulaq des morts, elle répéta son chant et souleva le corps vers l'obscurité. Après avoir refermé l'ouverture, Chagak se rendit compte que le soleil était sur le point de se coucher et la pensée d'être seule durant la courte nuit fit battre son cœur plus vite.

Qui savait ce que les esprits pourraient faire? Maintenant tous ces morts auraient dû recevoir un rite sacré avant d'être enterrés convenablement, et elle n'en avait enterré que deux. Combien y avait-il d'habitants au village? Trois fois dix? Quatre fois dix?

— Je ne peux les enterrer tous! cria-t-elle à Aka. Ne me demande pas de les enterrer tous. Ils sont trop nombreux!

Puis une idée lui vint : utiliser chaque ulaq comme un ulaq des morts. Il y avait trop de corps pour un seul ulaq.

Alors, sous le soleil couchant, Chagak se rendit d'abord à l'ulaq de son père.

Le tronc d'arbre entaillé qui servait d'échelle pour se rendre à l'intérieur de l'ulaq était gravement brûlé et Chagak dut descendre à bout de bras en se laissant tomber sur le sol en dessous. Elle tâtonna dans l'obscurité jusqu'à ce qu'elle finisse par trouver une lampe à huile, puis utilisant de la mousse, un silex et une pierre à feu qu'elle gardait dans un sac attaché à sa taille, elle frotta les pierres les unes contre les autres jusqu'à ce qu'une étincelle jaillisse et enflamme la mousse sèche.

La plus grande partie de l'huile dans le récipient en pierre creuse était épuisée, mais il en restait suffisamment pour laisser la flamme brûler pendant qu'elle faisait le tour des réserves de provisions nichées dans les murs. Rien à cet endroit n'avait brûlé et quand Chagak versa de l'huile dans la lampe, la flamme se redressa. Les murs de l'ulaq étaient plus sombres que d'habitude et les rideaux brûlés, mais, à sa surprise, peu de choses étaient endommagées.

Elle fouilla dans les chambres de l'ulaq en se demandant si par chance un membre de la famille avait pu échapper au feu. Dans la chambre de son père, au fond de l'ulaq, Chagak aperçut une forme blottie contre le mur noirci et reconnut un de ses frères. Elle poussa un cri de joie mais découvrit avec désespoir que si le corps ne portait ni blessure ni brûlure, comme tous les gens du village, le jeune garçon était mort, les yeux et la bouche ouverts pour permettre à l'esprit de s'échapper. Son ventre était déjà enflé.

Quel étrange pouvoir possédait le feu. Comment pouvait-il permettre à l'esprit des hommes de s'enfuir sans les toucher ? Arrêtait-il le souffle ? Comprimait-il le cœur ? Gelait-il le sang ?

Chagak posa la lampe sur le sol et roula une couverture sur le corps de son frère, puis elle posa sur lui les fourrures qui couvraient la couche de son père. Ce frère avait été son préféré, avec ses yeux noirs toujours brillants de malice.

Bien qu'il n'eût que six étés, il avait pris son premier macareux, attrapé avec le petit harpon que son père lui avait confectionné.

La mère de Chagak avait préparé une fête pour cette occasion. Ils avaient été tous réunis, alors, sa mère, son père, sa tante et son oncle qui vivaient avec eux dans l'ulaq et même la grand-mère de Chagak qui était morte au début de l'été.

A nouveau Chagak entonna le chant des morts, remplissant l'ulaq de la chanson sacrée de son peuple.

Elle dut entasser un paquet de peaux de fourrure pour atteindre le toit. Dehors elle trouva les corps calcinés de sa mère et de sa sœur et les poussa dans l'ulaq avant de les transporter l'une après l'autre dans la chambre de son père, sans se soucier que leurs corps noircis abîment les plumes de son suk.

La dernière fois qu'elle sortit de l'ulaq, Chagak emporta une des lampes de chasse de son père car le soleil s'était couché et l'obscurité s'étendait entre les ulas.

Elle se rappela l'endroit où son frère aîné était tombé et le retrouva, les yeux ouverts dans la mort, sa poitrine couverte de sang séché. Elle le remonta dans l'ulaq et l'étendit dans la chambre de son père.

Cette nuit-là, Chagak parcourut tout le village avant de retrouver son oncle, sa tante et finalement son père. Elle remonta tous les corps dans l'ulaq et les enveloppa dans des fourrures ou des peaux de phoque.

Quand elle n'eut plus la force de remonter sur le toit, elle s'allongea devant l'ouverture de la chambre de son père et s'endormit.

3

Quand elle s'éveilla, la première pensée de Chagak fut qu'elle devait terminer le tissage de la natte de nuit de Traqueur de Phoques. Puis elle se rappela et avec le souvenir vint une obscurité qui la fit désirer s'enfuir et trouver refuge dans le sommeil. Elle se mit à trembler. Ses mains étaient trop légères pour son corps, ses bras et ses jambes trop lourds, sa poitrine trop remplie de désespoir et il n'y avait place pour rien d'autre.

Elle se dégagea des fourrures et ralluma plusieurs lampes à huile, puis elle dénicha quelques œufs que sa mère et elle avaient enterrés dans le sable après les avoir enduits d'une couche d'huile, au fond de la réserve, et elle se força à manger.

Chaque bouchée semblait avoir un goût de cendres et elle eut un haut-le-cœur, mais elle savait qu'elle n'aurait pas la force de terminer sa sinistre besogne si elle ne mangeait pas. Elle ferma les yeux et pensa aux collines verdoyantes, au vent qui soufflait de la mer et quand elle eut avalé deux œufs elle sortit de l'ulaq.

La nuit précédente elle n'avait pu trouver son petit frère bien qu'elle fût certaine de connaître l'endroit où sa mère l'avait lancé. Maintenant à la lumière du jour, elle se mit à sa recherche, mais ne le trouva pas. L'inquiétude commença à s'ajouter à sa peine.

Les conteurs parlaient de peuplades qui enlevaient des

enfants d'une autre tribu pour les élever comme les leurs. Spécialement les garçons. Peut-être son frère n'était-il pas mort. Peut-être les agresseurs l'avaient-ils enlevé pour l'élever comme un des leurs.

Il vaudrait mieux que Pup fût mort, pensa Chagak, et pendant un moment elle resta assise sur le toit de l'ulaq sans rien faire. Puis il lui sembla que les esprits des morts l'appelaient et elle se leva pour terminer la pénible besogne commencée la veille.

Chagak tira les corps, chanta les prières des morts et s'efforça de ne pas respirer au milieu des essaims de mouches. Les oiseaux posaient un problème encore plus grand. Les mouettes plongeaient en criant et essayaient de donner des coups de bec sur les blessures ou les yeux des morts.

Lorsque la boule ronde du soleil s'éleva à son zénith, Chagak trouva Traqueur de Phoques.

D'abord elle ne le reconnut pas. Son visage enflé était recouvert du sang d'une blessure à la gorge, son ventre ouvert de la poitrine au sexe, mais quelque chose de profond en elle lui arracha un cri de douleur quand elle regarda le corps.

Traqueur de Phoques tenait une lance à la main. Un autre corps gisait à côté de lui ; celui d'un étranger. L'homme portait une blessure sanglante à l'épaule et une autre au milieu de la poitrine. Ses pieds étaient peints en noir. Il portait un parka en fourrure de loutre et de peaux de lamantin, mais il n'était pas décoré à la manière d'une tribu que Chagak connût, ce n'était ni les commerçants appelés les Hommes Morses, ni le peuple de sa mère, les Chasseurs de Baleines. Peut-être faisait-il partie du Peuple des Caribous ? Une tribu lointaine dont parlaient parfois les Chasseurs de Morses. Mais pourquoi les Caribous auraient-ils quitté leur village pour venir dans les îles ? Le Peuple des Caribous ne faisait pas de commerce. Il ne savait rien des ikyan ou des animaux de la mer. De plus ces hommes n'étaient-ils pas grands et de teint clair ? Cet étranger était petit et, même décolorée par la mort, sa peau était sombre.

Elle considéra les deux corps. Traqueur de Phoques, l'homme qu'elle devait épouser et cet étranger, un méchant homme.

— Ils se sont entre-tués, dit Chagak à haute voix au vent et aux esprits qui pourraient être près de là.

Son peuple avait-il fait du mal à ces hommes ? Pourquoi étaient-ils venus tuer et voler ? Chagak sortit son couteau de l'étui qu'elle portait sous son suk et commença à trancher les articulations de ce mort. Mais chaque coup de couteau semblait augmenter la douleur qu'elle ressentait, comme si son couteau avait eu deux lames, l'une pour l'ennemi, l'autre pour son propre esprit.

Chagak tira le corps de Traqueur de Phoques jusqu'à l'ulaq de son père. Après avoir essuyé son visage et son corps du sang qui les recouvrait, elle enroula le jeune homme dans la couverture qu'elle avait tissée pour lui et le tira dans la chambre de son père. Quand elle eut terminé, il lui sembla qu'elle n'avait plus d'énergie pour travailler, ni désir de quitter l'ulaq.

C'était un grand ulaq, assez vaste pour abriter l'esprit de toute sa famille et le sien. Chagak était assez âgée pour se rappeler l'époque où son père l'avait construit. Avec l'aide de plusieurs hommes du village il avait passé trois ou quatre jours à creuser une fosse sur le flanc de la colline. Elle se souvenait encore de la joie qui régnait alors. Avec sa mère, ses tantes et sa grand-mère, Chagak avait pétri de l'argile tirée du bord du ruisseau avec juste assez d'eau pour la rendre malléable, puis elles avaient recouvert le fond de la fosse et l'avaient aplati avec de la terre en piétinant dessus, riant, dansant et écoutant les vieilles légendes que racontait sa grand-mère.

Quelque temps auparavant, une baleine s'était échouée sur la rive et le chef des chasseurs avait donné au père de Chagak la permission d'utiliser les mâchoires de la baleine pour en faire les chevrons du toit. A leur tour les hommes avaient tapissé les côtés de la fosse avec des pierres assemblées au moyen de terre renforcée de gravier. Avec les pierres et des rondins de sapins comme support, ils avaient placé les mâchoires de baleine maintenues en place par des rondins plus petits. Les femmes avaient glissé de la paille et de la bruyère hachée entre les chevrons et avaient aidé les hommes à terminer le toit avec des mottes d'herbe et de chaume.

Chagak leva les yeux vers la lumière venant du toit. Il restait encore assez de temps pour enterrer les autres, mais je suis trop fatiguée, pensa-t-elle. Certainement, les esprits comprendront.

Elle resta assez longtemps dans la pièce principale de l'ulaq en s'efforçant d'écarter toute pensée de son esprit. Elle n'alluma pas les lampes à huile même quand le jour fut complètement tombé. La journée avait été difficile. Elle avait disposé de la plupart des corps, il n'en restait que quelques-uns dehors. Il n'y aurait plus beaucoup de chants funèbres.

Je terminerai demain, se promit-elle. Puis une pensée lui vint. Quelque chose qui lui était venu à l'esprit quand elle avait trouvé le corps de Traqueur de Phoques. Moi aussi je devrais être morte. Quelle joie y avait-il à vivre seule ? Elle ne serait jamais une épouse, ne porterait pas d'enfant. Elle vivrait en redoutant les esprits, en craignant les étrangers. Comment une femme pouvait-elle vivre seule face aux pouvoirs du ciel et de la terre ? Mieux valait mourir.

Cette nuit-là, en s'endormant, Chagak pensa à la mort et aux différentes façons de la donner.

Le lendemain matin, Chagak enterra les trois corps restants ; celui de l'homme qui avait tué Traqueur de Phoques fut abandonné aux oiseaux. Chagak passa une partie de la journée à rassembler toutes les armes qu'elle put trouver. Il y en avait peu, pas assez pour tous les chasseurs de sa tribu. Les assaillants devaient en avoir emporté avec eux en partant. Mais il serait difficile pour les hommes de sa tribu d'aller dans l'autre monde aussi démunis, pensa-t-elle. Comment pourraient-ils chasser ?

Chagak passa beaucoup de temps à inspecter l'intérieur des ulas pour en sortir les armes afin de donner à chaque homme qui n'avait pas de lance, tout ce qui pouvait ressembler à une arme, de petits couteaux à lame de pierre aiguisée, des morceaux d'obsidienne, des pierres martelées. Peut-être pourraient-ils s'en servir pour fabriquer leurs propres armes ?

Le temps était maintenant venu pour elle de mourir. Elle s'y prépara avec soin en commençant par un bon repas, le premier qu'elle prenait depuis son retour. Puis elle se lava soigneusement le visage et les mains dans une des flaques laissées par la marée. Le visage de son esprit qui se reflétait dans l'eau paraissait vieux et fatigué et nullement celui d'une jeune fille qui était devenue une femme et n'avait que treize étés.

Elle démêla ses cheveux et retira son suk pour se laver les bras et la poitrine. Le suk était presque arraché. Le haut et le bas s'étaient détachés, cassant de nombreuses plumes et celles qui restaient étaient souillées de sang. Elle les rinça et les redressa. Enfin elle lava son couteau et aiguisa la lame de pierre sur l'amulette du shaman qu'elle portait encore autour de son cou.

Elle avait besoin de certaines choses pour sa mort et elle recommença à fouiller les ulas prenant des objets nécessaires : une lampe pour la guider vers sa famille, des fourrures propres, un estomac de phoque servant d'outre et contenant de l'huile et une autre outre de nourriture. Elle ne savait pas combien de jours il lui faudrait pour voyager seule et trouver les Lumières Dansantes.

Elle rassembla tous ces objets dans sa chambre, puis elle s'assit en tenant son couteau dans sa main droite, prête à couper l'artère qui battait à son cou. Dans sa main gauche elle tenait un bol pour recueillir le sang.

Mais soudain elle éprouva un désir irrésistible de sentir encore une fois le vent, d'entendre la mer, d'avoir le soleil sur son visage et elle abandonna le couteau et le bol pour monter en haut de l'ulaq.

Elle marcha jusqu'à la plage et en dépit de son chagrin

elle éprouva une sorte de joie de s'être accordé la chance de revoir le monde une dernière fois, d'entendre encore le long cri désespéré des grèbes, le kik-kik-kik-kik haut perché des hirondelles de mer.

Chagak se mit à chanter, d'abord des chants réconfortants, des ballades qu'on lui avait apprises quand elle était enfant, puis des chants funèbres pour elle-même. Finalement des nuages voilèrent le soleil, un vent froid s'éleva de la mer et Chagak quitta la plage pour remonter vers l'ulaq de son père.

Elle venait de gravir le toit quand elle entendit une sorte de cri étouffé venant de la colline au-dessus du village, elle eut l'impression que quelqu'un d'autre se lamentait, comme s'il existait un être vivant en dehors d'elle.

Un enfant ? Comment un enfant aurait-il pu survivre aux deux et presque trois jours depuis l'attaque du village ? Mais un espoir grandit au fond d'elle-même, si fort qu'elle en eut la gorge serrée et qu'elle ne put même pas proférer un mot. Lentement, avec précaution, elle s'avança vers l'endroit d'où venait ce cri et arriva ainsi en haut de la colline.

D'abord elle ne vit que le corps de la femme — Aile Noire — une vieille femme qui vivait avec un petit-fils déjà adulte, quelqu'un qui serait peut-être parti pour la montagne, l'hiver prochain, afin de laisser davantage de nourriture à sa famille. La femme n'était pas morte depuis longtemps. Elle gisait sur le côté, son corps n'était pas enflé et les mouches commençaient seulement à voleter autour de ses yeux et de sa bouche.

Elle portait un suk en fourrure, un vêtement qu'elle avait sans nul doute préparé pour son dernier voyage ; il était trop richement décoré pour être porté tous les jours ; les plumes et les coquillages dessinaient un motif sur les manches et différentes fourrures brunes, dorées, noires et blanches formaient un dessin autour du cou, du bas des manches et de l'ourlet.

Aile Noire avait-elle proféré ces cris ? Peut-être était-ce

celui des mouettes ? Ne voulant pas rester seule, Chagak avait-elle imaginé que ces cris d'oiseau étaient humains ?

La jeune fille soupira en pensant au long et difficile retour au village. Un autre corps à porter dans un ulaq. Elle se retourna pour redescendre afin d'aller chercher la peau de lion de mer qu'elle avait utilisée pour transporter les corps.

Mais à mi-chemin elle entendit à nouveau le même cri et elle fut certaine qu'il ne provenait pas d'un oiseau. Elle courut en haut de la colline et cette fois elle retourna le corps d'Aile Noire. Il y avait une grosseur sous le suk de la vieille femme et à nouveau un faible cri retentit.

— Un bébé, murmura Chagak tandis que son cœur battait la chamade.

Elle glissa la main à l'intérieur du suk et en sortit un bébé. C'était Pup.

— J'ai cru qu'ils t'avaient enlevé ! s'écria Chagak qui sentit ses jambes défaillir.

Elle tomba à genoux et comme si elle avait retrouvé son frère mort, elle fut secouée de sanglots si violents qu'elle eut l'impression que son esprit allait s'envoler. Elle serra le bébé contre sa poitrine et à travers ses larmes elle s'adressa à Aile Noire :

— Tu es une mère courageuse, toi la grand-mère de notre peuple.

Chagak glissa Pup sous son propre suk en le berçant dans ses bras tandis qu'elle retournait vers l'ulaq de son père.

Elle étendit l'enfant sur une peau de fourrure et nettoya son corps avec de l'huile de phoque. Il avait des graines de baies sur les lèvres et chaque fois que les doigts de Chagak passaient sur sa bouche, il essayait de les sucer. Depuis les quatre mois de sa naissance, il était devenu gras et dodu, mais maintenant il paraissait plus petit, ses jambes et ses bras étaient devenus aussi menus qu'à sa naissance. Chagak enveloppa la partie inférieure de son corps dans de la mousse et du duvet puis le recouvrit d'une peau de phoque en mettant la fourrure à l'intérieur.

Enfin elle mâcha un morceau de viande de phoque séchée de façon à l'amollir suffisamment, le mélangea avec de l'eau pour en faire une sorte de pâte et laissa le bébé le sucer au bout de ses doigts.

Il mangea lentement. Ensuite Chagak lui fit boire plusieurs gorgées d'eau. Tout d'abord cela le fit tousser, mais finalement il parut satisfait et Chagak le posa dans son berceau, une sorte de hamac suspendu aux poutres dans la chambre de sa mère.

Quand son frère se fut endormi, Chagak retourna auprès d'Aile Noire. Son corps ne portait aucune blessure et elle en conclut qu'elle était morte de chagrin, d'épuisement et de son grand âge. Elle tira le corps jusqu'à l'ulaq de son père, bien que la distance fût plus grande que jusqu'à celui d'Aile Noire, mais Chagak considérait maintenant la vieille femme comme un membre de sa famille. D'une façon ou d'une autre, Aile Noire avait trouvé Pup et l'avait caché pour le soustraire au massacre. Il était juste qu'elle eût sa place dans la famille. Tous prendraient soin d'elle comme elle avait pris soin de leur plus jeune enfant.

4

« Et maintenant quelle est la meilleure chose à faire ? se demanda Chagak en s'étendant sur sa couche ce soir-là. Je ne peux mourir et laisser Pup seul, mais dois-je essayer de vivre sans mon peuple ? »

« Que puis-je offrir à mon frère ? Qui lui apprendra à chasser ? Des hommes qui ne sont ni chasseurs, ni shaman ne méritent aucun honneur dans l'autre monde. »

Elle n'avait nul droit de mettre un terme à la vie de son frère, mais peut-être que la décision ne lui appartenait pas. Celle-ci devrait être prise par ses parents.

Le lendemain matin, après avoir nourri Pup, Chagak le remit dans son berceau et le suspendit au-dessus de la couche de son père. Puis elle sortit de l'ulaq.

Durant toute la longue journée, elle resta assise devant l'ulaq laissant à l'esprit de ses parents le temps de venir chercher son frère.

Elle demeura, immobile, regardant la mer, écoutant ses propres pensées. Pourquoi coudre si Pup devait mourir bientôt ? Pourquoi ramasser des oursins ? Pourquoi tisser ?

Mais au milieu de l'après-midi, elle se rendit compte qu'une partie d'elle-même espérait que les esprits ne prendraient pas son frère et elle se demanda : comment puis-je souhaiter vivre ?

Un sentiment de culpabilité envahit l'âme de Chagak et

elle dit à haute voix au vent et à tout esprit qui pouvait écouter :

— Je n'ai pas choisi ma vie ou ma mort. Ce sont mes parents qui ont fait ce choix. Si Pup meurt, je mourrai aussi. S'il vit...

Elle regarda les ruines de son village, sentit l'odeur de mort qui commençait à monter de chaque ulaq.

Il était impossible d'élever un enfant ici. C'était un village de mort. De plus les agresseurs connaissaient cette plage et pourraient revenir tuer les survivants. Il lui faudrait trouver une autre île, mais comment élever Pup sans un homme pour lui apprendre à chasser?

Il vaudrait mieux aller chez mon grand-père, pensa Chagak. C'était un homme important, chef des chasseurs d'une tribu des Premiers Hommes connue sous le nom de Chasseurs de Baleines. Elle n'était jamais allée au village des Chasseurs de Baleines, mais son grand-père était venu plusieurs fois leur rendre visite et il avait séjourné dans l'ulaq de son père.

Chagak avait toujours été très excitée par ces visites et s'était tenue avec fierté devant les filles de son âge. Les grands-pères des autres vivaient avec elles dans leur village, leurs grands-pères n'étaient que des chasseurs de phoques et non le grand chef de la fière tribu des Chasseurs de Baleines. Mais elle ne disait rien de cela aux autres filles. Bien que son grand-père apportât toujours des cadeaux à ses frères et leur racontât des histoires de chasse, il n'adressait pas le moindre regard à Chagak ou à sa jeune sœur, il ne leur portait aucun cadeau et ne leur racontait pas d'histoire.

« Ainsi, pensa encore Chagak, si je vais voir mon grand-père, il ne voudra peut-être pas de moi. Mais peut-être s'intéressera-t-il à mon frère et il vaudrait mieux pour Pup être avec les Chasseurs de Baleines, plutôt que de rester sur cette plage avec les esprits des morts et une sœur qui ne pourrait lui apprendre à chasser. »

Si Pup survivait peut-être que l'esprit de son père verrait l'importance pour lui de rejoindre les Chasseurs de Baleines et il guiderait Chagak au village de son grand-père.

Un cri de Pup interrompit les pensées de Chagak ; elle se croisa les mains et resta immobile. Peut-être avait-il faim, mais il y avait une chance pour que les esprits soient venus le chercher et pour qu'ils lui aient fait peur. Lorsque ses cris cessèrent, Chagak eut envie de rentrer dans l'ulaq pour voir s'il était mort, mais elle se força à attendre encore.

La douleur qui pesait dans sa poitrine semblait s'ancrer encore davantage dans son esprit et un nouveau cri la rendit furieuse contre elle-même.

Pourquoi est-ce que je pleure ? se demanda-t-elle. Il vaut mieux qu'il retourne auprès de notre mère et bientôt je ne serai plus seule mais entourée de tous ceux que j'aime.

Alors elle cessa de verser des larmes, mais elles semblèrent se rassembler au fond de sa gorge et rester là tremblantes comme des gouttes d'eau au bord d'une feuille d'arbre.

Finalement quand le soleil eut atteint son zénith, elle entra à l'intérieur de l'ulaq et regarda dans tous les coins sombres, mais ne vit aucun esprit. Elle avait laissé le trou du toit ouvert pour permettre à la lumière d'entrer et n'eut pas à allumer les lampes. Elle traversa l'ulaq sur la pointe des pieds comme si sa famille dormait.

Elle tira le rideau et l'air fétide la fit reculer. Puis elle avança pour décrocher le berceau, mais quand elle le baissa Pup se mit à crier.

Elle fut si surprise qu'elle faillit le laisser tomber et dans ce moment de déséquilibre, les larmes qu'elle avait retenues si longtemps commencèrent à couler. Pour la première fois depuis la tragédie qui avait anéanti son village, elle trouvait une raison de vivre.

Il fallut trois jours à Chagak pour réparer un ik que les agresseurs avaient brisé. La coque n'était pas endommagée, mais la peau du lion de mer était tailladée en de nombreux endroits.

Chagak se servit des peaux recouvrant un autre ik et même de l'intérieur d'un ikyak pour réparer l'embarcation.

Elle enduisit ses doubles coutures de graisse afin de les rendre imperméables.

Elle avait trouvé un des porte-bébés que sa mère attachait sous son suk et s'en servit pour transporter Pup pendant qu'elle travaillait. Une large bande de cuir passait au-dessus de son épaule et s'accrochait dans son dos. Elle élargit l'encolure de son suk pour que l'enfant ait suffisamment de place. Le bébé reposait contre sa poitrine et son dos était soutenu par une autre attache en cuir.

Lorsque l'ik fut réparé, Chagak le remplit de provisions. Des estomacs de phoque contenaient de l'huile et de l'eau potable; des paniers furent remplis de viande séchée et de racines. Elle emporta également deux petites lampes de chasseurs, des mèches en mousse, des petits tapis, des poinçons et des aiguilles.

Elle emballa deux pagaies supplémentaires, des couteaux et la pierre plate à cuire de sa mère, un racloir et des paquets de fourrures et de tapis d'herbe. Elle emporta aussi le berceau de Pup, bien que pour voyager elle ait l'intention de le porter sous son suk.

Elle porterait le chigadax de son père, un parka imperméable à capuchon fait d'intestin de phoque. Le vêtement serait une bonne protection contre la mer.

Mais tandis qu'elle travaillait, des doutes assaillirent l'esprit de Chagak. Peut-être était-ce mal d'emmener Pup de son île. Elle connaissait peu la mer et n'avait qu'une faible pratique du maniement d'une pagaie, même le petit ik qu'elle avait choisi de réparer serait difficile à contrôler. Et qu'arriverait-il si elle ne trouvait pas le village de son grand-père ? Ne risquait-elle pas de se noyer avec Pup ? Si cela arrivait trouveraient-ils leur chemin vers les Lumières Dansantes ?

— Nous manquons peut-être à notre mère, dit-elle à Pup. Peut-être devrais-je donner aux esprits une autre chance de te réclamer ?

Chagak ramena son frère dans l'ulaq. A l'intérieur, il faisait sombre mais elle n'alluma pas la lampe à huile. Elle traversa lentement la grande pièce de l'ulaq et posa le bébé devant le rideau de la chambre de son père. Elle mit ses mains sur le ventre de son frère et commença à parler, ses mots faisaient étrangement écho dans cette pièce vide.

— Père, voici ton fils. Je peux l'emmener avec moi au village des Chasseurs de Baleines. Je l'élèverai pour qu'il devienne un brave garçon. Je l'aiderai à construire un ikyak et lui parlerai de notre village, mais si tu penses qu'il vaut mieux pour lui retourner dans le monde des esprits, je te demande de le prendre maintenant.

Son frère était resté immobile pendant qu'elle parlait, mais quand elle se leva en le laissant sur le sol, il se mit à pleurer. Elle ne le ramassa pas et ne se retourna pas en grimpant pour sortir.

Elle resta sur le toit de l'ulaq, accroupie, chassant toute espérance de son cœur. Pourquoi influencer les esprits avec son espoir? Elle tenta de se concentrer sur des choses simples comme la couleur de la mer et le nombre de nids d'oiseaux dans la falaise. Elle s'efforça de ne pas entendre les cris de son frère.

Chagak ne sut pas quand elle s'était endormie mais elle s'éveilla au milieu de l'après-midi. Pup continuait à pleurer. Elle descendit dans l'ulaq. Cette fois elle n'essaya pas de voir les esprits dans l'obscurité, mais elle se hâta vers Pup, le saisit et le serra contre elle en le berçant jusqu'à ce qu'il eût cessé de pleurer. Puis elle le glissa sous son suk et ajusta les attaches autour de son petit corps.

Alors Chagak se mit à chanter. Un hymne d'action de grâces, de remerciements et fut surprise de sentir sa voix affaiblie par ses larmes. Avant de quitter l'ulaq, elle murmura :

— Maintenant nous partons. Protégez-nous, protégez-nous !

5

Comme le rythme des vagues, la pagaie était devenue une partie d'elle-même. Chagak avait eu de la chance, la mer était restée calme.

En se retournant vers son village, elle vit que de nouvelles pousses vertes commençaient déjà à cicatriser les blessures faites par le feu et elle comprit ainsi qu'en dépit du massacre, les esprits des plantes reprenaient rapidement vie, fortes et drues, autour de chaque ulaq; peut-être que son peuple, en les surveillant depuis les Lumières Dansantes, reconnaîtrait également le village grâce aux monticules verts des ulas.

A un moment donné elle aperçut le jet d'eau d'une baleine. C'était un signe favorable, mais quelque chose au fond d'elle-même ne pouvait se réjouir. Quelle faveur une baleine pouvait-elle lui apporter? De nouveaux parents, un mari, son village entier intact. Même si l'animal choisissait de s'échouer sur la plage, Chagak ne pourrait le dépecer sans aide.

Un moment plus tard, Chagak eut envie de faire demi-tour et de retourner à son village. Comment pouvait-elle penser qu'elle, simple femme, trouverait jamais un asile pour elle et son frère? Pourquoi son grand-père les accepterait-il? une femme et un enfant? Deux bouches de plus à nourrir pour ses chasseurs.

Mais elle continua à pagayer vers l'ouest. A la fin du premier jour, elle atteignit la pointe de l'île d'Aka et le détroit où la mer du nord rejoint celle du sud. Elle conduisit l'ik vers le rivage et le tira au-dessus de la ligne de la marée.

Les chasseurs de son village prétendaient que les eaux de la froide mer du nord et celles de la mer du sud utilisaient le détroit comme lieu de combat. Au sud, la mer se battait pour gagner le nord et au nord la mer se battait pour atteindre le sud. Cette bataille existait depuis le commencement des temps, disaient-ils, chacune des mers étant assez forte pour conserver sa place.

Les eaux du détroit et même le sable humide sous les pieds nus de Chagak parurent froids et le vent du nord la fit frissonner. C'était déjà presque un vent d'hiver bien que l'hiver fût encore loin et elle se souvint des récits qu'elle avait entendus au sujet du pays au bord du monde glacé où la neige s'accumulait jusqu'à hauteur d'homme. Les gens construisaient leurs ulas dans la glace. Chagak frémit et releva ses genoux près de sa poitrine.

Peut-être était-elle arrivée trop près de cet endroit ? Mais non, pensa-t-elle, je n'ai voyagé qu'une seule journée. Il faut un an pour arriver à l'extrémité du monde. De plus qui pouvait croire qu'il tombe autant de neige ? L'hiver apportait du vent et une pluie glaciale, mais seulement assez de neige pour recouvrir l'herbe et les buissons. Ensuite la pluie arrivait et nettoyait tout jusqu'à la prochaine chute de neige.

Elle entoura Pup de ses bras et sentit sa chaleur contre sa poitrine. Au-dessus d'elle, le ciel était couvert d'une épaisse couche de nuages et le soleil ne brillait que par une trouée au nord-ouest.

— Nous n'avons pas le temps d'aller plus loin, dit-elle à son frère, il vaut mieux rester ici.

Elle retourna l'ik pour constater les dommages. A deux reprises la peau huilée avait frôlé des rochers, mais elle n'avait pas cédé. Elle l'amarra puis elle la graissa avant d'ouvrir un sac de provisions. Elle nourrit Pup et mangea elle-même des morceaux de viande séchée. Ensuite elle cueillit quelques poignées d'algues et d'herbe afin d'en faire un lit sous l'ik retourné.

Chagak ne dormit pas bien cette nuit-là. Il lui semblait être dans un nouveau monde. Bien qu'elle pût encore apercevoir Aka, elle n'avait jamais dormi au-delà de la mer au nord et ne connaissait pas les esprits qui se cachaient dans cette mer. Elle ignorait même les chants convenables de protection, aussi pendant la plus grande partie de la nuit, elle resta éveillée, célébrant Aka, parlant aux esprits de son peuple, la main serrant l'amulette du shaman qu'elle avait emportée avec elle.

6

Shuganan attrapa un autre poisson noir avec son trident et fit tomber le poisson encore frétillant dans le panier au bord du ruisseau. Le ciel était aussi gris que l'argile, les pétrels et les mouettes aux longues pattes noires, soulignant le gris de leurs ailes sombres. Le vieil homme se redressa et surveilla les oiseaux, écoutant leurs appels et se mit à chanter lui-même afin d'oublier ses articulations douloureuses.

Mais au même moment, il entendit le chant d'une autre voix, le rythme d'un autre chant coupant le bruit du ressac.

Pendant un moment, il n'osa pas bouger. Depuis combien de temps un autre être humain n'était-il pas venu sur cette plage ? Depuis combien d'années ? Il sortit du ruisseau et se dissimula derrière les rochers.

Il aperçut un ikyak,... non, ce n'était qu'un simple ik à bord duquel se trouvait une femme seule. Les genoux de Shuganan se mirent à trembler. Il saisit l'amulette suspendue à son cou. Était-ce la femme que les esprits lui avaient montrée dans ses rêves ?

Oui, pensa-t-il, mais une autre partie de lui-même soupira. Ce n'était pas réel. Il rêvait encore.

« Tu crois être sur la plage », pensa-t-il, « mais en réalité tu es endormi sur ta couche. Les esprits t'envoient seulement matière à réflexion. Une image à sculpter. » Il songea à toutes les figurines sur bois et sur ivoire qui ornaient les murs de son ulaq et à la sculpture inachevée suspendue autour de son cou : un homme et son épouse.

Shuganan surveilla la femme et la vit tourner son embarcation vers la plage. Elle semblait voyager seule, sans une autre femme, sans un mari.

Quand elle arriva à terre, Shuganan sortit de sa cachette. Il était dans un rêve, quel mal y aurait-il à aider cette femme? Elle lui tournait le dos et tirait l'ik tout en chantonnant.

Il s'approcha pour l'aider mais quand il posa sa main osseuse près de la sienne au bord de l'ik, la femme poussa un cri et recula. Sa frayeur surprit Shuganan et lui serra le cœur de sorte que tout d'abord il ne put parler. Finalement, il tendit les mains, paumes en l'air et la salua.

— Je suis un ami, dit-il. Je ne porte pas d'armes.

Elle le regarda avec une expression anxieuse mais il lut aussi de la fatigue et une sorte d'épuisement sur ses traits tirés.

— Ce bateau est lourd. Permets-moi de t'aider.

— Je suis forte, répondit-elle.

— Oui, bien sûr, dit-il bien que cela ne lui parût pas être le cas.

Elle ressemblait d'ailleurs davantage à une enfant qu'à une femme, mais maintenant qu'il était vieux tout le monde lui paraissait jeune. Les chasseurs qui passaient devant sa plage, à quelque distance dans la mer, semblaient toujours jeunes. Les yeux usés voient la jeunesse partout, pensa-t-il. De même lorsqu'il était jeune, il voyait la vieillesse partout.

— Je suis forte, répéta la jeune femme en pesant de tout son poids sur l'ik afin de le pousser sur le rivage. Si cette plage est la tienne, reprit-elle, je ne resterai ici qu'une nuit.

Pendant un instant sa voix trembla. Shuganan sentit ce frémissement qui le troubla jusqu'au fond de son âme. Il regarda cette inconnue de plus près. Cette femme-enfant portait le poids d'un grand chagrin. Il le voyait dans ses yeux et dans la courbe de sa bouche, mais déjà il se mettait à examiner les méplats de son visage, l'arc des fins sourcils, la ligne harmonieuse de ses pommettes gravés dans l'ivoire.

— Tu peux rester ici, dit-il, c'est un bon endroit. On y est en sécurité.

La jeune fille hocha la tête et s'appuya sur le côté de son ik. Elle étudia le rivage et Shuganan vit que son regard s'arrêtait sur les marques laissées par la marée haute, sur les rochers bordant la source d'eau fraîche. Il remarqua aussi le renflement qui gonflait son suk, dessinant la forme d'un enfant encore très jeune.

— Où est ton village? demanda-t-elle.

— Il n'y a pas de village, dit-il, seulement mon ulaq.

— Avec ta femme et tes enfants?

— Je n'ai pas d'enfant.

— Me permets-tu de rester une nuit sur ta plage? J'ai besoin de dormir.

— Autant que tu voudras, répondit-il, toi et ton enfant êtes les bienvenus.

A ces mots, les yeux de la jeune femme s'ouvrirent tout grands et elle croisa les mains sur son ventre.

— Où es ton mari?

Elle se détourna pour regarder la mer et dit :

— Il est là-bas. Il viendra bientôt nous chercher. Puis se tournant vers lui, elle ajouta : il est très fort.

Mais ses paroles étaient aussi fragiles que la glace sur le bord d'une mare et Shuganan comprit la vérité. Cette femme n'avait pas de mari et d'une façon ou d'une autre cela faisait partie de son chagrin.

— Si cela ne doit pas le contrarier, dit Shuganan avec précaution, toi et l'enfant pouvez passer la nuit dans mon ulaq.

Mais la jeune femme secoua la tête.

— Alors, installe-toi. Je t'apporterai de quoi manger.

— J'ai des provisions.

— Dans ce cas nous ferons une petite fête.

Chagak regarda le vieil homme s'éloigner lentement vers le haut du rivage. Pour une raison inconnue, elle n'avait pas peur de lui. Il paraissait avoir la sagesse d'un shaman, mais non l'autorité exigeante de celui-ci.

Elle déballa ses provisions et les posa sur l'herbe au-dessus de la ligne de la marée, puis elle tira l'embarcation sur le sable et la retourna en l'attachant avec une corde faite de lianes afin qu'elle ne soit pas emportée par le vent. Elle installa ensuite des fourrures en dessous, constituant ainsi un abri pour la nuit.

Elle décida de ne pas ramasser de bois car elle était trop fatiguée pour faire du feu. Elle avait passé la journée à se battre contre la mer, s'efforçant de garder le cap vers l'ouest, en direction de l'île de son grand-père, mais les vents contraires soufflaient. Finalement elle avait dû tourner vers le nord et suivre la ligne de la côte jusqu'à ce qu'elle ait trouvé une baie pour accoster et attendre que les vents tournent et lui permettent de reprendre la route vers l'ouest.

La baie était vaste et peu profonde, bien abritée entre de hautes falaises. C'était une plage argileuse, un bon endroit pour accoster et pour y dresser un camp. L'argile permettait d'y dormir et on pouvait y marcher plus facilement que sur des galets. Une grande mare s'étendait au centre de la plage et un ruisseau cascadait de la colline apportant de l'eau fraîche.

« C'est un endroit où il doit faire bon vivre », pensa Chagak. Elle comprenait pourquoi le vieil homme l'avait choisi, mais elle s'inquiétait qu'il n'y eût pas de village. Il arrivait parfois que des esprits vivent seuls et prétendent être des hommes. Ce vieil homme... qui pouvait savoir ce qu'il était et pourquoi il vivait là ?

En utilisant ses pierres à feu, Chagak alluma une lampe à huile. Cela donnerait un peu de chaleur. Peut-être assez pour cette nuit.

Elle détacha son frère et l'enveloppa vivement dans des peaux de phoque en le sortant de la chaleur de son suk.

Au cours des deux derniers jours il avait été tranquille, dormant souvent, pleurant moins. Quand elle le posa, il ne s'éveilla même pas. Une brève inquiétude effleura l'esprit de Chagak, mais elle se hâta de pétrir une petite boulette de viande sèche et d'eau.

Puis elle plongea ses doigts dans la bouche du bébé. Il

n'ouvrit pas les yeux mais se mit à sucer et Chagak lui fit absorber tout ce qu'elle avait préparé. Après quoi, elle replaça l'enfant sous son suk, s'allongea sous l'ik et attendit le retour du vieil homme. Elle avait laissé dehors le sac de viande séchée, seul plat qu'elle avait à offrir et elle espérait que le vieillard mangerait peu.

La longue soirée était pratiquement écoulée quand le vieil homme revint sur la plage. Il tenait un sac en peau suspendu à chacun de ses bras. Il portait également une fine plaque d'ardoise avec un morceau de flétan fumant posé dessus. Chagak était si fatiguée qu'elle souhaitait seulement dormir, mais elle sourit à son hôte et le remercia. Elle se leva pour prendre le poisson et attendit pendant qu'il s'asseyait sur le sable.

Il détacha les paniers de ses bras et les ouvrit, l'un était rempli de baies, l'autre contenait des racines cuites, meilleures lorsqu'elles étaient servies avec de la viande et de la graisse, mais délicieuses aussi avec du poisson.

Le vieil homme coupa un morceau de flétan et le lui tendit. Un plat chaud était agréable après une journée passée dans le froid de la mer. L'homme l'observait et sous son regard, Chagak se sentit mal à l'aise.

— Il faut manger, toi aussi, dit-elle en lui montrant la viande séchée.

Il acquiesça et fourragea dans le sac. Il tira un petit morceau de viande et le porta à sa bouche.

— Ta femme fait de la bonne cuisine, dit finalement Chagak.

L'homme secoua la tête, avala une bouchée et répondit :

— Je vis seul. Ma femme est morte depuis bien longtemps.

Chagak attendit, pensant qu'il en dirait davantage, mais il ne le fit pas. Elle l'évalua. Il n'était pas petit bien qu'il fût si voûté qu'il n'était pas plus grand que Chagak. Ses cheveux épais et blancs tombaient sur ses épaules. Son parka était fait de peaux de macareux et il portait les plumes à l'intérieur, mais dans les coutures entre les peaux, elle vit que des points étaient inégaux avec des plumes parfois prises dans les coutures, ce que même une vieille femme n'aurait pas fait. Il avait les longues mains d'un chasseur, mais ses jointures étaient enflées et ses doigts déformés.

Il mangeait lentement en souriant et en hochant la tête, mais il ne parla pas avant d'avoir terminé le repas.

— Tu peux venir dormir dans mon ulaq cette nuit. Il y fait plus chaud et s'il y a de l'orage, toi et l'enfant y serez en sécurité.

A la mention de l'orage, Chagak se leva et regarda le ciel. Tout semblait normal. Le ciel était d'un gris égal. La mer ne montrait pas de crêtes blanches annonciatrices de vents. Elle hésitait à accepter l'abri de l'ulaq. Elle ne savait rien de cet homme seul, peut-être contrôlé par des esprits — bons ou mauvais.

— La mer est calme, dit-elle.

— Les orages viennent vite de ma montagne Tugix, répondit-il.

Chagak se tourna vers les sommets blancs en essayant de voir si le vent poussait la neige sur ses pentes.

— Si le vent se renforce, dit-elle finalement, je viendrai dans ton ulaq.

— Tu ne trouveras pas ton chemin dans le noir.

— Alors montre-le-moi et je m'en souviendrai.

Elle l'accompagna le long de la plage, puis sur un étroit sentier menant vers le sommet d'une colline.

— C'est là, indiqua-t-il.

Shuganan s'assit à l'intérieur de l'ulaq et attendit. Il avait allumé toutes les lampes et avait étendu des fourrures de phoque derrière les rideaux des couches. Il vaudrait mieux que la jeune femme n'ait pas à chercher l'ulaq dans l'obscurité, mais il connaissait Tugix.

Des orages naissaient sur ses pics. Un crachin s'élevait avant l'arrivée de la pluie et du vent sur la plage. Aujourd'hui Shuganan avait observé le miroitement de l'air près du sommet, signe d'esprits se déplaçant, aussi attendait-il maintenant que l'orage se manifeste.

Shuganan avait creusé son ulaq sur les flancs de la colline et souvent, quand il était à l'intérieur, il sentait Tugix secouer la terre. Parfois les secousses étaient douces comme celles d'une mère berçant son enfant, mais parfois c'était avec colère en faisant tomber de la terre et des feuilles sur les poutres.

Depuis qu'il était installé là, Shuganan avait toujours considéré Tugix comme un ami et un protecteur. Un jour, alors qu'il était encore un homme jeune, il avait escaladé la montagne et avait ramené un petit morceau de rocher pas plus grand qu'une main. Toutes les nuits pendant très longtemps il avait utilisé une autre pierre pour donner à ce morceau de rocher la forme d'un homme.

Quand il avait été terminé, Shuganan avait attaché une cordelette autour de la tête de la statuette et l'avait suspendue à la poutre de la pièce principale de l'ulaq. Ainsi que Shuganan l'avait espéré, le petit homme portait toujours une partie de l'esprit de Tugix. Suspendu en souriant au sommet de l'ulaq, il remuait chaque fois que Tugix bougeait. Parfois, quand Shuganan ne sentait pas trembler la terre, n'entendait pas le grondement de la montagne il voyait quand même le petit homme s'agiter et il savait que l'esprit de Tugix était troublé.

Shuganan n'avait pas eu l'intention de dormir et il ne sut pas ce qui l'avait réveillé, mais il se rendit compte que le vent avait augmenté et que le son était assez fort pour avoir traversé les murs épais de l'ulaq. Au bout de sa cordelette, le petit homme se livrait à une étrange danse saccadée.

La première idée de Shuganan fut de retourner sur la plage pour ramener la femme et l'enfant et les mettre à l'abri, mais soudain une pensée lui vint : c'est un rêve. Cette femme est un rêve. Toutefois quelque chose s'agitait au fond de lui en le poussant à sortir, en lui disant que cette femme avait besoin de son aide. Il se leva lentement, surpris que ce simple geste fût si peu douloureux. Puis il pensa : pourquoi pas ? C'est encore un rêve.

Un rêve oublie parfois une partie de la vie. Cette fois, sa fantaisie était d'oublier la douleur.

Shuganan enfila ses bottes en peau de phoque. La doublure épaisse et rugueuse en peau de lion de mer sembla dure sous ses pieds. Il grimpa sur le toit, puis il sortit pour affronter l'orage.

7

Chagak se glissa sous l'embarcation et essaya d'empêcher le vent de l'emporter. Ses bras étaient lourds et la douleur se propageait de ses épaules à son dos. Pup glissait sous son suk et commença à pousser de petits cris étouffés.

Du sable et des morceaux d'argile arrachés par le vent entraient sous l'ik et s'entassaient sur les fourrures.

— Aka! Aka! Je t'en supplie arrête-toi!

Mais l'île appartenait à Tugix et non à Aka et le vent emporta ses paroles. Elle n'entendait plus que le fracas des vagues contre les rochers.

Soudain le vent cessa et Chagak relâcha sa prise au bord de l'ik. Un craquement ressemblant à une explosion de pierre retentit au sommet de la montagne. Chagak poussa un hurlement, le vent lui arracha l'ik des mains et l'emporta à l'autre extrémité de la plage. Fermant les yeux sous la tempête de sable, elle se mit à ramper vers l'ulaq du vieil homme.

Une envolée de schiste l'obligea à tourner la tête en direction du vent, au même moment un morceau de rocher arraché à la montagne la frappa sur la bouche. Elle dut s'arrêter en courbant les genoux. Affolée elle se cacha la tête entre les bras, mais sentit soudain une pression douce et légère sur son épaule.

Chagak leva la tête et vit le vieil homme debout près d'elle. Sa présence parut donner une nouvelle force à la jeune femme et quand il se pencha pour l'aider elle fut capable de se relever.

— Viens avec moi, dit-il, et Chagak se demanda comment elle pouvait entendre ces paroles paisibles à travers les hurlements du vent.

A l'intérieur de l'ulaq, Chagak s'appuya sur le tronc d'arbre central et s'essuya le visage. Ses yeux étaient gonflés et elle cilla plusieurs fois avant de pouvoir les ouvrir devant la lumière.

Puis elle poussa un cri en portant ses mains devant sa bouche. Cinq étagères entouraient l'ulaq et chacune d'elles était chargée de statuettes représentant des oiseaux, des poissons, des animaux et des formes humaines. Elles brillaient sous la lumière des lampes à huile. Certaines paraissaient douces et dorées comme des défenses de morse délavées par la mer. D'autres étaient blanches ou grises, avec des plumes, des cheveux et des détails d'habillement finement gravés. Aucune de ces figurines n'était plus grande qu'une main d'homme et cependant aux yeux de Chagak elles paraissaient vivantes et semblaient la regarder depuis les murs de l'ulaq.

Le vieil homme suivit son regard et se mit à rire.

Chagak recula, mais il posa la main sur son bras :

— Ne sois pas effrayée, dit-il. Ce ne sont que des morceaux de bois ou d'ivoire.

— Ont-ils un esprit? demanda Chagak.

— Oui, certains ont quelque esprit autrement pourquoi les aurais-je sculptés?

— Est-ce toi qui les a faits?

Le vieil homme continuait à rire doucement.

— Cette plage est un endroit solitaire. Que serais-je devenu sans ces petits compagnons? Ce sont mes amis. Ils ne te feront aucun mal.

Il lui indiqua un matelas d'herbe près d'une lampe à huile sur lequel elle s'assit.

— As-tu le bébé? lui demanda-t-il.

Cette question rappela brusquement à Chagak que Pup était tranquille depuis bien longtemps. Elle souleva son suk et sortit l'enfant. Il gémit faiblement sans vraiment pleurer. Son regard s'arrêta momentanément sur le visage de Chagak et se détourna vers les flammes dansantes d'une lampe. Chagak sourit mais quand elle se tourna vers le vieil homme, il fronçait les sourcils, les yeux fixés sur sa poitrine juvénile.

— Tu n'es pas sa mère, dit-il.

Chagak baissa les yeux sur ses petits seins à peine formés. Ils n'étaient pas gonflés comme ceux d'une jeune mère.

— Je suis sa sœur, avoua-t-elle.

— Il est malade, constata l'homme.

— Non. Il n'est pas malade, répondit-elle, mais une vague de frayeur la fit frissonner et bien qu'il fît chaud dans la pièce, elle tendit la main vers son suk et s'en couvrit.

— Mais si, il est malade, répéta l'homme.

Il tendit la main vers une niche et en sortit un sac en disant :

— Des feuilles de caribou*.

Il en prit une poignée qu'il écrasa au fond d'un bol en bois. Puis il décrocha une vessie d'eau suspendue à une poutre du plafond et versa le liquide dans le bol qu'il plaça ensuite au-dessus d'une des lampes à huile.

Chagak attendit, tenant Pup dans ses bras. Les feuilles de caribou étaient un bon remède, mais difficile à trouver. Le vieil homme ne pouvait donner quelque chose d'aussi précieux à moins que Pup ne fût vraiment malade.

Le poids du bébé contre sa poitrine semblait rendre celui que Chagak ressentait encore plus lourd et elle se mit à le bercer. Le vieil homme avait peut-être raison. Son frère était peut-être malade. Ne criait-il pas plus fort naguère? Avait-il souri plus souvent et moins dormi? Au cours des deux jours de voyage, Chagak s'était efforcée de chasser toute idée de famille de son esprit, autrement elle n'aurait pu pagayer. Elle avait eu du mal à se lever le matin et maintenant elle trouvait difficile de se souvenir comment Pup se comportait avant le massacre de sa famille.

Elle se mit à chanter une berceuse, autant pour se

---

* Lichen des régions arctiques.

réconforter que pour Pup. Que font les bébés ? Ils ne peuvent parler, ni marcher et Pup souriait déjà. Mais depuis combien de temps ne l'avait-elle pas vu sourire ? Depuis quand n'avait-il pas ri ?

Le vieil homme tendit la tisane de feuilles de caribou à Chagak. Elle plongea les doigts dans le liquide et les pressa près de la bouche du bébé. Il détourna la tête et elle appuya sur ses joues avec son pouce et son index afin de faire glisser le liquide dans sa gorge. Il se mit alors à sucer faiblement ses doigts goutte à goutte jusqu'à ce que le bol soit vide. Quand il eut terminé ses paupières frémirent et se fermèrent. Chagak le serra contre sa poitrine. La crainte de le voir mourir et l'espoir qu'il vive se battaient si fort dans son cœur qu'elle avait du mal à respirer.

Le vieil homme s'assit en face d'elle et tendit les bras vers le bébé.

— Laisse-moi l'examiner.

Par réflexe, Chagak serra l'enfant plus fort. Elle redoutait ce que le vieil homme pourrait découvrir et craignait que le faible espoir qu'elle nourrissait ne lui fût arraché. Mais elle lui tendit quand même le bébé.

Il posa Pup sur le sol et retira la fourrure qui l'entourait. L'enfant geignit et secoua ses jambes en quelques mouvements rapides. Les mains du vieil homme palpèrent le petit corps, s'arrêtant aux jambes, au ventre et à la tête.

— Cet enfant est-il tombé ? demanda-t-il enfin.

L'image de sa mère jetant Pup sur le côté de l'ulaq revint à l'esprit de Chagak, accompagnée de celle de ces hommes aux longs cheveux tuant tout le monde.

— Oui, dit-elle dans un souffle.

— Les os d'un enfant sont souples, dit l'homme, un peu comme des os de poissons. Ils se plient ou ils se brisent.

Il enveloppa le bébé en serrant soigneusement les fourrures autour du petit corps frêle, puis il le prit dans ses bras et le berça.

— Un bébé peut survivre à une chute qui tuerait un homme, reprit-il, mais parfois, même si l'enfant survit, il peut y avoir des dommages.

Ses yeux se levèrent vers ceux de Chagak et elle y lut la tristesse et quelque chose en elle se brisa, laissant s'échapper le chagrin qu'elle avait refoulé pendant les longues heures de lutte.

— Y a-t-il quelque chose que je puisse faire pour lui? demanda-t-elle d'une petite voix tremblante comme si quelqu'un d'autre avait parlé à sa place.

— Berce-le. Réconforte-le.

Le vieil homme lui tendit le bébé, cette petite forme si familière dans les bras de Chagak qu'elle semblait faire partie d'elle-même.

— Va-t-il mourir? demanda-t-elle sans oser lever les yeux.

Il ne répondit pas et Chagak le regarda et lut la réponse sur son visage. Elle se mit à pleurer. Alors soudain au milieu de ses larmes, l'histoire de son peuple sortit de ses lèvres. Les mots qu'elle prononçait s'adressaient à toutes les statuettes qui peuplaient l'ulaq comme si les esprits qui les habitaient avaient besoin de savoir.

— J'ignore qui étaient ces hommes aux longs cheveux. Ils ont brûlé tous les ulas de notre village. Je ne sais pas pourquoi. Ma mère est sortie de notre ulaq. Un homme l'a saisie. Elle avait Pup dans les bras...

Chagak secoua la tête tandis que les larmes roulaient sur ses joues.

— Elle a jeté mon frère sur le bord de l'ulaq. Mais le feu avait pris sur le toit. L'homme a transpercé la poitrine de ma mère avec sa lance. Pour lui échapper, elle et ma sœur ont sauté dans le feu, acheva Chagak, la voix brisée.

Elle sentit une main posée sur sa tête et un léger murmure s'éleva. D'abord, elle crut qu'il psalmodiait, puis elle se rendit compte qu'il priait :

— Encore d'autres morts. Je n'aurais pas dû essayer de me cacher. Ils détruiront toujours tout.

Chagak le regarda à travers ses larmes et vit le voile soudain qui embuait ses yeux.

— Toi et ton frère êtes-vous les seuls survivants?

— Oui, dit Chagak en reprenant son histoire où elle

l'avait interrompue. Je serais morte également si Pup n'avait pas été en vie. Je serais partie avec mon peuple pour les Lumières Dansantes.

Chagak serra le bébé contre elle et se remit à le bercer.

— S'il meurt, je ne veux pas vivre. S'il meurt, s'il te plaît tue-moi aussi.

— Tu vivras, même s'il meurt, affirma le vieil homme. Tu vivras.

— Non, répondit Chagak, en s'adressant non seulement au vieil homme mais également aux sculptures qui la regardaient, aux petits esprits qui se cachaient sur les étagères de l'ulaq.

Elle ferma les yeux et pleura.

8

Chagak n'avait pas l'intention de dormir cette nuit-là. Elle tenait Pup serré contre elle, chantant et priant par intervalles, craignant, si elle fermait les yeux, que l'esprit de Pup ne s'envole.

Vers l'aube, les vents d'orage se calmèrent et à travers sa fatigue, Chagak ne pouvait dire si ses pensées étaient réelles ou si elles faisaient partie d'un rêve. Les sculptures du vieil homme se mirent à bouger, à danser sur les étagères, mais cela paraissait naturel. Chagak les regarda avec solennité sans savoir qu'elle rêvait. Elle dormit sans savoir qu'elle dormait.

Quand elle s'éveilla, les yeux ouverts au regard fixe de Pup lui apprirent qu'il était mort. L'esprit de Chagak n'avait pas été assez fort pour le retenir en même temps que ses rêves.

Elle se pencha sur la forme immobile du bébé et entonna le chant funèbre de son peuple.

Chagak lava le petit corps de Pup et l'enveloppa dans des fourrures que lui donna le vieil homme. Elle n'avait plus de larmes mais un poids au centre de sa poitrine semblait bloquer toutes ses pensées.

Le vieil homme lui apporta un tapis, un de ceux qu'elle avait tissés avec une bande plus foncée à chaque extrémité.

Le tapis était humide et rempli de sable, aussi Chagak alluma-t-elle deux lampes et tint le tapis au-dessus. Quand il fut sec, elle le secoua pour en déloger le sable.

— Pleure, ma petite, lui dit le vieil homme tandis qu'elle travaillait.

Mais Chagak le regarda les yeux grands ouverts de surprise, comme si elle n'avait pas de raison de pleurer et le vieil homme se détourna.

Pendant un long moment elle tint son frère en caressant la peau douce de son front et en chantant. Mais finalement, le vieil homme apporta le berceau de Pup. Il était également humide et l'un des côtés en bois s'était brisé.

Elle fut surprise que le vieil homme ait pu le retrouver. La plus grande partie de ses affaires avait dû être emportée par la mer. Maintenant Pup pouvait partir avec son berceau dans le monde des esprits et parce que son père l'avait fabriqué il y aurait un lien qui attirerait Pup vers son peuple.

Tenant le berceau sur ses genoux, elle regarda le vieil homme arpenter la pièce en étudiant les nombreuses figurines sur les étagères. L'ulaq était beaucoup plus petit que celui de son père et il n'existait que trois petites pièces pour y dormir. Leurs rideaux coupaient la ligne des étagères à une extrémité de l'ulaq. Finalement le vieil homme choisit deux sculptures, l'une représentant un dauphin, l'autre une loutre.

Chagak le regarda s'installer près d'une lampe à huile et nouer une fine cordelette autour de chaque animal. Puis tirant un grand panier de sous une étagère, il sortit plusieurs morceaux de bois. L'un était un mince ruban aussi long et fin que le petit doigt de Chagak, l'autre plus large et aussi long que sa main, mais moins large.

Il travailla sur le plus petit morceau, le creusant avec un couteau dont la lame n'était pas plus longue que la dernière phalange de son pouce. Il travailla jusqu'à ce qu'il eût presque complètement évidé le bois de sorte qu'il ne restait plus qu'une mince couche. Mais lorsqu'il le souleva pour le montrer à Chagak, elle se rendit compte que c'était un harpon, tout petit mais parfait, même les barbillons de la tête étaient en place. Avec les morceaux de bois restants, il grava un arc avec une encoche qui se fixait à l'extrémité du harpon, véritable fronde permettant au chasseur d'accroître la distance et la force de son lancer. Il noua ses deux petits objets à la cordelette suspendue au cou du phoque. Le plus grand des deux morceaux de bois devint un ikyak, petit et parfait. Après l'avoir terminé, le vieil homme le polit avec une pierre de grès. Lorsqu'il le tendit à Chagak, le bois était aussi doux qu'une peau récemment tannée.

Il attacha alors l'ikyak au cou de la loutre et réunit les deux cordelettes pour les placer dans le berceau de Pup.

— L'un pour fournir la nourriture, l'autre pour le guider vers ton peuple et les Lumières Dansantes.

Chagak acquiesça, mais les paroles du vieil homme avaient donné une forme aux frayeurs qu'elle éprouvait et elle sentit des larmes se former au coin de ses yeux.

— Il est si petit, chuchota-t-elle, puis sa gorge se serra et elle ne put rien ajouter.

Le vieil homme vint s'asseoir près d'elle.

— Pourquoi crois-tu que je lui ai donné une loutre? demanda-t-il.

Il souleva la petite figurine en ivoire et Chagak admira la perfection des traits, les yeux, la courbe de la bouche et même la séparation des doigts et des orteils sur les pieds de la loutre.

— As-tu jamais vu une mère loutre négliger ses petits?

Il tourna la statuette et montra une rangée de tétons sur le ventre de la loutre.

— Les loutres ne se perdent pas et elles n'abandonnent jamais leurs petits. Elle sera la mère de ton frère jusqu'à la fin de son voyage, jusqu'à ce qu'il ait retrouvé sa véritable mère.

Il tendit la loutre à Chagak et elle la serra dans ses mains. En la tenant ainsi, la loutre parut se réchauffer. Chagak regarda le vieil homme.

— Je m'appelle Chagak*, lui dit-elle. C'est le nom que mon père m'a donné.

---

* Chagak : obsidienne en dialecte aleut.

Le vieil homme sourit. Dire son nom n'était pas un acte fait à la légère car quelqu'un qui connaissait le nom d'une autre personne pouvait contrôler une partie de son esprit.

— Un nom sacré, répondit-il en pensant à la pierre translucide dont elle portait le nom.

L'obsidienne était l'esprit des rochers de la montagne.

— Je suis Shuganan, ajouta-t-il.

— Un nom ancien, dit Chagak, un nom de shaman.

— Je ne prétends pas être un shaman, mais je prierai pour que ton frère voyage sain et sauf.

Cette nuit-là ils gardèrent le corps dans l'ulaq avec eux, mais le lendemain Shuganan porta le berceau à l'endroit qu'il appelait son ulaq des morts. Chagak le suivit sur une colline basse. Des aconits à longues tiges, aux fleurs bleu foncé poussaient autour de l'ulaq. Le trou du toit était fermé par des morceaux de bois carrés liés ensemble par un lien ressemblant à des orties, une plante que les oiseaux ou les petits rongeurs ne mangeraient pas.

Shuganan utilisa sa canne pour enlever la poussière qui s'était accumulée autour de la porte, puis enleva le bois. Une odeur d'humus et d'humidité remplissait l'air qui sortait de l'ulaq. Chagak s'efforça de voir à travers l'obscurité, mais ne distingua rien.

— Y a-t-il d'autres corps enterrés là ? demanda-t-elle.

Shuganan ne répondit pas et Chagak répéta sa question. Le vieillard la regarda comme s'il était surpris de la voir à côté de lui.

— Ma femme, dit-il avant de commencer un chant, dans une langue que Chagak ne connaissait pas.

L'épouse de Shuganan, morte depuis six étés, était une vieille femme quand elle était morte, mais elle était toujours jeune pour lui — jeune car au cours de leurs dernières années ensemble, Shuganan ne l'avait pas vue telle qu'elle était mais comme la jeune fille brune épousée en échange de trois longues années de chasse au phoque.

Son chant l'appelait. L'entendait-elle ou avait-elle trouvé un autre homme, un chasseur qui prenait soin d'elle à sa place dans les Lumières Dansantes ? Quelqu'un qui lui donnerait peut-être le fils qu'il ne lui avait pas donné. Il chanta plus fort, espérant que ses mots seraient emportés au loin dans le monde des esprits. C'était un cadeau qu'il voulait lui faire et aussi quelque chose qu'il offrirait à Chagak : la sécurité de cet enfant.

Il introduisit le berceau dans l'ulaq et descendit lentement sur les marches crantées. Quand il fut à l'intérieur, il alluma la lampe à huile. La flamme envoya des cercles jaunes sur les étagères de sculptures qui tapissaient les murs. Chagak qui l'avait suivi eut un sursaut mais ne dit rien.

Shuganan n'essaya pas d'expliquer. Pourquoi un homme devrait-il commenter les cadeaux qu'il avait faits à sa femme ? Comment expliquerait-il des sentiments qui n'étaient pas morts ? Comment aurait-il pu vivre sans sa femme si une année entière ne s'était pas écoulée pour sculpter toutes les choses qu'elle aimait afin de pouvoir les emporter dans les Lumières Dansantes ? Des fleurs, des loutres, des plantes, des oursins, des canards, des oies, des mouettes. Et des étagères de bébés pour remplacer les bébés qu'il n'avait pu lui donner pendant sa vie.

« Mais aujourd'hui je t'apporte un véritable enfant », pensa-t-il. Puis il ajouta quelques mots à son chant, quelque chose dans la langue de son propre peuple. Car il ne voulait pas que Chagak pût craindre que sa femme prenne l'enfant à sa famille. L'enfant ne serait pas pris mais partagé.

Il se retourna, vit le monticule qui était le corps de sa femme, les genoux ramenés vers la poitrine, le corps enveloppé d'une couverture. Il prit le berceau et le plaça près de sa femme. Il continua sa lente mélopée en sortant de l'ulaq.

Avec l'aide de Chagak il referma l'ouverture, ajoutant de la terre entre les joints. Ils restèrent longtemps sur le toit, sans parler, dans le vent.

Chagak pensait à la mort et tandis que le soir tombait, elle sentit l'obscurité peser sur elle. Dans son esprit elle voyait un vent d'orage souffler la flamme spirituelle de tous ceux qu'elle avait connus jusqu'à ce qu'elle fût la dernière lumière vacillante dans le noir.

Mais Shuganan disait une prière silencieuse d'offrande.

— S'il te plaît, ma femme, accepte ce cadeau. Toutes les années où tu as pleuré parce que je ne pouvais te donner un fils, j'ai aussi pleuré parce que je ne pouvais te donner une fille. Ce n'était pas ta faute, mais la mienne. J'ai placé tout mon pouvoir à faire des enfants sculptés et je n'étais plus assez fort pour en faire de réels. Si tu as trouvé un jeune chasseur, un homme capable de te donner des enfants à l'endroit où tu es maintenant, va avec lui mais ne m'oublie pas. Je t'offre cet enfant en cadeau. Prends-le comme notre fils. Ne m'oublie pas. Ne m'oublie pas.

Ils restèrent assis jusqu'à ce que le soleil soit couché et que les étoiles apparaissent à travers les nuages, jusqu'à ce que dans l'obscurité, Shuganan ne pût voir les larmes sur les joues de Chagak et ne sentît pas les siennes sur son propre visage.

9

Pendant deux jours Chagak ne quitta pas l'ulaq de Shuganan. Elle ne mangea pas et Shuganan craignit qu'elle n'ait décidé de rejoindre son frère et son peuple dans la mort.

Il répara son ik en utilisant du bois sec pour remplacer les montants endommagés et le fond, mais il retourna souvent à l'ulaq, espérant que sa présence apporterait quelque réconfort. Elle ne montra par aucun signe qu'elle le remarquait.

Au soir du deuxième jour, elle but du bouillon sans paraître prêter attention à ce qu'elle faisait, comme si son corps bougeait sans que son esprit y prît part.

Mais le matin suivant Shuganan parvint à la convaincre de sortir avec lui et de s'asseoir sur le toit de l'ulaq. Ils étaient donc ensemble quand les canards arrivèrent. C'étaient de grands eiders; les mâles avaient un plumage noir et blanc, celui des femelles était rougeâtre. Une vingtaine d'entre eux s'abattirent sur la plage comme si c'était leur domaine. Jamais Shuganan n'avait assisté à ce spectacle et il ne pouvait l'expliquer.

— Regarde, dit Chagak, parlant pour la première fois depuis la mort de son frère.

Et le cœur de Shuganan se gonfla de gratitude tandis qu'il joignait les mains en prière d'action de grâces. Pendant un moment ils regardèrent en silence, mais quand les canards commencèrent à s'ébrouer dans les mares et se mirent à manger, Shuganan descendit dans l'ulaq et revint avec son bola. C'était un instrument fait d'un morceau de cuir et deux bouts de cordes liés à une poignée centrale avec lesquels on lançait des pierres bien aiguisées.

Il y avait plus d'un an que Shuganan n'avait pas utilisé cette arme, aussi tira-t-il sur les cordes pour s'assurer qu'elles n'étaient pas abîmées. Elles étaient en bon état. Il essaya de soulever le bola au-dessus de sa tête mais ses épaules douloureuses ne lui permirent pas d'achever son geste.

Découragé, il reprit sa place sur le toit, mais Chagak se leva.

— Je vais essayer. J'ai vu les hommes de mon village s'en servir.

Surpris Shuganan lui tendit le bola et la regarda tandis qu'elle le soulevait au-dessus de sa tête, le balançant lentement d'abord, puis avec plus de puissance. Le bruit des pierres et des cordes siffla dans l'air; en la voyant ralentir, Shuganan lui conseilla :

— Ne t'arrête pas. Tire. Si tu ralentis, les cordes s'enrouleront autour de ton bras et les pierres tomberont sur toi.

Chagak accéléra son mouvement. Debout sur le toit de l'ulaq, les cheveux soulevés par le vent, elle fit voler le bola. Le coup partit de travers et les pierres tombèrent dans un buisson de bruyère.

— Je voulais tirer droit, dit-elle.

— Il faut du temps pour apprendre à tirer avec un bola, répondit Shuganan. Ne te décourage pas.

— Je voulais toucher un canard.

— Ils t'attendront. Recommence.

Elle le regarda avec quelque chose qui ressemblait à un sourire.

— Je vais apprendre, affirma-t-elle.

Tout le reste de la journée les canards restèrent sur la plage. Elle continua à s'exercer jusqu'à ce que ses mains soient blessées par la corde, mais il était agréable de maîtriser la force du bola et de sentir les cordes se tendre et les pierres s'envoler dans l'air en chantant.

Le soir venu les canards ne s'en allèrent toujours pas. Ils se regroupèrent dans la mare sur le haut de la plage.

Cette nuit-là, en s'allongeant sur sa couche, elle eut l'impression d'entendre le ronronnement du bola chanter à ses oreilles. Et tout en doutant que les canards soient toujours sur la plage le lendemain, elle eut des visions de ce qu'elle pourrait faire d'une peau d'eider, quelque chose pour un bébé, pour envelopper le corps de son frère ou peut-être, pensa-t-elle avant de s'endormir, un vêtement pour un autre enfant, un jour.

Shuganan fut réveillé par les cris des canards, le claquement de leur bec pendant qu'ils mangeaient et par un autre bruit. Un bruit d'ailes? Non. Celui du bola.

Au cours de la nuit ses articulations s'étaient ankylosées et il se leva péniblement de sa couche. Quand il entra dans la pièce principale de l'ulaq, il vit que Chagak avait allumé plusieurs lampes et disposé du poisson séché à son intention, mais elle était sortie. A nouveau il entendit le bola. Un bruit sourd semblait indiquer qu'elle avait touché une cible; il grimpa à son tour sur le toit en criant à Chagak:

— J'arrive, ne tire pas.

— Ne t'inquiète pas, dit-elle et Shuganan la regarda avec surprise.

Il y avait dans sa voix une note de jubilation qu'il n'avait jamais entendue jusque-là.

— Regarde, dit-elle en désignant un rocher un peu plus loin.

Elle fit tournoyer le bola et visa. Les pierres heurtèrent le haut des rochers.

— Tu apprends vite, admira-t-il et il remarqua que les yeux de la jeune fille brillèrent en entendant ce compliment.

— Et vois, reprit-elle, les canards sont restés.

Shuganan secoua la tête avec étonnement. Qu'est-ce qui avait bien pu les conduire ici? Jamais aucun canard ne s'était posé sur ce rivage et il était trop tôt pour qu'ils se rassemblent pour l'hiver.

— C'est un cadeau de mon peuple, dit Chagak comme si elle lisait les pensées du vieil homme. C'est un signe que je dois vivre.

Et comme Shuganan ne voyait pas de meilleure explication, il acquiesça avec plaisir à cette idée.

— Je suis prête maintenant, déclara-t-elle.

N'étant pas certain de comprendre, Shuganan ne répondit pas. Elle fit quelques pas avec précaution vers le rivage, il vit qu'elle allait essayer de toucher un canard. Il n'était pas sûr que ce fût le bon moment et il pensa qu'elle avait peu de chance de réussir. Il voulut la rappeler, lui dire d'attendre, mais il eut peur d'effrayer les canards, aussi la laissa-t-il se glisser sur le côté de l'ulaq et avancer lentement.

Chagak s'était laissée tomber sur les genoux et les mains. Elle se déplaçait si lentement que Shuganan ne savait pas si elle bougeait vraiment. Il retint son souffle comme il le faisait quand il chassait lui-même.

Les canards exécutèrent une lente retraite vers l'extrémité de la mare à la recherche de coquillages. Un mâle se redressa en battant des ailes au-dessus de l'eau, mais ne manifesta pas l'intention de s'envoler. Chagak rampa encore plus près.

Shuganan savait que le bola serait moins efficace à la surface de l'eau. La chute des pierres serait amortie. Il avait souvent chassé les canards ou les oies avec cette arme et aurait aimé être capable d'expliquer à Chagak la manière de tuer un canard.

Saurait-elle pousser un cri et tirer juste au moment où les canards commenceraient à s'envoler, alors que l'eau alourdirait leurs ailes ?

Chagak avait enroulé le bola autour de son bras, les pierres remuèrent dans ses mains et elle se souleva, mais seulement sur ses genoux. Shuganan craignit qu'elle ne tirât de cette position ce qui lui ferait perdre une partie de sa puissance. Mais soudain elle se redressa en faisant tourner le bola autour de sa tête.

Certains canards l'avaient remarquée et avaient commencé à traverser la mare, mais d'autres continuaient à manger.

— Crie, Chagak, et ils s'envoleront ! dit Shuganan.

— A-r-r-r-t ! hurla-t-elle.

Les canards s'élevèrent au-dessus de l'eau tandis que le cri semblait contrôler le cercle régulier du bras de la jeune fille. Le bola s'enroula et quand elle le lâcha il tomba près des canards et s'enfonça dans l'eau.

Déçu, Shuganan sauta près d'elle mais quand elle se retourna, il vit qu'elle riait.

— J'en ai presque touché un, as-tu vu ?

— Oui, j'ai vu, répondit Shuganan en souriant.

Chagak se dirigea vers la mare, mais Shuganan l'arrêta en saisissant la manche de son suk.

— Tu te couperais les pieds sur les coquillages, dit-il.

— Les canards vont revenir, j'ai besoin du bola.

— Alors attends.

Shuganan prit un morceau de bois sec et se mit à dégager un passage pour aller jusqu'à la mare.

— Vite, chuchota Chagak.

Il fut surpris de l'urgence de sa voix, mais il entendit les canards et en levant les yeux, il vit qu'ils tournaient en cercle au-dessus de la plage. Il atteignit l'eau et saisit le bola sans se soucier de mouiller la manche de son parka.

Il lui tendit l'arme et se cacha derrière un rocher à une faible distance de la mare pour attendre. Chagak s'éloigna lentement du bord de la mare, s'agenouilla et se tint immobile.

— Merci, murmura-t-elle, sans savoir si sa prière s'adressait à Aka ou aux esprits de son peuple.

Elle n'était pas surprise de voir revenir les canards, mais leur présence était un cadeau, un signe qu'elle devait continuer à vivre.

Les canards se groupèrent, leurs ailes battant l'eau dont les éclaboussures l'atteignirent. Elle attendit tandis qu'ils lissaient leurs plumes en émettant de petits cris, se battant pour mieux s'installer dans l'eau.

La corde en tige d'ortie blessait les ampoules sur la main de Chagak, mais la douleur lui parut bonne. Plutôt que de ne rien ressentir comme cela avait été le cas pendant tant de jours, quand elle s'était renfermée sur elle-même, c'était la seule façon de calmer la douleur morale qu'elle endurait.

Le soleil était chaud à travers les nuages, et ses rayons tombaient sur la tête de Chagak. Elle repoussa ses cheveux sombres sur ses épaules, se concentrant sur la corde qu'elle tenait à la main et rampa vers la mare.

Que lui avait dit Shuganan la veille ? Elle devait se tenir assez près pour que le bola frappe le centre du groupe, mais cependant assez loin pour ne pas effrayer les canards avant qu'elle ne soit prête à tirer.

Les galets de la plage écorchaient ses genoux, mais elle ne les sentait pas. Ses yeux fixaient le milieu de la mare, à l'endroit où le bola devait frapper pour être efficace. Puis soudain, en un seul mouvement, elle se lança en avant, criant et faisant tourner le bola dans sa main.

Les canards s'élevèrent au-dessus de la mare et Chagak tira.

Le bola quitta sa main. Un canard tomba, puis un autre. Leurs corps s'enfoncèrent dans l'eau. Déjà Shuganan pataugeait dans la mare pour les retirer, mais Chagak regarda l'envol des canards dans le ciel et leur disparition derrière les falaises.

Ils représentaient les esprits de son peuple, elle n'en doutait pas. Elle en avait touché deux. Deux esprits resteraient avec elle.

Shuganan souleva les deux canards.

— Deux mâles ! cria-t-il.

— Deux fils, murmura Chagak, j'ai gagné deux fils !

Elle dépouilla chaque eider avec soin, retirant d'abord les plumes, ne laissant que le duvet, puis elle arracha la peau d'une seule pièce. Ce soir-là elle fit cuire les canards en les enveloppant dans du varech et en les faisant griller sur des braises.

Shuganan lui fit de grands compliments pour le repas, mais Chagak pensait à la peau qu'elle devrait tanner. Les mâles n'avaient pas le goût délicat des canes, mais leurs peaux étaient plus épaisses et seraient ainsi plus faciles à tanner.

Après avoir enlevé la première peau, elle l'avait tendue et en voyant sa taille et sa forme, elle s'était souvenue de son petit frère et une peine douloureuse l'avait étreinte, mais tout aussi clairement elle voyait dans son esprit d'autres bébés qui, un jour, seraient les siens, aussi décida-t-elle de garder les peaux.

Elle les frotterait jusqu'à ce qu'elles se soient assouplies, en utilisant un mélange de cervelle et d'eau de mer, puis elle gratterait chacune d'elles avec une pierre ponce.

— La viande est bonne, répéta Shuganan. Il y a longtemps que je n'en avais mangé d'aussi tendre.

Chagak baissa la tête en acceptant le compliment.

— As-tu gardé les plumes ? lui demanda-t-il.

Chagak se retourna vers la pile de ses affaires qu'elle avait entassées dans un des paniers de sa mère, un des rares objets qu'elle avait emmenés avec elle et que l'orage ne lui avait pas repris. Elle montra la poignée de plumes qu'elle avait conservée.

— Puis-je en avoir une ? demanda-t-il.

Bien qu'elle fût surprise par cette requête, elle lui tendit une longue plume noire.

— Je vais m'en servir comme modèle pour une de mes sculptures, expliqua-t-il en la glissant sur le haut de sa tête comme une sorte d'amulette. Je suis sûr que les canards étaient un cadeau pour toi. Peut-être étaient-ils envoyés par ton peuple. Peut-être par Tugix.

Chagak choisit une autre plume et la planta dans le sac en cuir suspendu à son cou.

— Je vais garder les peaux pour en faire un suk, dit-elle. Quelque chose pour un bébé.

Puis elle s'interrompit, craignant de révéler son espoir d'être mère.

Mais Shuganan répondit :

— Oui. Bientôt nous irons dans une île que je connais. C'est là que se trouve le peuple de ma femme, les Chasseurs de Baleines. Nous y trouverons peut-être un mari pour toi.

Chagak ouvrit la bouche pour parler, mais pendant un moment elle ne trouva rien à dire. Finalement elle avoua :

— Ma mère venait de chez les Chasseurs de Baleines. J'essayais d'y conduire Pup quand nous avons abordé dans ton île. Mon grand-père est Nombreuses Baleines.

— Nombreuses Baleines, répéta Shuganan avec un lent sourire. N'est-il pas leur chef?

— Oui. Ma mère me l'a dit.

— Tu n'auras aucun mal à trouver un mari.

— C'est un homme qui n'apprécie pas les filles, il préfère les garçons, et quand je lui aurai dit ce qui est arrivé à sa fille et à ses petits-fils...

Tous les petits-fils de son grand-père, sauf un, étaient morts encore enfants. Il aurait dû emmener le frère aîné de Chagak au cours de l'année suivante pour lui apprendre à chasser la baleine. Mais que dirait-il quand elle lui apprendrait que tous ses petits-fils étaient morts et que seule Chagak avait survécu ?

— Mon grand-père ne voudra pas de moi, dit-elle. Il veut des fils.

— S'il ne te trouve pas un mari, répondit Shuganan, je le ferai.

A ces mots, Chagak frissonna et une image soudaine de Traqueur de Phoques lui vint à l'esprit. Son cœur se serra, mais elle leva la tête et se força à sourire :

— Oui, j'aurai besoin d'un mari, concéda-t-elle, quelqu'un qui me donnera un enfant. Mais ce ne doit pas nécessairement être un jeune homme.

Et avec une audace qui devait lui venir de la plume de canard suspendue à son amulette, elle ajouta :

— Je veux bien être ta femme.

Mais Shuganan eut un bon sourire pour répondre.

— Non. Je suis trop vieux. Mais nous te trouverons quelqu'un. Un homme brave. Je serai le grand-père et il sera ton mari.

10

C'était la deuxième fois au cours de cet été que Shuganan voyait une embarcation près de son île. A nouveau il pensa : « Ils m'ont retrouvé, après toutes ces années. »

La dernière fois il n'avait éprouvé qu'une sombre acceptation, puis quand il avait découvert que l'ik n'était occupé que par une femme, il avait été soulagé. Ce jour-là, ayant compris à sa forme et à sa vitesse que ce n'était pas un ik mais un ikyak, il se sentit rempli de colère. Pourquoi venaient-ils maintenant ? Il était un vieil homme. Ne pouvait-on le laisser en paix ?

Il se cacha derrière un rocher, espérant que l'homme passerait devant la plage sans s'arrêter. Mais l'ikyak opéra une longue courbe et en le voyant approcher Shuganan en eut le souffle coupé et son cœur se serra de frayeur. Les marques jaunes et noires sur l'embarcation étaient les mêmes et il reconnaissait la coque étroite, l'avant dressé. Oui. L'ikyak était un des leurs.

Shuganan se tint immobile et regarda l'homme tirer l'esquif à terre.

Celui-ci ne montra pas qu'il avait vu Shuganan, mais quand son embarcation fut solidement amarrée à l'abri des vagues, il se retourna et marcha en direction de Shuganan. Lorsqu'il arriva à quelques pas de lui, il déclara en tendant les bras en avant, paumes des mains ouvertes :

— Je suis un ami. Je n'ai pas d'armes.

Il s'exprimait dans la langue d'un peuple appelé les Petits Hommes et Shuganan qui connaissait cette langue depuis son enfance, répondit avec hardiesse :

— Fais-moi voir tes poignets, alors seulement je croirai que tu ne caches pas un couteau.

Mais l'homme dont le visage s'élargit encore dans un sourire ne fit aucun geste pour s'exécuter. Il était jeune et beaucoup plus petit que Shuganan, mais celui-ci remarqua ses bras musclés et sut qu'il était capable de tuer s'il le désirait.

Le chigadax qu'il portait était usé, mais c'était l'œuvre patiente d'une femme. Ses bottes en boyaux de phoque étaient en piètre état. N'avait-il aucun bon sens pour les porter sur une plage de galets ?

— Que veux-tu ? demanda Shuganan. Pourquoi es-tu venu ?

— Je te l'ai dit. Je suis un ami, répliqua l'homme en riant. Ne souhaites-tu pas la bienvenue à un ami ?

Shuganan regarda nerveusement derrière son épaule. Où était Chagak ? Ce matin elle était partie ramasser des baies. Elle serait bientôt de retour. Qu'arriverait-il si cet homme la voyait ?

— Qu'y a-t-il ? demanda l'homme. Tu surveilles ta femme ?

— Je n'ai pas de femme, répondit Shuganan en évitant le regard de l'autre.

A nouveau l'homme se mit à rire, d'un gros rire bruyant.

— Il y a une femme, vieil homme, ne me mens pas. Crois-tu que je serais venu sur ta plage sans savoir qui y vit ? Penses-tu que je sois fou ?

Shuganan détourna les yeux. Ainsi l'homme les avait surveillés. Il aurait dû être plus prudent. Par la description qu'elle lui en avait faite, il savait qui avait anéanti son peuple et il avait compris pourquoi, sans le révéler à Chagak. Quel bien y aurait-il eu à ce qu'elle le sût ? Et comment aurait-il pu supporter sa réaction si elle l'avait détesté en apprenant la vérité ?

— Je m'appelle Homme-Qui-Tue, déclara le nouveau venu.

Shuganan ne répondit pas en lui donnant son nom. L'autre haussa les épaules et demanda :

— Où est ton ulaq ? Pourquoi ne me montres-tu aucune hospitalité ? J'ai peut-être faim. Mon ikyak a peut-être besoin de réparations.

Il s'approcha davantage et parla presque dans un murmure, ses lèvres découvrant ses larges dents blanches :

— Il y a peut-être des mois que je ne suis pas allé avec une femme.

En cet instant Shuganan aurait souhaité avoir un couteau et aurait aimé trancher la gorge de cet homme, mais il répondit :

— Mon ulaq est petit. Reste ici. Je vais t'apporter de quoi manger.

— Et en profiter pour prévenir ta femme ? Non. Je viens avec toi.

Il poussa Shuganan vers la colline, mais le vieil homme marcha lentement, boitant plus qu'il n'était nécessaire. A chaque pas il redoutait de voir Chagak et craignait encore plus que Homme-Qui-Tue ne la vît. En arrivant près de l'ulaq, il leva sa canne en disant :

— C'est là.

Du seigle avait poussé sur les côtés du toit et s'était déjà décoloré avec la fin de l'été. Chagak devait le couper bientôt afin de le tresser pendant l'hiver. Elle lui avait promis de lui faire des chaussettes et des chemises et même des moufles avec un doigt pour couvrir ses pouces.

— Reste là, ordonna Homme-Qui-Tue. Si tu te sauves je te rattraperai et tu n'auras plus l'occasion de te sauver. Puis, regardant par le trou du toit il déclara : si ta femme est à l'intérieur, je vais la saluer.

Shuganan attendit que l'homme soit entré dans l'ulaq, puis il regarda les collines, en quête de Chagak. Il planta sa canne sur un côté de l'ulaq en l'enfonçant profondément. C'était un signal chez le peuple de sa femme, un avertissement de ne pas s'approcher. Le peuple de Chagak utilisait-il ce même signal ?

Le vent était froid contre les jambes nues du vieil

homme et il s'accroupit jusqu'à ce que les bords de son parka touchent le sol. Il rentra ses mains dans ses manches et releva le capuchon, mais il avait toujours froid.

Il entendit Homme-Qui-Tue l'appeler à l'intérieur de l'ulaq.

— Viens, vieil homme. J'ai décidé d'accepter ton offre de nourriture.

Shuganan s'essuya les mains sur les plumes de son parka. « Comment des mains aussi froides pouvaient-elles transpirer ? » se demanda-t-il. Puis il pensa que s'il donnait à manger à cet homme il resterait un peu plus longtemps à l'intérieur et que peut-être Chagak verrait son avertissement.

Il se glissa à l'intérieur de l'ulaq, son pied chercha la première entaille du tronc d'arbre. La lampe à huile s'était éteinte et la pièce était sombre. Shuganan laissa le rabat de l'ouverture soulevé pour laisser entrer de la lumière.

— Allume les lampes, vieil homme, ordonna Homme-Qui-Tue. Un travail de femme ne te fera aucun mal.

— Il n'y a pas d'huile, dit Shuganan en désignant un tas de charbon sur lequel Chagak avait fait bouillir de l'eau pour assouplir des roseaux avant de les tisser.

Homme-Qui-Tue fit une grimace.

— Je suis trop vieux pour chasser des phoques, expliqua Shuganan.

— Paresseux ou réduit à un travail de femme ?

Shuganan ignora le sarcasme mais pensa : « J'ai tué trois phoques au printemps dernier et j'ai assez d'huile pour conserver des œufs et allumer les lampes, mais pourquoi la dépenserais-je pour toi ? »

Il s'installa près du feu et le raviva. Avec soin il enflamma quelques brindilles d'herbe sèche et souffla doucement sur la flamme pour lui donner vie, puis il ajouta du bois que Chagak avait ramené de la plage.

Tandis que le feu prenait, Shuganan entendit Homme-Qui-Tue siffler. En se retournant il vit que celui-ci regardait les centaines de statuettes garnissant les murs. Il se retourna et saisit le vieil homme par les cheveux, révélant son oreille gauche dont le lobe était arraché.

Homme-Qui-Tue se laissa tomber sur les genoux et rampa vers une lampe à huile. Il la saisit à deux mains.

— Il y a de l'huile dans celle-là, allume-la.

— Je n'ai pas assez d'huile pour me permettre de la gaspiller. Nous avons le feu.

— Allume cette lampe !

Shuganan prit le morceau de roseau tressé dont Chagak se servait pour allumer les lampes et l'enflamma sur la braise.

Homme-Qui-Tue lui prit la lampe et fit le tour de l'ulaq pour examiner les sculptures. A deux reprises il tendit la main comme pour les toucher, mais il la retira promptement.

— Sont-elles chaudes ? lui demanda Shuganan, se sentant tout à coup envahi par une nouvelle jeunesse, car il connaissait le pouvoir de ces statuettes.

— Tu es Shuganan, dit Homme-Qui-Tue la voix remplie de révérence. Les vieux, les conteurs d'histoires disaient que tu étais mort.

— Alors peut-être es-tu mort également et sommes-nous tous les deux dans le royaume des esprits.

— Tais-toi, vieil homme. Crois-tu être plus fort que moi ? Combien d'animaux as-tu tués au cours de l'année passée ? Combien as-tu eu de femmes ? Tu es vieux. Tes pouvoirs s'affaiblissent.

— Tes conteurs d'histoires t'ont-ils dit cela ? demanda Shuganan. Prétendent-ils que mes pouvoirs diminuent avec l'âge comme ceux des chasseurs ? Ils auraient dû t'apprendre qu'ils augmentaient avec l'âge comme ceux d'un shaman.

Mais Shuganan se rendit compte que l'homme ne l'écoutait pas, il marmonnait entre ses dents : « Je deviendrai un chef si je ramène ce vieil homme avec moi. »

Homme-Qui-Tue tendit la main vers une figurine d'ivoire représentant un homme dans son ikyak, deux phoques attachés à la proue. Pendant un moment ses doigts se tinrent au-dessus de la sculpture, puis il la saisit. Les yeux écarquillés, il regarda Shuganan.

Rien ne s'étant produit, il sourit, sortit un couteau d'un

étui fixé à son poignet gauche et tourna la lame en direction de Shuganan.

— Je vais garder celle-ci comme cadeau, lança-t-il. Elle est à moi.

— Tu peux la garder, répondit Shuganan, mais elle ne sera pas à toi. Chaque sculpture a son propre esprit qui n'appartient qu'à elle-même.

Homme-Qui-Tue approcha le couteau plus près de la gorge de Shuganan.

— Tu es fou ! gronda-t-il.

Mais il reposa la statuette sur l'étagère et rangea son couteau. Repoussant ses longs cheveux de son visage, Homme-Qui-Tue reprit :

— Donne-moi à manger. J'ai faim.

Shuganan se dirigea vers la réserve. Il s'accroupit en posant une main sur le sol afin de garder son équilibre, puis il creusa à l'endroit où il avait enterré des œufs après les avoir enduits de sable et d'huile pour passer le long hiver. Il en sortit plusieurs en surveillant Homme-Qui-Tue. Celui-ci tirait les rideaux voilant les couches.

Shuganan y avait caché des couteaux qu'il ne voulait pas que l'on trouve. Il sortit vivement les œufs en disant :

— Voici de quoi manger.

Homme-Qui-Tue laissa retomber le rideau et rejoignit Shuganan. Il prit un œuf, enfonça son majeur dans la coquille et goba le contenu. Shuganan lui en tendit un autre, mais le jeune homme se pencha pour fouiller dans la réserve et en sortit un ventre de phoque. C'était un de ceux que Shuganan avait remplis au cours de l'été de viande de phoque et de flétan sec. L'homme tira plusieurs morceaux de poisson et se mit à manger en disant entre deux bouchées :

— Donne-moi des œufs.

Shuganan lui en tendit plusieurs espérant le garder dans l'ulaq aussi longtemps que possible, donnant ainsi le temps à Chagak de voir le signal. Mais Homme-Qui-Tue jeta le sac contenant la viande séchée et poussa Shuganan vers la sortie.

Avant de monter, il se frotta l'estomac et sourit, découvrant ses dents :

— Maintenant nous allons retrouver ta femme.

Shuganan s'avança pour monter, mais l'autre le poussa et passa devant lui.

— Je ne voudrais pas que tu m'enfonces ta canne dans la gorge, vieil homme, dit-il.

Ils gagnèrent le toit presque en même temps et Shuganan tourna les yeux vers la colline en se demandant si Chagak avait vu son avertissement, espérant qu'elle avait trouvé un refuge. Mais au même moment il l'aperçut et sentit que son compagnon se raidissait derrière lui, preuve qu'il l'avait vue, lui aussi.

Elle avait escaladé la colline et revenait avec un panier de baies suspendu à chaque bras. Le vent soufflait sur ses longs cheveux noirs et les plumes sombres de son suk s'agitaient tandis qu'elle marchait.

Le cœur de Shuganan battit plus vite.

— Lève la tête, ma Chagak, murmura-t-il, lève la tête et sauve-toi ma précieuse petite fille !

Comme si elle avait entendu ses paroles, elle regarda vers l'ulaq et s'arrêta. Brusquement elle laissa tomber ses paniers, se retourna et se mit à courir. Homme-Qui-Tue sauta du toit et se rua à sa poursuite.

Shuganan les suivit en boitant, priant Tugix :

— Protège cette enfant ! Fais lever ton vent !

Mais la montagne ne parut pas l'entendre.

Quand Shuganan atteignit la colline où Chagak avait laissé tomber ses paniers il vit l'homme et la jeune fille. Tous deux couraient encore. Homme-Qui-Tue se rapprochait de Chagak à chaque enjambée et finalement il la rejoignit et l'attrapa par les cheveux. Il la jeta par terre tandis que Shuganan regardait en se disant : « S'il la prend je le tuerai même s'il est sur elle. »

Mais Homme-Qui-Tue enroula les cheveux de la jeune fille autour de son poignet et l'obligea à se relever et à marcher devant lui.

Shuganan les regarda revenir, puis il se baissa, ramassa les paniers de baies et suivit le couple à l'intérieur de l'ulaq.

11

Ils étaient ensemble dans la pièce principale. Assis près de la lampe, Shuganan polissait un morceau d'ivoire au moyen d'une pierre ponce.

Chagak tissait un tapis d'herbe. Le tissage se faisait à partir d'un pan de mur nu sur lequel Shuganan avait planté des chevilles à hauteur d'épaule et à un bras de distance l'une de l'autre. Chagak avait tendu un morceau de boyau tressé entre les chevilles et avait placé dessus un paquet de longues herbes, laissant les tiges tomber de l'autre côté, se servant seulement d'une longue aiguille et d'un os de flétan fourchu pour pousser l'herbe dans une nouvelle rangée.

Homme-Qui-Tue les surveillait en tournant un couteau entre ses doigts. Chagak sentait la chaleur de son regard sur son dos tandis qu'elle travaillait.

Elle ne doutait pas qu'il fît partie de la tribu qui avait anéanti son village et la colère et la peur faisaient battre son cœur plus fort, tout en rendant ses mains glacées et maladroites.

Shuganan l'avait appelé Homme-Qui-Tue et s'entretenait avec lui dans une langue qu'elle avait des difficultés à comprendre. Les mots étaient estropiés et rudes. La voix même de Shuganan paraissait plus rauque que d'habitude. Mais en écoutant plus attentivement, elle se rendit compte que ce langage avait quelques similitudes avec celui de son peuple et de temps en temps, elle arrivait à comprendre un mot ou même une phrase.

Homme-Qui-Tue n'était pas grand, mais ses bras et ses jambes étaient musclés, son cou épais et court formait une ligne droite entre son menton et sa poitrine. Ses petits yeux étaient profondément enfoncés dans leurs orbites, mais quand il se tournait vers la lampe à huile, la lumière faisait briller des iris noirs et ressortir des pupilles fermées comme celles d'un homme qui regarde le soleil.

Bien qu'usagé, son parka était bien fait, cousu en petits carrés taillés dans différentes peaux, de la fourrure de phoque sur le devant et le dos, de la souple peau de lemming pour les côtés et les manches.

Chagak ne put se défendre de penser à la femme qui avait confectionné ce parka. Était-ce une épouse ou une mère ? Savait-elle les actes abominables auxquels se livrait l'homme qui le portait ?

Quand il avait attrapé Chagak, Homme-Qui-Tue lui avait tiré les cheveux si fort qu'elle était tombée par terre, le souffle coupé.

Puis elle avait vu l'arrogance de son visage carré, la cicatrice qui courait de son nez à travers sa joue gauche, la fine moustache qui couvrait sa lèvre supérieure.

Une fois dans l'ulaq, elle s'était rendu compte du mauvais état de ses vêtements et en avait déduit qu'il n'était pas retourné dans son village depuis de nombreux jours, des mois peut-être, aussi, même s'il avait une épouse, il avait besoin d'une femme et s'attendait à ce que Shuganan lui offrît l'hospitalité des nuits avec Chagak.

C'était la coutume chez tous les peuples des îles. Chagak le savait, mais dans un village aussi important que le sien, il y avait suffisamment de femmes, de sorte que certaines, comme sa mère, refusaient de dormir avec un étranger et n'avaient pas à le faire. Il n'y avait que trop de femmes prêtes à honorer un visiteur d'un autre village. Chagak elle-même n'avait jamais partagé sa couche avec un homme. Son père l'avait gardée pure afin d'obtenir le prix le plus élevé offert par un homme désirant avoir une vierge. Cette question n'avait jamais inquiété Chagak, bien que, parfois, il lui arrivât de se sentir à l'écart quand les autres filles pouffaient de rire et parlaient de nuits passées avec des chasseurs en visite.

Mais dès que Traqueur de Phoques l'eut demandé à son père, Chagak ne voulut plus connaître que lui et elle fut heureuse que son père ne l'ait pas offerte à l'amusement des autres. Maintenant, en sentant les yeux d'Homme-Qui-Tue fixés sur sa personne, elle n'éprouvait qu'une violente répulsion et une angoisse grandissante comme si un geste de lui pouvait ajouter une douleur plus grande encore à la mort de Traqueur de Phoques.

Lorsqu'ils étaient revenus dans l'ulaq, Chagak n'avait pas retiré son suk. Bien que le vêtement n'offrît qu'une fragile barrière, il lui semblait être une protection aux regards explorateurs de l'homme.

Homme-Qui-Tue retira son parka, mais après un regard vers Chagak, Shuganan n'enleva pas le sien.

Un moment plus tard, Homme-Qui-Tue choisit une sculpture sur une étagère et la suspendit à une cordelette où était fixée une amulette autour de son cou. La sculpture représentait un homme dans un ikyak tirant deux phoques et en prenant cette figurine, il ruina la scène de village de Shuganan. Car une étagère était consacrée à de petites figurines représentant toutes les différentes parties d'un village : des hommes et des femmes pêchant, des enfants qui jouaient, des vieillards ramassant des oursins, des petits garçons gravissant les falaises pour dénicher les œufs, des femmes faisant la cuisine, tissant, travaillant.

Il en existait une que Chagak désirait particulièrement toucher, tenir dans ses mains : celle d'une femme berçant son enfant. Il y avait quelque chose dans la façon dont la mère tenait la tête du nourrisson, en le regardant, qui lui rappelait sa propre mère. Et bien que ce désir fût assez profond pour lui faire mal, elle n'avait jamais demandé à Shuganan de la lui laisser toucher. Comment aurait-elle osé porter la main sur des objets aussi sacrés ?

Aussi était-elle d'autant plus furieuse de voir Homme-Qui-Tue prendre ce chasseur, mais il semblait ne rien respecter. Même quand Shuganan parlait, il lui coupait la parole et s'exprimait avec une insolence qui faisait frissonner Chagak.

Elle se pencha vers son panier pour prendre une poignée d'herbe et Homme-Qui-Tue lui dit quelque chose. Elle lui jeta un coup d'œil en répliquant :

— Je ne comprends pas. Je ne parle pas ta langue.

Shuganan se leva et vint s'asseoir à côté d'elle, le dos tourné au tissage, son visage placé en face de l'homme.

— Qu'a-t-il dit ? murmura Chagak sans tourner la tête, ses doigts continuant à tisser.

— Il pense que tu es ma femme.

— Laisse-le croire cela, alors, et j'irai dormir avec toi.

— Non, dit Shuganan.

Chagak se retourna pour le regarder en essayant de comprendre le sens de sa réponse.

— Si je lui dis que tu es ma femme, il te prendra dans son lit, comme le veut l'hospitalité. C'est la coutume chez son peuple. Il n'aura même pas à le demander.

— Qui lui as-tu dit que j'étais ? dit Chagak en retournant à son tissage.

— Ma petite-fille.

Il y avait une telle fermeté dans le ton que Chagak se sentit momentanément réconfortée. Il était bon d'appartenir de nouveau à quelqu'un.

— Et il ne peut me prendre si je suis ta petite-fille ?

— Pas sans offrir des cadeaux, répondit Shuganan, cela nous laisse du temps.

Elle acquiesça avant de demander :

— Comment as-tu appris sa langue ?

Shuganan pencha la tête vers elle et dans la demi-obscurité de l'ulaq, elle lut la peine dans ses yeux. Mais avant qu'il ait pu répondre, Homme-Qui-Tue parla d'une voix basse et furieuse. Chagak courba les épaules et se réfugia dans son suk, comme si les plis du vêtement pouvaient la protéger.

— Que dit-il ? murmura-t-elle à voix si basse que Shuganan put à peine l'entendre.

— Il ne veut pas que nous parlions, dit Shuganan en se rapprochant de la lampe à huile où sa présence dissimulait la jeune fille à la vue de Homme-Qui-Tue.

Shuganan aurait souhaité pouvoir dormir. La nuit étendait son obscurité à travers le trou du toit et la fatigue qui s'était abattue sur ses épaules se répercutait jusqu'à ses doigts de pieds.

Comment utiliser la force de son esprit contre Homme-Qui-Tue malgré sa fatigue ? Il s'obligea à surveiller Chagak et s'émerveilla qu'elle pût continuer à tisser, ses doigts agiles aidant l'aiguille si rapidement.

C'est une jolie fille, pensa-t-il en se rappelant sa joie lorsqu'il l'avait vue pour la première fois. Ses longs yeux, aux cils épais, sa petite bouche parfaite. Elle avait été un véritable cadeau pour lui, comme si Tugix, voyant son désir de beauté, lui avait envoyé cette jeune fille pour l'inspirer dans son art, mais maintenant cette beauté était une malédiction et il aurait souhaité qu'elle fût trop grande avec des dents cassées et une vilaine bouche.

— Ainsi tu n'as pas de femme ? avait demandé Homme-Qui-Tue en ramenant Chagak dans l'ulaq, et tu dors seul la nuit ?

— Elle n'est pas mon épouse, avait répondu Shuganan. Elle est ma petite-fille.

— Alors pourquoi ne parle-t-elle pas ta langue ?

— Sa mère venait d'une autre tribu. Du village que tu as détruit.

Homme-Qui-Tue avait ri. Le rire sortait de sa bouche en petits cris saccadés, éclatant comme ceux des oiseaux sortant de leur nid sur la falaise.

Maintenant, tandis que Shuganan était assis et regardait Chagak, il repensa à sa question. Il pouvait y avoir beaucoup de raisons pour expliquer qu'il connût la langue d'Homme-Qui-Tue, mais quelque chose en Chagak lui ferait pressentir la vérité. Quelle serait sa réaction si elle l'apprenait ?

Il aurait mieux valu qu'elle ait trouvé une autre plage et quelqu'un avec qui elle aurait pu vivre. Il ne pourrait jamais être un mari pour elle. Il était trop vieux pour chasser convenablement. Trop vieux pour lui donner des fils. Du reste, il n'avait jamais été capable de donner des fils ou des filles à sa propre femme, au cours de toutes ces années où ils avaient vécu ensemble. Il le savait et cependant il ne s'était pas hâté de conduire Chagak chez les Chasseurs de Baleines. Y avait-il eu un vague espoir au fond de lui que Chagak pourrait devenir sa femme ?

Lorsqu'elle avait décrit les hommes qui avaient détruit son village, Shuganan avait compris qu'il s'agissait des Petits Hommes. Il savait qu'ils pourraient venir sur cette plage. Il aurait dû conduire Chagak chez les Chasseurs de Baleines sans attendre. Il avait perdu du temps après la mort de Pup. Pourquoi avait-il différé ce moment aussi longtemps ?

Shuganan saisit son couteau à graver et un morceau d'os en regardant Homme-Qui-Tue, mais celui-ci ne vit évidemment aucune menace dans son geste.

Shuganan avait utilisé ce couteau si souvent que le manche semblait avoir pris la forme de ses doigts, jusqu'aux bosses et aux creux laissés par cette maladie qui le faisait tant souffrir.

Il avait cessé de prier pour obtenir la guérison quand il s'était rendu compte que les sculptures qui naissaient sous ses doigts lorsqu'il souffrait avaient une qualité que n'atteignaient pas celles qu'il exécutait sans souffrance, comme si la douleur était elle-même un couteau, écartant tout ce qui était inutile, révélant seulement plus clairement l'esprit des hommes et des animaux cachés dans l'ivoire et l'os.

En ce moment la douleur était plus violente qu'elle ne l'avait jamais été. La souffrance partait de ses doigts et remontait jusqu'à ses bras pour rejoindre celle qui pesait sur son cœur.

Il était injuste que Chagak eût à pâtir de l'égoïsme d'un vieil homme, elle qui avait déjà tant souffert.

12

Les yeux de Chagak brûlaient et ses épaules lui faisaient mal, mais ses doigts continuaient à tisser. Mieux valait travailler que d'être obligée de recevoir Homme-Qui-Tue sur sa couche, pensait-elle.

La lampe à huile posée près d'elle se mit à fumer. Chagak souffla la flamme, sortit son couteau de l'étui attaché à sa taille et se mit à nettoyer les bords calcinés de la mèche.

Homme-Qui-Tue dit quelque chose à Shuganan qui traduisit :

— Laisse cela. Il veut dormir.

Chagak regarda le vieil homme avec des yeux remplis de frayeur, mais Shuganan se détourna. Il s'adressa à Homme-Qui-Tue et le conduisit à l'endroit où il pourrait dormir, lui faisant ainsi l'honneur de lui offrir sa propre couche, isolée du reste de l'ulaq par un rideau que Chagak avait refait récemment.

Chagak se leva subrepticement et commença à reculer vers le tronc d'arbre central. Peut-être pourrait-elle s'échapper avant que les deux hommes le remarquent. Elle pourrait prendre son ik et pagayer toute la nuit. Il y avait des tas d'endroits où se cacher tout le long de la côte.

Tandis que Shuganan s'agenouillait et tirait le rideau, il aperçut Chagak et il éprouva un brusque chagrin à l'idée qu'elle puisse songer à le quitter, mais il repoussa cette pensée égoïste, honteux qu'elle ait pu l'effleurer, alors que la jeune fille avait tout à redouter.

— Tu vois, dit-il en entraînant Homme-Qui-Tue, dans la pièce, il y a de la place pour poser tes armes.

Le tapis sur le sol était neuf, tissé par Chagak pour remplacer celui que sa femme avait laissé et qui était usé. Au cours du mois qu'ils avaient passé ensemble, Chagak lui avait également confectionné un oreiller, bourré de plumes et recouvert de fourrure de ventre de phoque. Shuganan montra l'oreiller du doigt, mais soudain Homme-Qui-Tue poussa un cri et sortit de la pièce.

D'un mouvement vif il attrapa Chagak par les chevilles et la jeta par terre. Shuganan s'agenouilla près d'elle, mais elle resta immobile sans bouger sur le sol, sa longue chevelure voilant son visage.

Homme-Qui-Tue saisit une poignée de cheveux et renversa sa tête en arrière, découvrant son cou. Tirant un couteau de son étui il le posa près de l'oreille gauche de la jeune fille.

— Laisse-la tranquille, intima Shuganan, elle ne t'appartient pas.

— Dis-lui qu'elle va mourir si elle recommence ce petit jeu.

— Il dit qu'il te tuera si tu essaies encore de t'échapper, traduisit Shuganan.

Mais Chagak se mit à rire. Un rire haut et aigu comme le cri d'une loutre.

— Parfait, s'exclama-t-elle. Dis-lui de me tuer. Dis-lui qu'il aurait dû me tuer depuis longtemps comme il a tué le reste de mon peuple. Il me sera facile de mourir sous ce couteau. Je n'ai pas peur de mon propre sang. Mieux vaut mourir ainsi que brûlée vive comme ma mère et ma sœur, ou avoir le ventre ouvert comme mon père.

Elle se remit à rire et Homme-Qui-Tue lui ferma la bouche de sa grosse main.

— Que dit-elle ?

— Elle te demande de la tuer, répondit Shuganan.

— Pourquoi rit-elle ?

— Elle veut retourner avec son peuple et souhaite mourir.

— Si elle est ta petite-fille nos guerriers ont donc tué ton fils, son père ?

— Oui, répondit Shuganan en mentant sans sourciller.

— Elle est trop belle pour être de ta race, grogna Homme-Qui-Tue.

Shuganan haussa les épaules. La main toujours posée sur la bouche de la jeune fille, Homme-Qui-Tue écarta son couteau de sa gorge et d'un même mouvement déchira le devant du suk de Chagak.

Elle s'était préparée à la douleur du couteau et avait serré les dents, bien décidée à ne pas crier quand il lui trancherait la gorge, mais quand elle vit ce qu'il avait fait à son suk, ce vêtement d'autant plus précieux qu'il lui venait de sa mère, elle se mit à hurler.

Homme-Qui-Tue éclata de rire transformant ainsi l'horreur de Chagak en colère. Elle sortit son couteau de femme de l'étui sous son suk et en balafra la joue de l'homme.

— Chagak, non ! s'écria Shuganan.

Mais elle ne lui prêta pas la moindre attention. Si cet homme devait la tuer, qu'il porte la trace de son couteau en souvenir.

Homme-Qui-Tue lui saisit la main et la serra. Chagak sentit ses os craquer, puis il accentua sa pression sur ses doigts jusqu'à ce qu'elle soit obligée de lâcher le couteau. La tenant étendue sur le sol, il prolongea la déchirure de son suk et se laissa tomber assis sur sa poitrine.

— Ne la tue pas, supplia Shuganan.

Homme-Qui-Tue essuya le sang de sa joue d'un revers de main. Shuganan se pencha et vit que la coupure était superficielle.

— Elle devrait être morte, dit Homme-Qui-Tue avec colère.

Chagak était toujours étendue, immobile, les yeux clos comme si rien ne s'était passé. Mais Homme-Qui-Tue se souleva avant de se laisser lourdement retomber sur elle. Shuganan grimaça de douleur et Chagak tressaillit sans ouvrir les yeux.

— Ne la tue pas, répéta Shuganan d'une voix plus ferme. Cette fois c'était un ordre et non une requête.

Il saisit une lampe à deux mains et se mit à marcher dans l'ulaq. La lumière tomba sur les sculptures alignées contre les murs. De petits yeux brillaient dans les figurines d'ivoire.

— Ils représentent mon peuple, dit Shuganan. Ils ont du pouvoir.

Il se retourna pour faire face à Homme-Qui-Tue :

— Ne tue pas ma petite-fille.

Lentement Homme-Qui-Tue se remit sur ses pieds et derrière lui Chagak se souleva sur ses genoux et ses mains en rajustant son suk.

— Peu m'importe qu'il me tue, dit-elle d'une voix douce qui résonna cependant dans l'ulaq.

— Il m'importe à moi, rétorqua Shuganan. Si tu la tues, je te tuerai, dit-il à Homme-Qui-Tue.

Celui-ci ricana :

— Tu es vieux. Comment pourrais-tu me tuer?

Pour toute réponse, Shuganan souleva la lampe et la fit briller sur toutes les sculptures.

Homme-Qui-Tue frotta sa joue, essuyant le sang qui coulait encore.

— Je ne suis pas un ignorant. Je connais l'histoire de ton pouvoir.

— Je n'hésiterai pas à l'utiliser contre toi.

— Alors peut-être vais-je épouser cette femme. J'ai besoin d'une autre épouse. Je la paierai un bon prix. Ainsi je serai le maître de cet ulaq et toutes ces sculptures seront à moi.

— Tu ne pourras les posséder. Elles ne sont pas à moi. Elles s'appartiennent comme un homme s'appartient.

Homme-Qui-Tue ne dit rien, mais il se mit à étudier les figurines, d'abord en se contentant de les regarder, puis il en prit plusieurs, maculant l'ivoire du sang qui tachait ses doigts.

Shuganan le regarda faire, se maudissant intérieurement. Cet homme avait raison, il était vieux, ses bras faibles et ses réactions trop lentes.

Il pouvait menacer Homme-Qui-Tue du pouvoir des sculptures, mais il savait la vérité — il ne fallait pas de grand talent pour donner une ressemblance à une figurine. Ce que voyaient ses yeux, ses doigts le reproduisaient facilement. L'âme de chaque statue d'ivoire de chaque morceau de bois dur lui chuchotait son existence. Ce n'était pas lui qui trouvait la forme d'un ikyak, d'une femme, d'une loutre ou d'une baleine. L'ivoire, l'os ou le bois le lui disaient. Comment l'aurait-il su ? Il ne possédait aucun pouvoir particulier.

Une fois sculpté, révélé par son couteau, l'objet trouvait sa propre beauté, mais ce n'était pas Shuganan qui la lui apportait. Et si les sculptures avaient un pouvoir, celui-ci leur appartenait et elles étaient libres de le donner ou de le prendre. Shuganan ne le contrôlait pas. S'il l'avait pu Homme-Qui-Tue serait déjà mort.

— Tu mourras un jour, vieil homme, dit Homme-Qui-Tue d'une voix tranquille comme s'il s'adressait aux sculptures et non à Shuganan, tu es vieux, mais je vais épouser ta petite-fille et j'aurai cet ulaq. Avant que tu ne meures, je gagnerai l'honneur parmi les miens en leur disant que je t'ai retrouvé. Grâce à ce mariage je deviendrai peut-être chef de mon peuple. Y a-t-il une façon plus facile de devenir chef? ajouta-t-il en riant. Combien demandes-tu pour elle?

Shuganan étudia cet homme avec son visage large, ses yeux durs, et la cicatrice sanglante qui barrait son visage de sa joue à ses lèvres. S'il acceptait le prix d'une dot, lui et Chagak gagneraient quelques jours de sursis, le temps de trouver un moyen de le tuer ou de s'enfuir.

— Cinq phoques, vingt peaux de loutre, dit Shuganan.

Un prix raisonnable mais qui réclamerait plusieurs jours de chasse.

— C'est trop.

— Tel est mon prix.

— Deux phoques. Dix loutres.

— Nous avons besoin d'huile.

— Nous quitterons cet ulaq, toi, moi, la femme et tout ton petit monde sculpté. Alors, nous n'aurons plus besoin de beaucoup d'huile. Mon peuple en a suffisamment.

— Quatre phoques, vingt loutres.

— Les jours raccourcissent. L'hiver sera bientôt là. Comment te ramènerai-je chez mon peuple si je passe mon temps à la chasse ?

— Quatre phoques, dix loutres.

— Deux phoques, dix loutres.

— Chagak a besoin d'un nouveau suk.

Homme-Qui-Tue regarda Chagak. Il eut un rire bref qui étira ses lèvres jusqu'à ses oreilles.

— Deux phoques. Seize loutres, dit-il.

Shuganan le regarda. Trois jours de chasse pour les phoques. Quatre ou cinq pour les loutres. Cela lui laissait assez de temps.

— C'est entendu, dit-il.

13

— Va-t-il venir me rejoindre dans ma couche? demanda Chagak à voix basse avant de quitter la grande pièce de l'ulaq.

Homme-Qui-Tue était retourné dans la chambre de Shuganan, laissant les deux autres seuls.

— Non, dit Shuganan. Il ne te touchera pas ce soir.

Mais il se détourna et tint la tête baissée comme s'il avait peur de rencontrer son regard. Son malaise fit naître une inquiétude dans le cœur de Chagak. Elle demeura immobile, attendant qu'il parle, mais il resta silencieux.

— Y a-t-il quelque chose que tu ne m'aies pas dit? demanda-t-elle.

Shuganan la regarda et vit son air déterminé. « Elle est plus forte que moi, pensa-t-il. Beaucoup plus forte. Ce qu'elle a perdu lui a été arraché. J'ai choisi mes pertes et j'ai peu de regret. »

— Oui, il y a quelque chose, avoua-t-il, puis il fit une pause, essayant de trouver les mots. Homme-Qui-Tue te veut pour femme. Il a offert pour prix deux phoques et seize peaux de loutres.

Chagak secoua la tête.

— C'est un bon prix, ajouta Shuganan en sentant aussitôt la dérision de ces mots.

Quel honneur Chagak pourrait-elle en tirer, que le prix fût faible ou élevé, si elle haïssait l'homme qui devait devenir son mari?

Mais elle se contenta de dire :

— Mon père ne tuait pas les loutres et je dois honorer sa croyance. Les loutres lui ont sauvé la vie, un jour.

Shuganan n'en fut pas surpris. Il avait déjà entendu dire que des loutres avaient aidé des humains :

— Ne t'inquiète pas pour les peaux de loutres. Il lui faudra beaucoup de jours pour tuer seize loutres. Entre-temps tu auras l'occasion de t'enfuir. Il y a une île...

A ce moment-là, Homme-Qui-Tue revint dans la grande pièce. Chagak lui jeta un coup d'œil, puis elle abandonna son métier et retourna dans sa chambre. Mais Homme-Qui-Tue la suivit tenant à la main des boyaux tressés. Il lia les bras de Chagak derrière son dos et entrava ses chevilles.

Tandis qu'il nouait le lien, elle s'efforça de ne pas trembler. Elle savait que si elle lui montrait sa frayeur, ce serait pire pour elle. Son nom le disait assez, c'était un homme qui tuait par plaisir. Il éprouvait une satisfaction sadique dans la peur qu'il inspirait. Aussi resta-t-elle immobile en s'efforçant de comprimer les battements de son cœur.

« Shuganan se trompe », pensa-t-elle, « Homme-Qui-Tue va me prendre maintenant. Qui pourrait l'arrêter? Aurait-il assez de respect pour son engagement envers Shuganan? Que représentent seize peaux de loutres et deux phoques pour un homme qui veut une femme? »

Mais quand il eut fini de l'attacher, Homme-Qui-Tue dit lentement et avec calme :

— Je vais également attacher ton grand-père.

Et bien qu'il se fût exprimé dans sa propre langue, il avait parlé assez lentement pour que Chagak comprît ce qu'il disait. Il rit en lui pinçant la jambe, mais ne fit rien de plus.

Beaucoup plus tard, l'ulaq était tranquille. Bien éveillée Chagak réfléchissait aux paroles de Shuganan : « Il y a une île... » Ainsi, il y avait de l'espoir, mais aussi de la trahison dans cet espoir, car comment pourrait-elle s'en aller en laissant Shuganan affronter seul la colère d'Homme-Qui-Tue? De plus, comment pourrait-elle trouver une petite île dans l'immensité de la mer? Mieux vaudrait aller chez son grand-père, Nombreuses Baleines. Même s'il refuserait de la recevoir, elle trouverait peut-être un mari. Qu'arriverait-il si Homme-Qui-Tue la suivait ? Qu'arriverait-il si elle le conduisait au village de son grand-père ? Les Chasseurs de Baleines étaient puissants, mais seraient-ils assez forts pour faire face à des hommes qui tuaient tout sur leur passage ?

Chagak dormit peu et, tôt le matin, Homme-Qui-Tue s'approcha d'elle. Pendant un moment il resta seulement debout à la regarder, mais quand elle se retourna sur son ventre et découvrit la déchirure béante de son suk, il dénoua ses liens. Sans parler, mais avec un rire intérieur manifeste, il désigna la réserve et fit le geste de manger.

Shuganan était déjà dans la grande pièce ouvrant des coquillages et des oursins qu'il avait récoltés la veille. Des petits bouts de coquillages jonchaient le sol.

— Il ne m'a pas permis de sortir pour faire ce travail, s'excusa-t-il.

Homme-Qui-Tue dit quelque chose et Shuganan traduisit :

— Il veut que l'on allume les lampes et réclame des œufs.

Il y avait six lampes dans la pièce principale. Chagak les alluma toutes en utilisant la flamme de la lampe qui avait brûlé pendant la nuit. Puis elle rampa vers la réserve où elle trouva une longueur de boyau tressé qu'elle noua autour de sa taille pour fermer son suk.

Ensuite elle sortit trois œufs et les posa sur une feuille, puis, prenant de l'eau contenue dans une vessie de phoque suspendue à une poutre, elle rinça les coquilles ainsi qu'un certain nombre d'oursins que Shuganan avait préparés. Elle tendit la feuille à Homme-Qui-Tue, mais il pinça les lèvres et s'adressa à elle à haute voix.

— Il veut d'abord des tranches de poissons frits.

— Dis-lui que j'aurais besoin de mon couteau et que le feu pour faire la cuisine se trouve dehors.

Shuganan traduisit et Homme-Qui-Tue saisit le paquet de poisson et fit signe à Chagak de monter.

Chagak ressentit le vent de la mer sur ses joues comme une caresse. Ce fut aussi un calmant contre ses frayeurs. Elle désigna du doigt un cercle de pierres utilisées pour faire du feu et placées à l'abri du vent sur le côté de l'ulaq afin que les rafales n'attisent pas le feu et provoquent un incendie.

Chagak commença par allumer le feu avec ses silex en les frottant jusqu'à ce qu'une étincelle jaillisse et enflamme l'herbe sèche au centre du foyer. Elle ajouta ensuite des brindilles et enfin du bois sec. Quand le feu fut allumé, elle versa de l'huile sur la pierre de cuisson. Elle était plate et fine, mais il fallut du temps pour la chauffer. Elle la posa sur les quatre pierres noircies qui la maintenaient à bonne distance des flammes et attendit. Accroupi derrière elle, Homme-Qui-Tue lui fit signe de se presser.

— Ce n'est pas assez chaud, dit-elle en étendant la main vers la pierre pour lui faire comprendre ce qu'elle disait.

Il jura, mais Chagak haussa les épaules. Comme si elle était capable de faire chauffer une pierre par un coup de baguette magique. S'il ne l'avait pas attachée et s'il lui avait dit qu'il voulait du poisson frit, elle aurait pu allumer le feu le soir et poser une pierre dessus avec de l'argile et le laisser couver sous la cendre. Le matin la pierre aurait été chaude et le poisson aurait cuit plus vite.

Mais quel homme pouvait prévoir tout cela? En désignant le poisson et en faisant le geste de découper, elle lui demanda un couteau. Pendant un moment il resta immobile comme s'il ne comprenait pas. Puis il sortit le couteau de femme de Chagak d'un étui fixé à sa taille et le lui tendit. En même temps, il sortit son propre couteau et se mit à l'aiguiser avec ostentation. Elle feignit de ne rien remarquer et découpa le poisson en petits morceaux qu'elle roula dans l'huile.

Homme-Qui-Tue dit quelque chose sur le mode interrogatif et Chagak crut comprendre qu'il se livrait à une réflexion sur la valeur des femmes et des couteaux. Elle continua à feindre de ne pas avoir entendu. Elle posa le poisson sur la pierre de cuisson et regarda la vapeur s'élever à sa surface.

Shuganan se hâta de gagner la pièce où se trouvait la couche de Chagak. Il se demanda dans combien de temps Homme-Qui-Tue allait revenir. Il y avait bien longtemps, Shuganan avait caché deux couteaux dans sa chambre, l'un dans le mur de l'ulaq, l'autre enterré dans le sol. Maintenant Homme-Qui-Tue utilisait cette pièce.

Pendant que celui-ci déliait les mains de Chagak ce matin, Shuganan avait caché trois couteaux dans sa nouvelle chambre, un petit couteau à lame recourbée qu'il utilisait autrefois pour sculpter, mais à force de la limer la lame s'était déformée. Shuganan le cacha dans un interstice entre le mur et le sol.

Il cacha également un couteau de chasse à longue lame dans une niche du mur qu'il combla ensuite avec de la terre et aplatit pour le rendre invisible. Shuganan plaça le troisième couteau sur le sol dans un endroit facile à détecter et le recouvrit seulement avec de l'herbe et son matelas. Il espérait que si Homme-Qui-Tue décidait de se livrer à une fouille il serait satisfait en découvrant ce couteau et n'en chercherait pas d'autres.

Shuganan avait hésité avant de porter des couteaux dans la pièce de Chagak. Qu'arriverait-il si Homme-Qui-Tue les trouvait là ? Que ferait-il à la jeune fille ? Mais si Chagak était toujours attachée comment pourrait-elle se sauver ? Il valait mieux en courir le risque et lui donner une chance de s'enfuir. Il avait retrouvé le couteau de sa femme qu'il avait toujours conservé dans un de ses paniers finement tressés. Ce panier était rempli d'objets lui ayant appartenu que Shuganan n'avait pas enterrés avec elle et qu'il ne pouvait se décider à jeter : des peaux qu'elle avait tannées, des aiguilles, une pierre de cuisson, des carpettes, des plats faits dans du bois sec et un oreiller de plumes d'oie. Et tout au fond son couteau de femme.

Shuganan le porta dans la chambre de Chagak. Il mesura trois mains depuis le rideau et utilisa son propre couteau pour creuser un trou dans le sol afin d'y enfouir l'arme et la recouvrit de terre bien tassée et d'un tapis.

Il retourna, alors, dans la pièce principale et s'assit, le

dos tourné à la chambre de Chagak car s'il y avait fait face, il savait que ses yeux auraient pu le trahir en se posant sur le rideau comme s'il avait pu voir à travers le couteau enterré là.

Il se mit à travailler sur une figurine commencée quelques mois plus tôt quand un premier rêve lui avait prédit que Chagak allait arriver. A ce moment-là, ce travail n'avait été qu'un réconfort pour lui, maintenant ce serait un cadeau pour Chagak et une protection. La sculpture représentait un mari et son épouse. Depuis l'arrivée de Chagak, Shuganan avait donné à la femme les traits de la jeune fille, mais l'homme était quelqu'un que Shuganan ne connaissait pas encore. Pour l'instant il utilisait un poinçon pour sculpter les détails des vêtements de l'homme. Ce n'était pas Homme-Qui-Tue mais quelqu'un appartenant à la tribu des Premiers Hommes.

Quand il entendit Chagak et Homme-Qui-Tue redescendre dans l'ulaq, il cacha la sculpture et adressa une prière à l'esprit de Tugix.

Chagak portait un plat de poissons frits. L'odeur se répandit dans l'ulaq. Elle s'agenouilla à côté de Shuganan, remplit un bol en bois de poisson et le tendit à Homme-Qui-Tue.

— Dis-lui de te servir, grogna Homme-Qui-Tue, en commençant à manger.

Il sourit en regardant Shuganan, découvrant ainsi ses larges dents blanches et ses lèvres huileuses.

— Il te dit de me servir un bol de poisson, traduisit Shuganan.

— J'ai compris, répondit Chagak.

— Elle peut se servir, elle aussi, ajouta Homme-Qui-Tue, je suis un homme généreux, fit-il en éclatant de rire.

Mais Shuganan ne sourit même pas.

— Tu peux te servir, dit-il, puis, sur le même ton il enchaîna : j'ai caché des couteaux... puis se rendant compte que Homme-Qui-Tue s'était brusquement arrêté de manger, Shuganan le désigna du doigt en disant : remercie-le pour le poisson.

Chagak inclina la tête, sans lever les yeux, craignant que

leur hôte ne lise l'espoir qui renaissait en elle. Elle désigna le bol qu'elle avait rempli pour Shuganan et celui qu'elle prenait pour elle-même.

— Merci, fit-elle.

Homme-Qui-Tue bougonna une réponse.

— Il dit que tu seras une bonne épouse, traduisit Shuganan.

Chagak releva la tête et dit avec un sourire :

— Oui... Mais pas pour lui.

Shuganan avait décoré la hampe d'un harpon à phoque avec des scènes de chasse et maintenant, sous la direction d'Homme-Qui-Tue, il gravait l'un des harpons de celui-ci.

Assis dans un coin sombre de l'ulaq, une lampe allumée à côté d'elle, Chagak avait retiré son suk pour le réparer. Shuganan et Homme-Qui-Tue paraissaient ne pas la remarquer, mais elle se sentait néanmoins mal à l'aise en ne portant que son court tablier, aussi tenait-elle le suk près de sa poitrine tout en cousant, le reste du vêtement étant étendu sur ses jambes.

Plus tôt dans l'après-midi, elle avait réfléchi sur la façon de raccommoder le vêtement. Elle craignait que les délicates peaux de cormorans ne supportent pas une seconde couture centrale car habituellement sa mère cousait les peaux d'oiseaux de sorte que les coutures entre deux peaux se rencontrent et se chevauchent au milieu du suk. La couture suivait un dessin en zigzag, mais la déchirure faite par le couteau l'avait coupée.

Pendant qu'elle préparait les oursins, ce matin, une pensée lui était venue. Pourquoi ne pas allonger les ourlets par une bande de cuir, en haut et en bas ? Puis elle avait décidé de refaire entièrement les coutures en les cachant soigneusement sous les plumes de cormoran. Cela permettrait de diviser les bandes en sept ou huit carrés, chacun étant recousu avec quelque chose à l'intérieur : des boyaux, des aiguilles, un poinçon, une mèche de lampe, tout ce qui pourrait l'aider si elle parvenait à s'enfuir.

Quand elle eut terminé les coutures, elle déroula une peau de phoque, posa le suk dessus et prit des mesures pour couper la peau à la longueur des nouveaux ourlets, mais elle se rappela soudain qu'elle n'avait pas de couteau et pendant un long moment elle resta assise, immobile en se demandant si elle devait attirer l'attention sur elle. Finalement, elle se glissa à côté de Shuganan en tenant son suk à l'envers devant elle.

— As-tu besoin de quelque chose ? demanda-t-il.

Elle étendit le suk sur le sol en montrant la couture qu'elle avait faite.

— Ce n'est pas assez solide, expliqua-t-elle, j'ai besoin de couper un morceau de peau pour le doubler.

Shuganan parlementa avec Homme-Qui-Tue et se retourna vers Chagak.

— Va chercher la peau il te la découpera.

Elle apporta la peau de phoque et dessina le contour avec ses doigts. Homme-Qui-Tue ramassa la peau et la découpa nettement en deux en utilisant ses dents et une main pour séparer les deux parties et en tirant de l'autre côté afin que le bord soit droit. Puis il coupa une seconde longueur qu'il mesura avec le suk de Chagak pour le couper à la bonne dimension.

Chagak le remercia et se leva, mais il saisit une de ses chevilles en s'adressant à elle.

— Il dit que bientôt tu n'auras plus besoin de ce suk, il te portera des peaux de loutre pour que tu puisses t'en faire un autre plus convenable.

Les muscles de la mâchoire de Chagak se contractèrent.

— Dis-lui que de toute façon je garderai ce suk car c'est ma mère qui l'a fait.

— Chagak, dit Shuganan, tu devras faire ce nouveau suk. Il n'est pas homme à supporter une insulte.

— Je serai partie avant, affirma-t-elle en remarquant l'expression de tristesse dans les yeux de Shuganan.

— Bien sûr, soupira-t-il.

En tenant les deux morceaux de peau, elle désigna le couteau d'Homme-Qui-Tue et le remercia. Il poussa un grognement et relâcha ses chevilles. Elle retourna, alors, à sa place dans le coin sombre, étendit le suk sur ses genoux et se servit du poinçon pour perforer la peau de chaque côté.

Shuganan conservait des morceaux de boyaux de phoque dans une niche d'un mur sec, comme le faisait la mère de Chagak. Son ourlet étant long, Chagak choisit le boyau le plus long et en se servant de ses dents et du poinçon; elle en coupa un morceau et l'attacha fermement à son aiguille et se mit à coudre les peaux ensemble.

Quand les deux côtés furent rassemblés elle laissa un espace vide en bas et en haut. Puis, s'étant assurée qu'aucun des deux hommes ne la regardait, elle glissa plusieurs longueurs de boyaux entre les deux peaux. En utilisant son poinçon elle remplit ainsi la doublure avec une petite boîte ronde en ivoire contenant des aiguilles et dont le couvercle lui servait de dé, fort utile pour coudre des peaux épaisses. Très soigneusement elle replia l'autre côté de la doublure avec une mèche pour la lampe, un paquet de feuilles de caribou et une poignée de cordelette en ortie, un morceau de silex, une pierre à feu. Elle aurait besoin de toutes ces choses quand elle partirait et devrait se cacher d'Homme-Qui-Tue.

14

Le lendemain matin, Chagak se força à observer Homme-Qui-Tue, la façon dont il mangeait, dont il se tenait, dont il marchait. Bien que son esprit se révoltât contre cet homme et que son regard répugnât à cette surveillance, Chagak ne se laissa pas détourner. Tous les hommes ont certaines façons de se comporter. Elle devait savoir quand il travaillait, quand il dormait, quand il était seulement assis à ne rien faire. Autrement comment pourrait-elle faire des plans pour s'enfuir ?

Ce matin-là, Chagak avait chauffé la pierre de cuisson lorsque Homme-Qui-Tue réclama son poisson frit. Elle le fit cuire plus rapidement. Elle avait de l'eau prête pour lui servir à boire et quand il quitta l'ulaq, Chagak prit une peau de phoque partiellement tannée et le suivit sur la plage.

Il se dirigea vers son ikyak ; Chagak s'arrêta à quelque distance et étendit la peau pour finir de la tanner avant de la découper. Elle voulait en faire des bottes pour Shuganan.

Elle avait commencé un premier grattage pour détacher l'épaisse couche de graisse et de petits vaisseaux de la chair des côtés, puis elle l'avait laissée tremper jusqu'à ce que les poils s'en détachent facilement à l'aide d'un couteau émoussé. Maintenant elle allait chamoiser la peau en la grattant et en assouplissant l'envers jusqu'à ce qu'il soit débarrassé de tout poil et de toute chair. Puis elle la laissa sécher.

Ensuite elle étendit la peau sur la plage et, protégeant sa

main par une bande de cuir, elle utilisa une grosse pierre pour aplatir la peau dans un premier temps. Lisser les peaux était un travail difficile. Les hommes de son village aidaient parfois les femmes à le faire, mais Homme-Qui-Tue, tout en se détournant de son ikyak de temps en temps pour surveiller Chagak, n'offrit pas son assistance. Finalement Shuganan sortit de l'ulaq et vint prêter main forte à Chagak en saisissant la peau et en s'appuyant dessus tandis que la jeune fille tirait de l'autre côté. A un moment donné, les doigts de Shuganan glissèrent et il tomba durement par terre. Homme-Qui-Tue éclata de rire. Mais Shuganan se releva et recommença à tirer la peau, ses doigts déformés blanchissaient aux jointures. La colère de Chagak grandissait avec chaque mouvement de sa main tenant la pierre, chaque coup se répercutait dans son esprit au même rythme que la pierre. Mais elle se souvint pourquoi elle était sortie, pourquoi elle avait décidé de tanner cette peau. Elle voulait surveiller Homme-Qui-Tue. Il y avait une chance pour qu'elle remarque quelque chose qui pourrait l'aider à fuir.

Chagak arriva enfin au bout de sa tâche. La peau n'était pas aussi souple qu'elle l'aurait voulu, comme elle l'aurait été si son père ou son oncle l'avait aidée, mais elle l'était suffisamment pour permettre à l'os servant de grattoir d'opérer.

Cet os avait appartenu à la mère de Chagak. Il était fait d'une patte de caribou que son père avait achetée au Peuple Morse. Il l'avait fait tremper dans l'huile pour l'attendrir, puis il avait coupé une extrémité à angle droit et retiré la moelle du centre avant de tailler l'autre extrémité en dents de scie. Chagak n'était qu'une toute petite fille, en ce temps-là, mais elle se souvenait encore à quel point sa mère l'avait apprécié.

Tenant le grattoir de biais sur le sol, la partie crantée appuyant sur la peau, Chagak l'orienta dans sa direction. Une bande de cuir attachée en haut du grattoir entourait son avant-bras et lui permettait de tenir fermement l'instrument dans sa main.

La peau provenait d'un phoque poilu que Shuganan avait pris au printemps dernier. C'était un jeune phoque, mais cependant la peau était deux fois plus longue que celle d'un animal ordinaire et Chagak était obligée de travailler en cercle, en commençant par le milieu pour revenir vers le bord et de tourner à mesure que le travail avançait.

Quand elle aurait retiré les derniers morceaux de chair, elle devrait passer une pierre ponce pour aplatir les endroits les plus épais afin que le milieu de la peau ne devienne pas raide et inutilisable.

Le soleil était chaud et le bruit monotone de son travail permettait à Chagak d'oublier la présence d'Homme-Qui-Tue et de se figurer qu'elle était encore sur sa plage et serait bientôt l'épouse de Traqueur de Phoques.

Elle ferma les yeux et imagina sa mère à ses côtés, lui racontant des histoires de bonnes épouses et la joie d'être mère.

Ces souvenirs étaient douloureux, mais pour la première fois, ils apportaient un certain apaisement à la douleur qui ne l'avait pas quittée depuis la destruction de son village. La présence de l'esprit de sa mère la réconfortait.

Le bruit d'un ikyak ne surprit pas Chagak, bien qu'elle sût que Shuganan et Homme-Qui-Tue étaient tous les deux sur la plage. Quand elle vivait avec son peuple, il y avait toujours eu le bruit d'un ikyak, suivi de l'appel d'un homme revenant de la chasse.

Mais soudain Chagak se rendit compte que celui qui appelait s'exprimait dans la langue rude d'Homme-Qui-Tue et elle regarda en direction de l'océan pour voir un homme sur le point d'accoster. Homme-Qui-Tue riait tandis qu'il pataugeait dans l'eau pour guider son ikyak.

Puis Shuganan se dressa à côté d'elle, entre Chagak et le nouveau venu.

— Retourne dans l'ulaq, Chagak, dit-il à voix basse et reste dans un coin sombre. Prépare de quoi manger mais ne retire pas ton suk.

Elle se leva, hésita en regardant la peau étendue à ses pieds. Si elle l'abandonnait, elle risquait de durcir au soleil.

— Laisse-la, chuchota Shuganan.

Elle se retourna et remonta vers le haut de la plage, Shuganan se hâta à ses côtés.

Chagak avait déroulé un long tapis d'herbe au centre de la pièce et préparé du poisson, des œufs ainsi que des buccins secs. Ensuite elle s'était réfugiée dans un coin, silencieuse, en attente. Shuganan s'était assis à côté d'elle. En entrant il avait d'abord boitillé jusqu'à une lampe, avant de faire courir ses doigts le long du bol à huile, pinçant plusieurs fois la mèche froide entre ses doigts. Puis il était revenu près de Chagak, ses doigts enduits de suie et les avait frottés sur ses joues et le long de son nez.

Chagak l'avait regardé avec surprise, mais quand elle avait voulu parler, il avait porté un doigt à ses lèvres en disant :

— Tais-toi. Ne regarde pas Homme-Qui-Tue ou son ami. Ne retire pas ton suk. Ne fais rien pour attirer l'attention sur toi.

Finalement les deux hommes étaient descendus dans l'ulaq. Chagak avait jeté un coup d'œil sur le nouveau venu, puis elle s'était faite aussi petite que possible dans son coin. Elle avait ramassé un panier qu'elle était en train de tresser et avait baissé la tête sur son ouvrage.

Homme-Qui-Tue s'adressa à Shuganan et le vieil homme s'avança au centre de l'ulaq sans offrir ses paumes ouvertes devant l'étranger et sans s'accroupir près de lui.

Chagak garda la tête baissée et regarda les hommes à travers le rideau de ses cheveux. Le nouveau venu examinait les sculptures de Shuganan. Il retira son parka et Homme-Qui-Tue l'imita. Ils étaient à peu près de la même taille, mais Homme-Qui-Tue était plus large d'épaules et plus puissamment bâti.

L'autre homme avait les cheveux longs, mais contrairement à Homme-Qui-Tue qui les laissait pendre librement, ils étaient retenus sur sa nuque par un morceau de fourrure. Son visage était plat, la peau tirée sur ses joues et son nez au point que ses narines rondes semblaient retroussées et bougeaient à chaque respiration. Ses dents étaient jaunes et cassées.

Il parlait d'une voix rauque comme la quille d'un ikyak sur les galets de la plage. Chagak en eut un frisson. Elle se pencha davantage sur son travail, ses cheveux balayant le sol de l'ulaq et elle osait à peine remuer les mains sur le panier de crainte de révéler sa présence. Elle s'efforça de ne pas regarder ces hommes. Pourquoi prendre le risque d'attirer les esprits qui parfois se manifestaient dans les yeux?

Homme-Qui-Tue dit quelque chose en désignant les sculptures sur les étagères. Avec son ami, il fit le tour de la pièce, prenant à l'occasion une statuette pour aller la regarder de plus près à la lueur d'une lampe avant de la remettre en place.

Shuganan s'efforça de se déplacer afin de se trouver toujours entre les deux hommes et la jeune fille. Homme-Qui-Tue avait offert un prix afin de l'avoir pour épouse, mais deux hommes ensemble pouvaient être amenés à des actes qu'ils n'auraient pas commis s'ils avaient été seuls. Peut-être réclameraient-ils le prix de l'hospitalité pour avoir accès à la couche de Chagak. Shuganan n'avait jamais demandé à la jeune fille si elle avait déjà partagé sa couche avec un homme. Il savait qu'elle devait se marier, aussi peut-être avait-elle appartenu à ce jeune homme. Dans la tribu de sa femme, les Chasseurs de Baleines n'y attachaient pas d'importance. Une femme non mariée pouvait connaître d'autres hommes à l'exception de ses frères, son père et son grand-père. En revanche, parmi de nombreuses tribus de chasseurs de phoques, les femmes restaient souvent pures jusqu'à leur mariage.

Il vaudrait mieux pour Chagak qu'elle eût quelque expérience en la matière.

L'ami d'Homme-Qui-Tue prit la sculpture d'une baleine entre ses mains.

— C'est là quelque chose dont j'ai besoin, dit-il à Shuganan, veux-tu me la vendre?

— Non, répondit Shuganan, je ne vends, ni n'échange aucune de ces statuettes. Elles possèdent leurs propres esprits et ne m'appartiennent pas.

Homme-Qui-Tue retroussa ses lèvres dans un lent sourire.

— Ce sera un cadeau. Voit-Loin a besoin d'un esprit protecteur, dit-il en serrant la sculpture suspendue à son cou au bout d'une cordelette.

Shuganan ne répondit pas, il pensait à ses armes, aux couteaux qu'il avait cachés dans la chambre de Chagak et à la lame bien aiguisée enfouie sous sa propre couche. Mais il était vieux et tous les soirs Homme-Qui-Tue lui liait les mains et les chevilles et attachait les cordes aux chevrons.

« Comment pourrais-je en tuer deux quand je n'ai pu en tuer un seul ? » se demanda-t-il en souhaitant être encore un jeune homme et ne pas avoir ses jointures enflées qui l'empêchaient de courir et enlevaient toute force à ses bras.

Les deux hommes continuaient à parcourir la pièce en étudiant chaque sculpture. Finalement Voit-Loin se tourna vers Shuganan et dit en montrant la statuette de la baleine :

— Ta femme peut-elle me faire une cordelette pour ceci ?

Avant que Shuganan ait pu répondre, Homme-Qui-Tue déclara :

— Ce n'est pas sa femme, mais sa petite-fille.

Voit-Loin sourit en grattant son tablier.

— Libre pour tous ?

— Non, gronda Shuganan en s'approchant de lui, mais Homme-Qui-Tue se mit entre eux.

— Il m'a demandé une dot, dit-il, j'ai déjà discuté l'affaire.

Voit-Loin ricana :

— Ainsi c'est pour cette raison que tu es resté aussi éloigné des combats. Ton père croit que tu es mort. Maintenant il va le regretter, conclut-il en éclatant de rire. Mieux vaut être mort que vivre dans la honte.

— Tu es stupide, répliqua Homme-Qui-Tue dont les veines de ses tempes s'étaient soudain gonflées. Celui qui t'a appelé Voit-Loin aurait dû t'appeler Ne-Voit-Rien. Tu as regardé toutes ces sculptures et tu n'as pas compris qui était cet homme ?

Pendant un moment il se détourna, puis il avança et poussa Voit-Loin contre le rideau de la chambre.

— C'est Shuganan. Ne te rappelles-tu pas les histoires

qui courent à son sujet ? Shuganan. J'ai retrouvé Shuganan !

Il fit une pause avant de reprendre :

— Il n'est pas mort, mais il ne veut pas retourner chez notre peuple. Comment pouvais-je partir ? Il disparaîtrait aussitôt. Comment laisser échapper cette chance ? Mais maintenant tu es venu. Retourne voir mon père et dis-lui que j'ai retrouvé Shuganan et que je vais épouser sa petite-fille.

Shuganan entendit cette déclaration avec terreur. Homme-Qui-Tue disait la vérité. Avant l'arrivée de Voit-Loin, il aurait pu avoir une chance de tuer Homme-Qui-Tue et alors lui et Chagak auraient pu vivre là en paix, mais maintenant...

Homme-Qui-Tue prit la baleine des mains de Voit-Loin et la tendit à Chagak.

— Dis-lui de tresser une cordelette, ordonna-t-il à Shuganan.

Puis il saisit les cheveux de Chagak, lui renversa la tête en arrière pour regarder son visage souillé en s'écriant :

— Femme stupide !

Il se tourna vers Shuganan :

— Dis-lui que Voit-Loin va partir demain matin et qu'elle doit préparer un bon repas pour lui. Dis-lui que Voit-Loin ne lui demandera pas l'hospitalité de sa couche puisqu'il ne passe qu'une seule nuit ici. Dis-lui aussi de se laver la figure. Je ne veux pas d'une épouse sale.

Cette nuit-là, Homme-Qui-Tue n'entrava pas les chevilles de Shuganan mais seulement ses poignets.

— Nous sommes deux, vieil homme, tu ne pourras jamais nous tuer tous les deux.

Shuganan resta immobile tandis qu'Homme-Qui-Tue lui liait les poignets. Il avait fait de nombreux plans pour tuer Homme-Qui-Tue, mais chaque nuit il les repoussait les uns après les autres, car aucun n'assurait la mort d'Homme-Qui-Tue et la sécurité de Chagak. Cette nuit, avec deux Petits Hommes dans son ulaq, il ne fit aucun plan.

Le lendemain matin, Homme-Qui-Tue le laissa attaché

et Shuganan resta étendu sur sa couche, écoutant les hommes parler, comprenant à leurs commentaires que Chagak leur servait à manger.

— Elle fera une bonne épouse, cette fille, dit Voit-Loin d'une voix qui semblait parfois retenir un éclat de rire quand il parlait de Chagak. Dommage que tu ne sois pas assez viril pour la partager.

Il y eut un silence, puis Homme-Qui-Tue demanda :

— Comment pourrais-je la partager alors que je ne l'ai pas encore eue moi-même ?

— Prends-la. Qu'est-ce qui t'en empêche ?

— Tu es fou. Ne vois-tu pas le pouvoir que possède ce vieil homme ? Tu as vu les statuettes autour de toi. A quand remontent les histoires que l'on raconte sur Shuganan ? Tous deux nous les avons entendues quand nous étions enfants. Nos pères également. Il est trop vieux pour être encore en vie, et pourtant il est là. Ne penses-tu pas qu'il possède un grand pouvoir ?

— Ainsi tu ne le tues pas, mais tu l'attaches chaque soir. Est-ce que cela ne le fâche pas ?

— Son esprit sait que je pourrais le tuer mais que je ne le fais pas. Qu'est-ce qu'une cordelette ? De plus j'entends prendre Chagak pour femme. Tout homme a le droit de lutter pour avoir une femme. Alors je lutte avec des cordelettes.

Shuganan ferma les yeux. Pouvoir dénué de pouvoir. C'était comme s'il était jeune à nouveau, choisissant de suivre une voie qui déplaisait à son père, qui était contre les coutumes et l'enseignement de sa tribu. Le pouvoir de l'esprit contre le pouvoir de tuer et de prendre.

Dans sa frustration, Shuganan se mit à tirer sur les liens autour de ses poignets. Avec le nœud passé au-dessus des chevrons il n'y avait pas assez de jeu pour lui permettre d'atteindre les couteaux cachés. Néanmoins, il tira jusqu'à ce que ses poignets commencent à être entamés, mais soudain la voix d'Homme-Qui-Tue s'éleva et Shuganan s'immobilisa pour écouter.

— Tel est notre plan, disait Voit-Loin, nous allons retourner sur notre plage pour l'hiver, puis au printemps prochain...

Il y eut un bruit sourd comme si Voit-Loin avait frappé son poing dans la paume de sa main.

— Tu as observé leur village? Connais-tu leurs défenses?

— J'ai pris part à une des reconnaissances. Puis on m'a envoyé ici pour essayer de te retrouver.

— Eh bien tu m'as retrouvé. Mais tu as constaté aussi que je ne pouvais partir. Il y a trop de sculptures pour les emporter dans un seul ikyak et même dans deux. Je ne peux laisser le vieil homme ou il s'enfuirait sur une autre île et alors combien de temps faudrait-il pour le retrouver? Dis à mon père ce que tu as vu. Dis-lui d'envoyer des hommes ici avant de commencer les combats, ensuite j'irai avec vous. D'ici là Chagak attendra un fils.

— Es-tu tellement sûr d'avoir un fils? demanda Voit-Loin en éclatant de rire.

— J'ai tout l'hiver pour essayer, rétorqua Homme-Qui-Tue en riant à son tour.

La colère remplit le cœur de Shuganan et ses liens parurent soudain plus serrés.

Il y eut du mouvement dans la pièce voisine. Voit-Loin s'adressait à Chagak, mais elle demeurait silencieuse. Shuganan entendit les hommes se préparer à sortir de l'ulaq et Homme-Qui-Tue déclara encore :

— Montre à mon père la sculpture de la baleine et dis-lui que je vais obliger Shuganan à en sculpter beaucoup d'autres, suffisamment pour que chacun de nos guerriers en porte une. Avec un tel pouvoir, comment pourraient-ils nous résister?

Shuganan se laissa retomber sur sa couche. Le peuple de sa femme! ils allaient attaquer le peuple de sa femme! Il lui fallait avertir les Chasseurs de Baleines aussi vite que possible ou bien il faudrait attendre jusqu'au printemps. Un vieil homme ne pouvait pas voyager dans les orages d'hiver.

— Je les préviendrai, murmura-t-il. Je tuerai Homme-Qui-Tue et j'irai les prévenir.

15

— Ai-je dit que tu pouvais te servir d'un couteau? demanda Homme-Qui-Tue en désignant celui que Shuganan tenait dans ses mains.

— C'est mon couteau à sculpter, tu m'as déjà vu l'utiliser, répliqua le vieil homme.

— Je ne veux pas que tu te serves d'un couteau.

— Je suis un vieil homme. Je dois sculpter tant que je suis en vie.

Il fit un geste en direction d'une pile d'ivoire et d'os.

— Vois tout ce que j'ai à faire.

— Je ne veux pas que tu utilises de couteau, répéta Homme-Qui-Tue en élevant la voix.

Depuis le départ de Voit-Loin, Homme-Qui-Tue était plus exigeant, plus difficile à apaiser. Shuganan se mit debout et tendit son couteau en jetant un coup d'œil à Chagak. Elle était assise près de la lampe à huile et tressait un panier, tête baissée sur son ouvrage. Pendant un moment Shuganan se laissa entraîner à regarder le dessin du tissage. Les mailles étaient si serrées et si petites que le panier pourrait porter de l'eau sans en verser. Puis le vieil homme se mit à faire lentement le tour de l'ulaq, étudiant les sculptures posées sur les étagères. Il en sélectionna une. Un homme tenant un long couteau de chasse et il le porta à Homme-Qui-Tue.

— Prends ceci, dit-il, si tu as peur d'un vieil homme utilisant un aussi petit couteau, c'est que tu as besoin de protection.

Homme-Qui-Tue leva la tête, les yeux brillant de colère.

— Tais-toi, vieil homme, grogna-t-il, mais il accepta la sculpture. Je la prends non parce que j'ai peur de toi ou de quiconque.

Et il laissa tomber le couteau déformé aux pieds de Shuganan.

Celui-ci se baissa pour le ramasser et se mit à travailler.

— Que fais-tu de si important?

Shuganan exhiba la figurine :

— Un mari et une femme, expliqua-t-il. Puis il ajouta : c'est pour Chagak.

Homme-Qui-Tue se pencha pour étudier le modèle.

— Ce n'est pas terminé, dit Shuganan.

Homme-Qui-Tue poussa un grognement.

— C'est bien que tu l'aies fait pour elle. Cela lui donnera de la force, mais il y a quelque chose à ajouter. Mets un bébé sous son suk. Un beau et gros garçon. Elle me donnera beaucoup de fils.

Shuganan leva les yeux pour le regarder, puis il se mit à travailler au suk de la femme. Il allait élargir le col et graver la petite tête qui en sortirait. Au bout d'un moment il tendit la figurine à Homme-Qui-Tue et attendit que celui-ci ait examiné les traits de l'enfant à la lueur de la lampe. Homme-Qui-Tue eut un rire et approuva.

— C'est bien, dit-il. Termine-le. Donne un visage à l'homme. Mon visage.

Sans répondre, Shuganan reprit la sculpture. Il finirait l'homme, mais il n'aurait pas le visage d'Homme-Qui-Tue.

— Tu es habile, reprit ce dernier.

Il s'accroupit près de Shuganan en se balançant sur ses talons :

— Et peut-être que quelqu'un de si habile à trouver des hommes dans des petits morceaux d'os ou de dent est capable d'autres choses, ajouta-t-il. Peut-être qu'un homme si habile à trouver est aussi habile à cacher.

A ces mots, Shuganan réprima un frisson et sentit son

cœur battre à coups redoublés. Mais il ne cessa pas de regarder sa sculpture et continua à ciseler le nez minuscule et les petits yeux de l'enfant.

Homme-Qui-Tue ranima la flamme de la lampe et entra dans la chambre de Shuganan. La lumière dessina son corps comme une ombre derrière le rideau. Shuganan le vit chercher le long du mur, faisant courir sa main sur les aspérités, s'arrêtant de temps en temps sur la surface inégale. Il fit ainsi le tour de la pièce avant de se laisser tomber à genoux pour fouiller le sol. Shuganan regarda Chagak, elle était pâle, les lèvres serrées.

— J'ai caché des couteaux, chuchota-t-il.

Chagak hocha la tête sans rien dire, les yeux fixés sur le rideau. Soudain Homme-Qui-Tue appela Shuganan :

— Tu n'es pas aussi malin que je le pensais, ricana-t-il, et tirant le rideau sur le côté, il montra le couteau de chasse caché dans l'herbe du sol sous la couche.

Shuganan attendit, espérant que l'homme cesserait ses explorations et se contenterait de ce qu'il avait trouvé, mais il continua à chercher et s'exclama à nouveau.

— Il a trouvé le couteau courbé, murmura Shuganan.

— En as-tu caché d'autres? demanda Chagak sur le même ton.

— Trois dans ma chambre et un dans le sol de...

Homme-Qui-Tue poussa une autre exclamation et écarta le rideau en tenant les trois couteaux dans sa main gauche. Il les mit sous la gorge de Shuganan :

— Y en a-t-il d'autres? gronda-t-il.

— Non, répondit Shuganan avec calme.

Il n'avait pas peur. C'était un vieil homme, qu'était la mort pour lui?

Mais déjà Chagak était à ses côtés, ses petites mains entre les couteaux et la gorge de Shuganan.

— Ne le tue pas, supplia-t-elle, c'est moi qui ai caché ces couteaux.

— Que dit-elle? demanda Homme-Qui-Tue.

— Elle te demande de ne pas me tuer.

Homme-Qui-Tue se mit à rire en retroussant ses lèvres de sorte que ses canines ressortaient.

— Je ne suis pas aussi stupide, déclara-t-il. Pourquoi te tuerais-je ? Il est plus facile de te faire souffrir.

Il bascula Shuganan et fit courir la pointe des couteaux sur son cou, traçant ainsi trois lignes parallèles. Shuganan serra les dents, mais ne dit rien.

— Te prends-tu pour un chasseur, vieil homme ? demanda Homme-Qui-Tue et levant son poing il frappa Shuganan dans le ventre.

Celui-ci se roula en boule, ses bras recouvrant sa tête, le visage contre ses genoux en s'efforçant de retrouver sa respiration. Homme-Qui-Tue le frappa encore. Chagak se mit à pleurer en poussant de petits cris. Shuganan se raidit, prêt à recevoir d'autres coups mais rien ne vint. Il ouvrit les yeux et vit qu'Homme-Qui-Tue attendait qu'il levât la tête pour le frapper sur la bouche. Shuganan roula sur lui-même pour se mettre hors de portée, en étanchant de ses deux mains le sang qui coulait de son cou. Puis il vit Chagak se jeter sur Homme-Qui-Tue en le frappant de ses deux poings et en le repoussant de sa tête baissée.

— Non, Chagak ! dit Shuganan d'une voix que la douleur rendait rauque.

Homme-Qui-Tue saisit une des mains de Chagak, mais elle le griffa de l'autre au visage. Il laissa tomber les couteaux et gifla Chagak avant de la frapper sur le ventre.

— Non ! cria encore Shuganan, mais Homme-Qui-Tue continua à frapper sans paraître entendre.

Alors Shuganan se jeta contre lui. Ses côtes lui firent mal quand il frappa et pendant un instant il en eut le souffle coupé, mais il se baissa pour ramasser un des couteaux. Homme-Qui-Tue s'en empara le premier et le porta à la gorge de Chagak.

La jeune fille était étendue, immobile, son visage saignait, ses yeux grands ouverts ne cillaient pas et Shuganan eut l'impression que sa respiration s'était arrêtée, mais elle parut reprendre son souffle.

Shuganan lut la colère sur le visage de leur tourmenteur, mais dans le calme revenu, il dit :

— Tue-la. Elle souhaite mourir. Alors elle rejoindra

l'homme qu'elle devait épouser ainsi que son père et sa mère. Tue-nous tous les deux et nous préviendrons ceux qui vivent dans les Lumières Dansantes contre le mauvais esprit que tu portes en toi.

Homme-Qui-Tue serra les lèvres mais il s'écarta de Chagak. Il ramassa les couteaux et les glissa dans sa ceinture.

— Retournez vous coucher tous les deux, dit-il. Demain nous chasserons le phoque.

Il se leva et prit l'outre contenant de l'eau suspendue à une poutre. L'eau coula dans sa bouche et sur son visage. Le corps douloureux, Shuganan se pencha sur Chagak, l'aida à se lever et posa son bras sur ses épaules en examinant son visage. Elle ne pleurait pas et dans ses yeux brillait une lueur dangereuse. Elle laissa aller sa tête sur son épaule et chuchota « Où est le couteau ? »

Mais Homme-Qui-Tue se mit à crier :

— Je vous interdis de parler !

Et Shuganan dut se taire.

Le lendemain matin Homme-Qui-Tue attacha Chagak au pied de l'escalier et posa une pile de peaux de phoque à ses pieds.

— Dis-lui de faire des babiches*, ordonna-t-il à Shuganan. Dis-lui que nous allons à la chasse au phoque pour payer sa dot.

Mais avant que Shuganan ait pu traduire un mot, Chagak déclara :

— Demande-lui comment je peux faire des babiches sans mon couteau.

— Tu as gardé son couteau, traduisit Shuganan, comment veux-tu qu'elle fasse des babiches sans couteau ?

Homme-Qui-Tue haussa les épaules et ramassa son harpon.

— Dis-lui de me donner la pile de peaux qui est là ainsi que mon couteau, reprit Chagak.

Elle désigna les peaux du doigt mais avant que Shuga-

* Babiche : lien fait de lanières en cuir.

nan ait pu parler, Homme-Qui-Tue avait rassemblé les peaux et les avait posées devant elle.

— Elle a besoin d'un grattoir et d'une pierre ponce, dit Shuganan en allant chercher les deux instruments à l'endroit où la jeune fille les avait rangés.

Il savait qu'elle préférait travailler dehors, car le vent emportait les petits morceaux de chair et les poils encore attachés sur les peaux, mais puisqu'elle était obligée de rester dans l'ulaq, mieux valait qu'elle ait une occupation.

Shuganan prit une poignée de pitons qu'il répandit sur le sol puis il étendit une peau dessus et utilisa une pierre pour enfoncer la peau afin de pouvoir la tendre.

— Elle peut faire ça toute seule, vieil homme, dit Homme-Qui-Tue, nous devons aller maintenant car il nous faut revenir avant la nuit.

Shuganan le regarda avec surprise.

— Tu vas à la chasse au phoque et tu penses que nous rentrerons le jour même ?

— Je suis un chasseur, répondit Homme-Qui-Tue en le toisant d'un air méprisant.

Shuganan détourna les yeux, respira profondément et sentit la douleur de la veille se réveiller dans ses côtes.

— Elle aura besoin de boire et de manger, plaida-t-il, et si nous ne revenons pas avant trois ou quatre jours ? Pourquoi payer une dot si tu laisses mourir la mariée ?

Homme-Qui-Tue marcha jusqu'au milieu de l'ulaq, détacha l'outre contenant l'eau potable et la suspendit au-dessus de Chagak qui pouvait l'atteindre en se tenant debout.

— Va lui chercher de la nourriture, dit-il à Shuganan. Pas beaucoup. Je t'ai dit que nous rentrerions ce soir.

Mais Shuganan prit un estomac de phoque et en tira du poisson séché qu'il posa près de Chagak.

Homme-Qui-Tue commença à gravir une marche, puis il se pencha pour saisir le menton de Shuganan :

— Tu es généreux, vieil homme, mais laissons-la manger; j'aime les femmes grasses. Elles font de plus gros enfants.

Il se pencha, prit une poignée de poisson séché et la mit dans un sac qu'il portait autour du cou.

— Va me chercher des œufs, ordonna-t-il à Shuganan.

Le vieil homme s'exécuta. En revenant il glissa quelque chose dans la main de Chagak. Pendant un moment elle ne sentit que la froideur de ses doigts.

Shuganan pensait qu'Homme-Qui-Tue ne l'avait pas vu, mais celui-ci demanda :

— Que lui as-tu donné ?

Shuganan sourit en espérant que son visage ne trahirait pas sa nervosité.

— La sculpture, dit-il.

Il enroula sa main autour de celle de Chagak espérant que l'homme n'y regarderait pas de trop près et ne verrait pas ce qu'il avait fait du visage de l'homme et à la base de l'image.

Homme-Qui-Tue se mit à rire.

— Nous allons ramener beaucoup de phoques, peut-être plus que deux et pendant que la femme attend, ces petits hommes lui apprendront à être une bonne épouse.

Il poussa Shuganan devant lui, mais celui-ci s'arrêta un instant en haut. Il se pencha pour regarder la tête penchée de Chagak.

Elle leva les yeux et il lut la compréhension dans son regard, il vit qu'elle avait pressé son pouce sur le visage de l'homme. Elle leva la main pour le saluer et Shuganan se détourna, gardant dans sa mémoire le souvenir de ses yeux. Quelque chose qu'il conserverait et qui l'aiderait à poursuivre son plan, un souvenir qu'il n'oublierait pas même s'il échouait.

16

Shuganan conservait son ikyak dans une cave formée par les falaises à l'extrémité de la plage. Même à marée haute la cave restait sèche. L'ikyak d'Homme-Qui-Tue était non loin de là, amarré à un solide rocher pour empêcher le vent de l'emporter. Il commença à charger son ikyak d'un paquet de nourriture et d'un chigadax supplémentaire. L'embarcation était plus longue et plus étroite que celle de Shuganan et celui-ci pensa que le revêtement qui couvrait la coque, le fond et les côtés était en morse plutôt qu'en lion de mer.

— Quand ton peuple a-t-il appris à fabriquer ce genre d'ikyak? demanda Shuganan en se souvenant des ikyan plus larges et plus courts utilisés dans son enfance.

— Nous avons appris beaucoup de choses, vieil homme, dit Homme-Qui-Tue. Celui-ci est un modèle fabriqué par les Chasseurs de Morse. Il va plus vite dans l'eau et il est plus facile à manœuvrer.

— Il doit aussi se retourner plus facilement, dit Shuganan en remarquant l'étroitesse de sa forme.

L'embarcation était à peine plus large que le trou permettant au chasseur de s'asseoir.

— Pour certains, répondit sèchement Homme-Qui-Tue. Va chercher ton ikyak.

Shuganan hésita, détestant l'idée d'écraser l'herbe et d'écarter les rochers qui couvraient l'entrée de la cave. C'était un bon endroit où lui et Chagak pourraient se cacher et qui ne se trouvait pas aisément.

Homme-Qui-Tue croisa les bras et regarda Shuganan repousser les broussailles.

— Certaines de ces caves sont profondes, remarqua-t-il quand l'entrée fut découverte. Peut-être vas-tu y entrer et ne pas revenir.

Shuganan ne répondit pas.

La cave était petite, de la largeur des bras tendus d'un homme et de la longueur de l'ikyak. L'entrée était étroite même pour Shuganan. A l'intérieur il faisait sombre mais il apercevait les contours de son ikyak. Il était tel qu'il l'avait laissé au printemps dernier, suspendu à une branche d'arbre qu'il avait installée sur le plafond de la cave lorsqu'il était jeune. Il avait, alors, la force de soulever l'ikyak et de le fixer à sa place, hors d'atteinte des vagues lorsque la mer se déchaînait. Mais maintenant, bien que l'ikyak fût léger, Shuganan avait des difficultés à le soulever. Aussi l'avait-il attaché avec des cordes passant au-dessus de la poutre et fixé à des chevilles en bois plantées dans le mur.

Il détacha une de ces cordes et laissa l'ikyak glisser lentement sur le sol de la cave.

— Dépêche-toi, vieil homme, tu es trop lent, cria Homme-Qui-Tue.

Mais Shuganan ne se hâta pas. Plus il lui faudrait de temps, plus Chagak en gagnerait. Il baissa l'avant de l'ikyak et détacha son chigadax de l'arrière.

Ce vêtement était fait d'intestins de phoque cousus en bandes horizontales, chaque couture faite en double pour empêcher l'eau d'entrer. Ce chigadax était l'un des nombreux que Shuganan avait confectionnés lui-même. Ce n'était pas là un travail d'homme, mais quand un homme n'avait pas de femme quel choix lui restait-il ? Qui pourrait survivre en mer sans un chigadax à capuchon ?

Les bandes d'intestin translucide semblaient moins susceptibles de s'abîmer si le chigadax était conservé dans la cave. Mais après un été, même en graissant les coutures presque tous les jours, le vêtement se ramollissait et les peaux devenaient plus délicates. En le dépliant, il sentit une odeur de moisi.

Il le lança de la cave et dit :

— Je dois graisser mon chigadax.

Homme-Qui-Tue ramassa le vêtement et le porta à son nez avec une grimace. Il le jeta sur un bouquet d'herbe et alla chercher de la graisse dans son propre ikyak.

— Tu es stupide, vieil homme, dit Homme-Qui-Tue en voyant Shuganan s'agenouiller pour graisser le devant du vêtement. Quel chasseur laisse son chigadax des jours sans y passer de la graisse ? Penses-tu que les phoques vont venir à nous si tu n'as pas plus de respect pour la mer ?

Mais tout en tirant son ikyak de la cave, le dos tourné Shuganan se contenta de sourire.

Chagak enfouit la sculpture de Shuganan dans son tablier et posa la tête contre l'escalier. Sa mâchoire était douloureuse à l'endroit où Homme-Qui-Tue l'avait frappée et ses dents étaient ébranlées de ce côté de sa joue. Elle frissonna à l'idée de devenir sa femme et un faible espoir lui vint. Peut-être que les animaux marins le noieraient. Peut-être y aurait-il un terrible orage.

— Non, dit-elle à haute voix et elle entendit le mot se répercuter en écho contre les murs de l'ulaq. Shuganan est avec lui.

D'abord, après le départ des hommes, elle s'était débattue avec les cordes qui l'attachaient, mais Homme-Qui-Tue les avait nouées de telle sorte que plus elle tirait, plus elles se resserraient. Maintenant ses pieds et ses mains enflés, les cordes étaient si serrées que chaque mouvement était une souffrance. La corde qui liait ses poignets à la poutre était assez longue pour lui permettre de s'agenouiller et d'atteindre le sol, mais même s'il n'y avait eu la souffrance, avec ses deux mains si solidement attachées, il lui aurait été difficile de faire quoi que ce soit, même gratter les peaux que Shuganan avait étendues devant elle. Et si elle oubliait ses liens et essayait de pousser le grattoir trop loin, les liens se resserraient encore.

Chagak porta la sculpture contre sa joue et pensa au vieil homme qui la lui avait donnée. Elle se demandait souvent comment il avait appris la langue d'Homme-Qui-Tue. Avait-il été commerçant ?

Oui, songea-t-elle, en regardant les étagères garnies de ses sculptures. Les hommes donneraient beaucoup de fourrures pour posséder une ou deux de ces figurines — animaux en ivoire, hommes sculptés dans de l'os, si réels que parfois Chagak sentait leur esprit peser sur elle et éprouvait le besoin de quitter l'ulaq rien que pour être seule.

A nouveau elle étudia la figurine que Shuganan lui avait donnée. Tout d'abord quand il la lui avait glissée dans la main, elle avait vu Homme-Qui-Tue la regarder de son air rusé, elle avait éprouvé de la colère. Certes, il y avait bien longtemps, elle avait souhaité être une épouse et une mère, mais maintenant elle voulait seulement être délivrée d'Homme-Qui-Tue. Puis elle avait remarqué les détails du visage du mari sur la sculpture. Ses yeux étaient écartés, ses pommettes hautes. Son sourire était bon. Ce n'était pas Homme-Qui-Tue.

Elle s'émerveilla que Shuganan ait eu le courage d'accomplir un tel geste. Et si Homme-Qui-Tue l'avait remarqué ? Lui aussi aurait vu que le mari ne le représentait pas, n'était même pas un homme de sa tribu. Il aurait pensé que Shuganan avait utilisé son pouvoir pour choisir un autre homme comme mari pour Chagak, quelqu'un de bon et doux.

« Je dois le cacher », avait-elle pensé. Mais où ?

Il n'y avait pas de cachette sûre dans cette pièce, mais si elle la portait sous son suk, quand les hommes reviendraient et la détacheraient, elle trouverait peut-être un endroit où la dissimuler avant qu'Homme-Qui-Tue ne la voie.

Chagak fouilla dans son panier à couture et trouva des boyaux. Elle en détacha trois longueurs qu'elle tressa avant d'en entourer la sculpture. Puis elle l'attacha contre l'amulette du shaman qu'elle portait autour de son cou. En serrant la sculpture entre ses mains, elle sentit qu'elle était chaude comme si elle était vivante. Elle la pressa contre sa joue et soudain elle s'avisa d'un autre détail à la base. Elle l'approcha de la lampe. La lumière faisait ressortir un cercle dans l'ivoire avec une entaille tout autour.

A l'aide de son ongle, Chagak s'efforça de soulever ce morceau d'ivoire qui finit par se détacher, révélant un long espace creux. Elle retourna la figurine et la secoua, mais rien ne tomba. Pourquoi Shuganan avait-il creusé un trou dans cette figurine ? Était-ce pour y cacher un objet sacré ? Elle glissa son doigt dans le trou et sentit quelque chose de mou. Avec l'ongle de son petit doigt, elle réussit à extraire quelques duvets entassés au fond du creux. Elle retourna la figurine et la secoua encore, mais bien que rien ne tombât, quelque chose bougea à l'intérieur. Elle retira encore quelques plumes et finalement en frappant la sculpture contre le sol elle délogea un dernier petit paquet.

Il était enveloppé d'un morceau de peau si fine qu'il glissa par terre. Chagak le ramassa et l'ouvrit soigneusement et sursauta. C'était une lame en obsidienne à peine plus longue que la phalange d'un doigt.

La lame du couteau à sculpter de Shuganan, pensa Chagak avec un soupir de reconnaissance qui soulagea presque la douleur de ses poignets et de ses chevilles.

Elle saisit la lame tranchante et coupa les liens qui la retenaient prisonnière. Combien de temps les hommes resteraient-ils absents ? La plupart des chasses aux phoques duraient trois ou quatre jours. Jusqu'où pourrait-elle aller avec son ik ? Quelle direction devrait-elle prendre ? Peut-être devrait-elle essayer de rallier l'île des Chasseurs de Baleines. Homme-Qui-Tue penserait qu'elle était partie vers l'est où se trouvaient d'autres villages de Chasseurs de Phoques.

« Oui », décida-t-elle, « je vais traverser le prochain détroit et aller trouver mon grand-père. Peut-être que les Chasseurs de Baleines accepteront de revenir avec moi pour délivrer Shuganan. »

Shuganan et Homme-Qui-Tue restèrent sur la plage une bonne partie de la matinée. Shuganan était assis dans son ikyak, les jambes étendues devant lui, le capuchon de son chigadax noué autour de sa tête, le bas du vêtement fixé à la doublure du bateau le protégeant ainsi de l'eau.

Le ciel était lourd de nuages et un vent du sud augmentait le volume des grosses vagues qui venaient s'écraser des deux côtés de l'ikyak. La mer était du même gris que le ciel et l'eau devenait lourde sous la pagaie de Shuganan.

« Nous aurons du mal à trouver des phoques », pensa-t-il. Homme-Qui-Tue avait attaché l'ikyak de Shuganan au sien avec une longue lanière de babiche en cuir ce qui les maintenait ensemble mais gênait leurs mouvements pour pagayer et rendait toute manœuvre difficile.

Mais les problèmes d'Homme-Qui-Tue ne tracassaient pas Shuganan. Sa crainte était que la mauvaise mer rendît la fuite de Chagak malaisée. Serait-elle capable de diriger son ik dans ces grosses vagues ? Qu'arriverait-il si l'eau pénétrait à l'intérieur ? L'ik n'était pas une embarcation aussi facile à maîtriser qu'un ikyak.

Et si Chagak ne trouvait pas le creux dans la sculpture ? Elle n'aurait rien pour couper ses liens et ne pourrait même pas tenter de s'enfuir.

Car Shuganan était resté éveillé la nuit précédente, tirant des plans sur ce qu'il ferait si Homme-Qui-Tue l'emmenait chasser avec lui. Peut-être importait-il peu que Chagak ne pût s'échapper. Homme-Qui-Tue ne reviendrait peut-être pas de la chasse. La mer était dangereuse et dans toutes les chasses, il y avait la possibilité que le chasseur ne rentre pas. Quel homme pouvait l'ignorer ? Quel homme, éprouvant de la joie à se sentir sur l'eau, avec seulement l'épaisseur de la doublure en peau de phoque entre la mer et ses jambes, ne se retournait pas une dernière fois pour considérer le rivage, vers son ulaq et son village ? Quel homme ne saisissait pas son amulette pour demander aux esprits une protection contre la mer ?

« Mais qu'arriverait-il si, en tuant Homme-Qui-Tue, je perds ma propre vie ? » Tout en réfléchissant, Shuganan leva les yeux vers l'horizon. « J'ai vécu un grand nombre d'années et je n'ai pas besoin d'en avoir beaucoup plus, mais qu'arrivera-t-il si Chagak ne trouve pas la lame cachée dans la sculpture ? Qu'arrivera-t-il si elle ne peut se délivrer ? Elle ne dispose de provisions que pour quelques jours ; d'eau pour quatre jours peut-être, de nourriture pour huit ou dix, mais ensuite que fera-t-elle ? Serait-il pire pour elle de mourir dans l'ulaq, sans eau, sans nourriture, ou préférerait-elle être la femme d'Homme-Qui-Tue et vivre dans son village ? En tant qu'épouse, elle pourrait au moins avoir des bébés. Des enfants lui apporteraient de la joie. »

« Mais elle trouvera cette lame », pensa encore Shuganan pour se rassurer. « Oui, elle la trouvera. Puis elle partira rejoindre son grand-père et sera sauvée. C'est ce qu'elle fera, quant à moi j'aurai fait ce que je devais. »

Shuganan regarda devant lui en direction d'Homme-Qui-Tue et vit les épaules larges et les bras musclés. Il se servait de sa pagaie avec facilité et Shuganan avait des difficultés à le suivre. Plus d'une fois la corde entre les deux embarcations s'était tendue et Homme-Qui-Tue s'était retourné chaque fois avec une saccade qui secouait l'ikyak.

Shuganan scruta encore l'horizon. Le gris du ciel se mêlait à ce point avec la mer que l'on ne voyait même plus le contour de l'île. Ils n'avaient aperçu aucun phoque pointant sa tête au milieu des vagues mais Homme-Qui-Tue n'avait pas encore dirigé son ikyak vers les îles aux phoques. « Peut-être ne connaît-il pas l'existence de ces îles », pensa Shuganan et s'il attendait que l'un d'eux se montre dans la mer, il attendrait longtemps.

Shuganan leva la tête et sourit. « Chagak va trouver le couteau », pensa-t-il. « Elle le trouvera et je tuerai Homme-Qui-Tue. »

17

Chagak frotta ses chevilles et ses poignets endoloris, puis s'accroupissant sur ses talons, elle enfonça la petite lame dans la sculpture et la glissa sous son suk. Il lui avait fallu presque toute la matinée pour couper les épais liens de babiche, mais elle était enfin libre.

Pendant un moment elle resta immobile, repassant en esprit les objets qu'elle devait emporter : l'eau, l'huile, du poisson séché, des peaux de phoque tannées, son panier de couture, peut-être un panier de buccins, un rouleau de corde, des hameçons, le bola, des boyaux pour la canne à pêche, son couteau, de l'herbe sèche, des tapis d'herbe.

Elle empila le tout au bas d'un tronc d'arbre avant de sortir. Elle se rendit sur la plage le cœur battant. Et si Homme-Qui-Tue était encore là ? Et s'il attendait pour voir si elle essaierait de s'enfuir ?

Mais il n'y avait personne. La plage était grande et vide.

Son ik était retourné sur un rocher, près de la cave de l'ikyak. Elle avait passé beaucoup de temps avec Shuganan à réparer son ik, remplaçant des morceaux de bois brisés et des peaux arrachées.

Chagak fit courir ses mains sur le revêtement, en quête de tout indice de perforation. Une vague vint se briser sur les galets et se retira avec bruit. La plage était plus froide et le vent plus fort que sur l'île de son peuple.

Chagak pensa à Shuganan. Il avait voulu qu'elle s'enfuie,

autrement il ne lui aurait pas donné la statuette avec le couteau en obsidienne.

Malgré tout elle avait peur pour lui. Que ferait Homme-Qui-Tue lorsqu'il découvrirait son évasion ? Mais elle avait vu le pouvoir que Shuganan exerçait sur cet homme. Il faudrait plus que sa fuite pour mettre la vie de Shuganan en danger. « Et je ramènerai mon grand-père », pensa-t-elle et poursuivit à haute voix pour tout esprit qui pourrait se trouver là :

— Je vais revenir avec mon grand-père et ses chasseurs. Ils sauveront Shuganan.

Puis se souvenant du peu d'estime que son grand-père nourrissait à l'égard de ses petites-filles, elle se hâta de retourner à l'ulaq pour chercher ses provisions.

— Ah ! cria Homme-Qui-Tue et, levant sa pagaie, il désigna quelque chose de sombre dans l'eau.

Shuganan s'efforça de regarder mais ne vit dans l'eau que ce qui pouvait être un morceau de bois ou bien un canard blanc et noir nageant au creux d'une vague.

Homme-Qui-Tue se mit à pagayer avec vigueur, mais Shuganan laissa son ikyak ralentir considérablement son effort.

— Tu pagaies comme une femme ! cria Homme-Qui-Tue, en élevant la voix pour percer le fracas des flots.

— Je suis vieux, répondit Shuganan en se souciant peu qu'Homme-Qui-Tue pût l'entendre.

— Tu vas mourir si tu ne t'y prends pas mieux, hurla encore Homme-Qui-Tue dont les paroles furent apportées dans un coup de vent.

Shuganan enfonça sa pagaie profondément dans l'eau rapprochant ainsi son ikyak de l'autre, puis il plongea sa pagaie verticalement dans l'eau et quand Homme-Qui-Tue voulut lancer son ikyak avec une forte poussée, le lien entre les deux embarcations se tendit et ramena brutalement celle d'Homme-Qui-Tue en arrière.

— Vieillard stupide ! siffla-t-il.

Mais Shuganan se contenta de hausser les épaules en répétant :

— Je t'ai déjà dit que j'étais vieux.

Et cette fois il cria assez fort pour être entendu. Peut-être aussi que si ce qu'Homme-Qui-Tue avait vu était un phoque, il entendrait également et prendrait conscience du danger.

Ce qui flottait dans l'eau parut effectivement s'éloigner. Ce n'était pas un morceau de bois, pensa Shuganan. Il garda son ikyak derrière celui d'Homme-Qui-Tue, assez près pour être une gêne.

— Il y en a deux, souffla Homme-Qui-Tue en baissant la voix.

— Je ne t'entends pas, cria Shuganan, bien qu'il eût parfaitement entendu et il éleva lui-même suffisamment la voix pour la porter au-dessus des vagues. Qu'as-tu dit ?

— Tais-toi !

— Est-ce un phoque, cria encore Shuganan.

— Mais tais-toi donc !

Homme-Qui-Tue avait cessé de pagayer et avant que Shuganan ait pu arrêter son ikyak, il fut à portée de l'autre. Homme-Qui-Tue leva sa pagaie et frappa violemment les côtes de Shuganan.

— Tais-toi, vieil homme, répéta-t-il à voix basse.

Shuganan entendit une de ses côtes craquer et sentit l'air sortir brusquement de ses poumons. Il resta assis, immobile, essayant de reprendre sa respiration et finit par saisir la pagaie en craignant qu'elle ne lui échappe des doigts.

— Deux phoques, répéta Homme-Qui-Tue comme si rien ne s'était passé.

Il détacha un de ses harpons, contrôla l'élasticité du filin.

— Deux phoques, répéta-t-il. Et je vais les avoir tous les deux.

Chagak poussa l'ik dans l'eau claire de la mare qui s'étendait comme un arc presque au centre de la plage et dont une extrémité rejoignait la mer. C'était un bon endroit pour lancer une embarcation quand il n'y avait personne pour aider.

Elle avait sorti ses provisions de l'ulaq et les avait empilées sur la plage près de la mare. En remplissant l'ik, elle attacha la plupart des provisions aux côtés de l'embarcation afin d'éviter de les perdre.

Quand tout fut arrimé, elle se rendit à la cave où Shuganan conservait son ikyak. Elle prit une pagaie supplémentaire, des babiches et des peaux huilées servant aux réparations. Elle prit aussi un tube à écoper. Ce long tube flexible était constitué par un morceau de bambou, une plante qui échouait souvent sur leur plage. En aspirant l'eau avec ce tube creux et en la jetant par-dessus bord, on pouvait écoper d'une main et diriger l'embarcation de l'autre.

Elle étendit ensuite une peau de phoque à l'endroit où elle allait s'asseoir, puis elle retira son suk et le lança au fond de l'embarcation. En pataugeant dans la flaque d'eau elle tira l'ik vers la mer.

Les vagues frappèrent ses jambes et les galets pointus écorchèrent ses pieds, mais elle continua à marcher jusqu'à ce qu'elle ait de l'eau à la taille. Puis elle saisit le bord de l'ik, se glissa à l'intérieur et se mit à pagayer.

Elle dirigea son ik face aux vagues en employant toute sa force pour conserver la proue au milieu de l'écume, mais quand elle se trouva dans les eaux plus profondes, elle fut entraînée par le courant. Elle laissa l'embarcation flotter et enfila son suk, plumes à l'intérieur pour être plus au chaud.

Shuganan croisa les bras sur sa poitrine et se tint les côtes. Chaque respiration était douloureuse, comme si ses côtes s'étaient détachées de sa colonne vertébrale.

Homme-Qui-Tue avait guidé son ikyak plus près des phoques et Shuganan souffrait tellement qu'il était incapable de lutter contre lui. La respiration courte, il pressa ses mains le long de sa poitrine et prit une longue aspiration.

Homme-Qui-Tue fixa le bout de son harpon sur son lance-harpon. Celui-ci avait la longueur d'un avant-bras d'homme et était large d'une demi-main. Très semblable au lance-harpon de Shuganan, il était garni d'un trou pour l'index et d'une encoche pour la paume de la main. Des représentations de phoques et de chasseurs étaient peintes sur le manche alors que celui de Shuganan était gravé.

Homme-Qui-Tue tenait le lance-harpon à bout de bras, l'extrémité posée sur son épaule, ce qui augmentait la longueur et par conséquent la force du dispositif.

Ils étaient assez près des animaux pour que Shuganan pût voir leur fourrure. C'étaient des phoques velus, et par conséquent de plus grande valeur autant pour leur chair que pour la solidité de leurs peaux.

Homme-Qui-Tue recula dans l'ikyak, le bras plié et murmura « Ils sont deux ! » et il se mit à rire tout seul. Shuganan se demanda ce qui le faisait rire. La pensée de Chagak nue dans son lit ? L'idée de ramener Shuganan à son chef ? Et soudain sa colère fut plus forte que sa souffrance. Il saisit sa pagaie à deux mains et oubliant sa douleur l'enfonça légèrement dans l'eau, raccourcissant la distance entre les deux embarcations. Maintenant il était assez près pour toucher l'autre ikyak avec sa pagaie, il ne pensait pas qu'Homme-Qui-Tue ait vu ou entendu quoi que ce soit, tant il était absorbé par les phoques.

Effectivement il détacha un second harpon et le tint dans sa main gauche, tandis qu'il se préparait à tirer avec la droite.

Ils étaient dans le creux d'une vague, tout était tranquille et gris autour d'eux, le ciel, la mer. Shuganan agrippa sa pagaie à deux mains et la souleva comme une arme. Homme-Qui-Tue attendit d'être sur la crête d'une vague pour lancer son harpon. Au moment où il tira Shuganan leva sa pagaie, prêt à l'utiliser comme une massue, mais la beauté du lancer, le grognement du phoque quand il fut touché l'arrêtèrent et il resta immobile tandis qu'Homme-Qui-Tue armait son deuxième tir. A nouveau le harpon fit mouche.

Shuganan ne bougea toujours pas. « Quel esprit souffle

ici ? » pensa-t-il. Pourquoi le second phoque était-il resté la tête hors de l'eau quand le premier avait été touché ?

Les phoques plongèrent, la tête du harpon plantée dans leur corps. La corde attachée au harpon resta à la surface marquant l'endroit où les phoques se trouvaient sous l'eau. L'un d'eux refit surface. Homme-Qui-Tue approcha son ikyak mais l'animal ne fit aucun mouvement pour replonger.

Homme-Qui-Tue tira sur la corde et l'enroula autour d'un portant sur le bord de l'embarcation. Le second phoque fit également surface et lui aussi attendit qu'Homme-Qui-Tue enroule la corde.

Attendait-il ou était-il mort ? se demanda Shuganan tandis qu'Homme-Qui-Tue continuait ses manœuvres d'amarrage.

Ils sont morts tous les deux, se dit Shuganan. Ils sont morts si rapidement ! D'où Homme-Qui-Tue tenait-il ce pouvoir ?

Shuganan songea à la sculpture de phoque qu'Homme-Qui-Tue avait prise dans l'ulaq, mais Shuganan ne pouvait donner à son propre travail un tel pouvoir. C'était trop effrayant, trop horrible ! Et si d'autres chasseurs venaient ? Et s'ils gagnaient le même pouvoir en portant les sculptures et utilisaient ce pouvoir pour faire le mal ?

A nouveau Shuganan eut de la difficulté à respirer. Il leva sa pagaie. Il savait qu'Homme-Qui-Tue allait se retourner. Un chasseur qui pouvait se glorifier d'un tel exploit ne pouvait manquer de s'en vanter.

— Alors, qu'en penses-tu, vieil homme ? demanda Homme-Qui-Tue avec un large sourire.

Shuganan leva la pagaie comme si c'était une lance et en frappa Homme-Qui-Tue en plein visage.

Le coup n'était pas aussi violent que Shuganan l'avait espéré mais du sang jaillit du nez et de la bouche de l'homme. Shuganan leva la pagaie pour frapper encore mais Homme-Qui-Tue saisit l'extrémité et la tourna jusqu'à ce que les muscles de Shuganan l'obligent à lâcher prise et finalement Homme-Qui-Tue s'empara de la pagaie et frappa de toutes ses forces sur la tête de Shuganan.

Celui-ci se laissa tomber au fond de son ikyak. L'armature en bois protégea ses côtes et son dos et il cacha sa tête entre ses bras. Homme-Qui-Tue frappa encore. Le coup brisa l'avant-bras gauche de Shuganan, mais il le maintint au-dessus de sa tête. Du sang jaillit et se coagula au fond de l'ikyak.

L'obscurité troubla la vision du vieil homme et chaque fois que la pagaie continua à s'abattre l'obscurité augmentait, effaçant la mer et le ciel, jusqu'à ce que Shuganan ne vît plus qu'un petit point lumineux, jusqu'à ce qu'il ne pût plus penser à autre chose qu'à la douleur et qu'il entendît un esprit lui dire : ne meurs pas ! N'abandonne pas Chagak !

18

Chagak tourna son ik vers l'ouest. Elle savait qu'il lui faudrait au moins une journée pour atteindre l'île des Chasseurs de Baleines. Ensuite il faudrait chercher leur village autour de la côte.

Elle espérait que son grand-père la croirait et enverrait ses chasseurs secourir Shuganan. Mais même s'il le faisait le peuple d'Homme-Qui-Tue avait toujours l'intention d'attaquer le village des Chasseurs de Baleines. Le peuple de son grand-père aurait une meilleure chance de se défendre s'il était prévenu, mais pourrait-il faire face à des guerriers déterminés et habitués à tuer et à massacrer tout sur leur passage ? Chagak frissonna. Pourrait-elle supporter d'assister à un pareil spectacle ?

— Non, dit-elle à haute voix et elle adressa une prière à Aka : Si tous les Chasseurs de Baleines sont tués, laisse-moi mourir aussi. Choisis quelqu'un d'autre pour enterrer les morts.

La mer se soulevait en hautes vagues malgré l'absence de vent. Au sommet de chaque vague, Chagak regardait la terre sur sa gauche, le soleil à droite et s'efforçait de se maintenir entre les deux.

L'ik était lourdement chargé, elle s'était ménagé un espace étroit pour elle-même. L'ik était petit mais, malgré cela, il était difficile à manœuvrer. Elle devait se battre pour le faire tourner et elle devait prendre soin en enfonçant sa pagaie d'un côté de se pencher de l'autre pour contrebalancer l'effet et empêcher l'ik de se mettre à tourner en rond.

Elle pagayait régulièrement, s'efforçant de ne pas penser à ses muscles douloureux, aux crampes qui gagnaient ses jambes lorsqu'elle s'agenouillait sur l'épaisse fourrure de phoque. Les falaises de la plage paraissaient si éloignées qu'on aurait dit qu'elles flottaient sur la mer, une fine ligne blanche les séparait de l'eau.

Pendant un moment la pensée de Shuganan seul avec Homme-Qui-Tue l'angoissa, mais elle s'efforça de se raisonner. « Je vais bientôt revenir le chercher », se dit-elle.

Malgré tout, une peur irraisonnée la torturait en pensant à la colère d'Homme-Qui-Tue et au grand âge de Shuganan. Il avait vécu plus d'étés qu'elle n'en pouvait compter. Quand un homme était aussi âgé, que pouvait-on dire ? Qu'il avait encore de nombreux étés à vivre, ou peut-être un seul.

Elle posa sa pagaie à travers l'avant de l'ik et se laissa porter au sommet d'une vague d'où elle regarda autour d'elle. Il n'y avait aucun signe de baleine ou de chasseurs, mais elle attendit une seconde vague avant de se remettre à pagayer.

Au sommet de cette vague Chagak dirigea son regard vers le nord, du côté de la vaste mer des morses dont Traqueur de Phoques lui avait parlé, un endroit que les femmes de la tribu de Chagak avaient rarement eu l'occasion de voir.

« Et me voilà seule dans cette mer », songea-t-elle en se demandant ce que l'esprit de sa mère penserait en la voyant utiliser son ik comme un homme utilisait son ikyak. Chagak serra l'amulette du shaman qu'elle portait toujours avec la sculpture de Shuganan, et au même moment, elle aperçut quelque chose de sombre dans la mer.

Son ik plongea dans le creux d'une vague et elle dut attendre d'être à nouveau portée sur une autre crête. Le point sombre était plus important. Peut-être était-ce un autre ikyak, pensa-t-elle, mais elle n'en était pas sûre et à nouveau elle dut attendre un autre mouvement de la mer.

« Un ikyak, mais trop long pour en être un », se dit-elle et en prononçant ces mots, son cœur battit comme si elle prenait conscience de ce qu'elle venait de dire et Chagak comprit : il s'agissait de deux ikyan, celui de Shuganan et celui d'Homme-Qui-Tue.

Saisissant sa pagaie, elle s'écarta de la crête de la vague et s'efforça de se maintenir dans le creux, le mur d'eau l'empêchant d'être vue.

« Comment était-ce possible sur cette vaste mer ? » pensa-t-elle. « Quel esprit me déteste à ce point ? » Elle s'efforça de rester dans le creux de la lame, sachant que c'était sa seule chance. Si elle parvenait à s'y maintenir, Homme-Qui-Tue ne la verrait pas.

Mais s'il se dirigeait vers la terre, il y aurait un moment où son ikyak se trouverait dans le même creux. C'était un risque qu'il lui fallait courir. Elle ne pouvait espérer le distancer, son ikyak étant beaucoup plus rapide que son frêle esquif.

Elle attendit, ne pagayant que pour se maintenir à flot et en priant que les hommes ne la voient pas. Son esprit troublé et son cœur battant à tout rompre comme les chasseurs frappent le côté d'un ikyak pour appeler à l'aide.

Finalement la proue de l'ikyak d'Homme-Qui-Tue s'éleva sur la crête d'une vague. Il était à quelque distance mais assez près pour la voir s'il regardait vers l'ouest. Chagak enfonça sa pagaie dans l'eau et poussa son ik au plus profond du creux de la vague.

L'ikyak d'Homme-Qui-Tue s'enfonça dans le même creux. Une corde attachée sur le côté flottait sur l'eau, mais Chagak ne put voir l'embarcation de Shuganan. Sa respiration s'accéléra et elle émit un petit sifflement involontaire entre ses dents. Homme-Qui-Tue se pencha en avant et le balancement de la mer souleva son ikyak vers une nouvelle crête. Deux phoques à fourrure étaient attachés à l'arrière de l'embarcation.

« Il ne m'a pas vue », pensa Chagak, mais au même moment, Homme-Qui-Tue tourna son ikyak dans le creux. La pagaie de Chagak restait tendue au-dessus de l'eau, sans qu'elle osât s'en servir. Homme-Qui-Tue poussa un cri et pointa un doigt dans sa direction, puis il se pencha en arrière pour tirer la corde qui reliait son ikyak à celui de Shuganan. Alors Chagak put voir que le vieil homme était allongé au fond de son ikyak, attaché par les cordes du harpon de chaque côté de l'embarcation.

« Il est mort », semblait lui chuchoter un esprit. Les mots la frappèrent avec une telle force qu'ils lui coupèrent le souffle.

Elle se mit à pagayer pour s'éloigner mais un cri d'Homme-Qui-Tue l'obligea à se retourner. Elle vit qu'il tenait un harpon pointé au-dessus de la poitrine de Shuganan.

« Il est mort », semblait dire la mer. « Va-t'en. Il est mort. Sauve-toi, tu as une chance : l'ikyak d'Homme-Qui-Tue est alourdi par les deux phoques. Va-t'en. »

Chagak laissa tomber sa pagaie au fond de son ik. Et le dos tourné, elle détacha l'étui fixé à sa taille qui contenait son couteau. Puis, elle fit une incision horizontale dans la doublure qu'elle avait posée sur son suk et glissa l'arme à l'intérieur.

Elle se laissa ensuite porter par le flot dans la même vague que les deux ikyan puis elle fit lentement tourner son ik dans leur direction.

En approchant, elle vit que le bras gauche de Shuganan pendait dans un angle bizarre, sa main flottant dans l'eau. Son nez saignait et du sang sortait de sa bouche en formant des bulles ; elle pensa qu'il venait peut-être de mourir, mais le mouvement de la mer souleva son corps et il poussa une sorte de geignement.

« Il est vivant », dit-elle à la mer.

Homme-Qui-Tue détourna son harpon de Shuganan pour le pointer sur Chagak.

— Tire, cria-t-elle, tue-nous tous les deux.

Mais Homme-Qui-Tue remit le harpon à sa place et pagaya vers la rive.

Avec un profond soupir, Chagak dirigea son ik à la suite d'Homme-Qui-Tue et de Shuganan.

« Tu vas mourir, lui souffla un esprit. Tu vas mourir. »

— Non, dit Chagak, je vais vivre et je sauverai Shuganan.

Lorsque Chagak arriva à terre, Homme-Qui-Tue sortait Shuganan de son ikyak et le laissa tomber sur la plage tassé sur lui-même, puis il coupa les cordes retenant les phoques.

Sans aide, Chagak tira son ik à terre et, quand il fut hors d'atteinte des vagues, elle courut vers Shuganan.

Il respirait encore. Mais chaque souffle provoquait un flot de sang de son nez et de sa bouche ainsi qu'un grognement dans sa poitrine. Elle s'agenouilla près de lui en essayant de détacher son chigadax, mais Homme-Qui-Tue la saisit par les cheveux et la remit brutalement debout en tenant son couteau de chasse au-dessus de sa gorge.

— Tue-moi, cria Chagak, bien qu'elle sût qu'il ne comprenait pas sa langue, ainsi je retournerai chez mon peuple au lieu de rester avec toi.

Homme-Qui-Tue la relâcha, le doigt pointé vers l'ik et vers Shuganan. Chagak vit la balafre marquant sa joue et ressentit une soudaine fierté pour l'audace de Shuganan, ce qui lui donna le courage de se détourner d'Homme-Qui-Tue pour venir s'agenouiller près du vieil homme.

Elle l'examina et se leva pour courir à son ik. Elle avait des herbes, des feuilles de caribou prélevées sur la réserve de Shuganan. Homme-Qui-Tue lui barra le passage :

— Espèce de fou, cria-t-elle, écarte-toi de mon chemin.

Elle le repoussa et se mit à fouiller à l'intérieur de l'ik, en sortit son suk, entassa le tout dans la taille de son tablier, puis elle sortit une lourde robe de nuit et l'apporta près de Shuganan.

Elle ne regarda pas Homme-Qui-Tue et se soucia peu de ce qu'il pouvait penser du moment qu'il ne cherchait pas à l'arrêter. Elle déplia la robe et l'étendit à côté de Shuganan, puis aussi doucement qu'elle le put, elle le fit glisser dessus.

A nouveau, Chagak retourna à son ik, jetant un regard sur Homme-Qui-Tue en passant. Il se tenait debout, les bras croisés sur la poitrine, sans rien dire, se contentant de la regarder. Elle saisit une pile de bande de cuir et revint vers Shuganan, mais Homme-Qui-Tue la saisit par le bras.

Il lui dit quelque chose en désignant les deux phoques étendus sur le sable. Chagak comprit qu'il voulait la voir dépouiller les deux animaux, retirer la viande, mais elle feignit de ne pas comprendre. Elle s'arracha à son étreinte, courut jusqu'à la mer où elle rinça une des bandes de cuir dans l'eau et revint s'agenouiller près de Shuganan.

Elle souleva sa tête et la posa sur ses genoux. Après avoir essuyé le sang de son visage, elle se rendit compte qu'il avait des dents cassées et que certaines lui écorchaient les lèvres. Le visage du vieil homme était très pâle, un de ses yeux enflé. Une longue estafilade allait de son oreille droite jusqu'en haut de sa tête.

Ses mains étaient également ensanglantées, mais quand elle les eut lavées, elle vit qu'il n'y avait pas de blessure et que le sang provenait de son visage. Il poussait aussi un faible gémissement chaque fois qu'elle touchait son bras gauche.

Un coup de vent rabattit les cheveux de la jeune fille sur ses yeux et fit voler du sable sur les blessures de Shuganan. « Il faut que je le transporte dans l'ulaq », pensa-t-elle en jetant un coup d'œil à Homme-Qui-Tue qui se contenta de cracher par terre.

Chagak noua les deux coins de la robe pour en faire une sorte de poignée et se mit à tirer Shuganan en direction de la colline conduisant à l'ulaq. Il n'était pas lourd mais la pente de la dune rendait la tâche difficile et du schiste s'accrochait à la robe comme des serres pour empêcher Shuganan de quitter le rivage.

Soudain Homme-Qui-Tue se dressa devant elle, bloquant son passage. Elle s'efforça de le contourner, mais il se mit à crier en montrant les phoques.

— Je ne suis pas ta femme, cria Chagak, je n'ai pas à t'obéir.

Tout en sachant qu'il ne la comprenait pas, elle pensait qu'il était bon que les esprits l'entendent et décident qui avait raison.

Elle attendit un moment, persuadée qu'il la laisserait passer, qu'il comprendrait que Shuganan devait être soigné avant de s'inquiéter des phoques, mais il ne céda pas. Et sa colère se changea en frayeur. Shuganan était un vieil homme. Si Homme-Qui-Tue ne la laissait pas l'aider, il pouvait mourir.

Elle lui tourna le dos et reprit la robe, mais il lui saisit les poignets d'une main ferme. Elle le regarda, les dents serrées.

— Pas de couteau, dit-elle, et, voyant qu'il ne comprenait pas, elle répéta plus fort : Je n'ai pas de couteau, comment pourrais-je les dépecer sans un couteau ?

Elle fit le geste de couper en montrant les phoques et Homme-Qui-Tue acquiesça. Utilisant son couteau de chasse, il ouvrit les paquets dans l'ik de Chagak. Il jeta les fourrures, la nourriture et même la pierre à cuire de sa mère, répandant tout à proximité des vagues.

— Il n'y a pas de couteau, cria Chagak avec une colère qui lui fit monter les larmes aux yeux.

Finalement, il revint vers elle en tenant un couteau à lame recourbée, une petite lame fine faite pour des travaux délicats mais qui ne pourrait être utilisée pour couper la peau épaisse des phoques. Il le lança néanmoins à ses pieds et la mit brutalement debout.

Avant que Chagak ait pu l'arrêter, il lui arracha son suk et passa les mains sur son tablier, puis il retourna le suk et regarda à l'intérieur des manches.

— Je t'ai dit que je n'avais pas de couteau, répéta Chagak en sentant sa respiration devenir plus difficile.

Le couteau caché dans la doublure de son suk semblait tout à coup devenir si lourd. Il allait sûrement remarquer la bosse de l'ourlet ou peut-être même lire dans ses pensées.

Il la fixa pendant un long moment. Chagak rencontra son regard et ne se détourna pas. Il murmura enfin quelque chose et se tourna vers l'ulaq.

— Oui, tu vas trouver des couteaux là-bas, lui lança Chagak.

Puis elle se pencha sur Shuganan. Il semblait respirer plus facilement. Elle saisit la robe et la tira doucement à travers la plage, hors d'atteinte des vagues, contre la falaise, où il serait protégé du vent pendant qu'elle dépouillerait les phoques.

19

Au village de Chagak on affectait plusieurs femmes au dépouillement et au dépeçage d'un phoque. Deux ou peut-être trois détachaient la peau du corps, d'autres encore coupaient la viande. Puis le chasseur partageait la graisse, la viande et les os entre les familles. A la sienne revenaient la peau, les pattes et les meilleurs morceaux de viande.

Mais ici, Chagak était seule. Chacun des animaux était plus lourd qu'un gros homme et elle avait de la difficulté à les remuer.

Homme-Qui-Tue lui avait ramené de l'ulaq un couteau de femme et un autre couteau courbé ainsi que plusieurs peaux tannées. Chagak les étendit et quand elle eut terminé le dépeçage du premier phoque, elle commença le découpage des épaisses couches de graisse et les empila sur une des peaux, puis elle détacha la viande des os et retira les organes comestibles.

Avec soin elle découpa les épais tendons le long de l'épine dorsale et les mit de côté pour les faire sécher. Plus tard, elle tresserait des fibres de diverses grosseurs afin de les utiliser pour coudre. Elle noua le petit intestin à chaque extrémité avant de le détacher. Lorsqu'elle eut terminé elle vida le contenu des intestins dans la mer, les rinça et les mit de côté. Elle réunit ensuite toutes les différentes parties dans un vieux chigadax.

Enfin elle lava et rinça l'estomac qui pourrait être utilisé comme contenant pour du poisson séché ou de l'huile.

Finalement il ne resta plus que les os. Elle en garderait certains pour en faire des aiguilles ou de petits outils, mais elle en ferait bouillir la plus grande partie pour en tirer de l'huile afin d'alimenter des lampes et de préparer la nourriture.

Dans son village faire bouillir les os était le prétexte à une fête. Les hommes allumaient une rangée de feux sur la plage et les femmes dressaient des poteaux en bois sec pour y suspendre de larges sacs remplis d'eau. De grosses pierres étaient chauffées sur les feux, puis garçons et filles les jetaient dans l'eau où elles demeuraient jusqu'à ce que l'eau se mît à bouillir. Après quoi on y jetait les os de phoque.

Les vieilles femmes savaient le temps que devait durer cette cuisson et surveillaient la couche qui se formait à la surface, lorsqu'elle était assez épaisse elles appelaient les jeunes femmes pour retirer les os. Ceux-ci étaient déposés dans des peaux tannées sur la plage et avant même qu'ils aient refroidi les hommes arrêtaient leurs jeux pour venir écraser ces os avec de grosses pierres.

Pour une fois les chasseurs ne mangeaient pas les premiers, les hommes servaient les os écrasés d'abord aux jeunes enfants afin qu'ils en tirent ce qui restait d'huile et de moelle, puis venait le tour des vieilles personnes, ensuite des femmes qui avaient préparé le feu et enfin, en dernier, les hommes se servaient.

Chagak se rappelait tout cela en travaillant. Et, bien que ces souvenirs fussent douloureux, ils l'empêchaient de penser à Homme-Qui-Tue car il continuait à la surveiller sans offrir de l'aider, se contentant de sourire chaque fois qu'elle tournait l'animal dans une autre position.

Par intervalles, elle entendait Shuganan gémir ce qui, tout en la désolant, l'assurait du moins qu'il était toujours en vie. Elle s'efforçait de travailler de plus en plus vite, espérant qu'une fois les phoques dépecés, Homme-Qui-Tue la laisserait s'occuper de Shuganan.

Le crépuscule était presque tombé quand elle eut terminé. Pendant qu'elle travaillait Homme-Qui-Tue avait retiré toutes les provisions de son ik. Il était resté un long moment penché sur l'embarcation, un couteau à la main et Chagak était persuadée qu'il allait déchirer le revêtement et écraser la coque, mais il n'en fit rien. Finalement il avait dispersé ses provisions dans une des flaques d'eau. Elle ne dit rien et feignit de ne pas le voir.

Il était le chasseur. C'était lui qui était responsable de la nourriture qu'il devait apporter, s'il voulait gâcher ce qui avait été mis de côté en réserve, ce serait à ses dépens.

Lorsqu'elle eut fini de dépecer le second phoque, elle s'étira, le dos douloureux. Il lui cria quelque chose mais elle ne lui prêta aucune attention.

Chagak posa les couteaux et rassembla les peaux contenant la graisse et commença à les tirer en direction de l'ulaq. Elle rangerait la graisse dans la réserve jusqu'à ce qu'elle ait le temps de la transformer en huile.

Elle remarqua qu'Homme-Qui-Tue avait ramassé les couteaux, mais il ne lui offrit pas de l'aider à transporter les peaux. Il resta debout et surveilla les mouettes pour les empêcher de toucher à la viande tandis que Chagak devait faire de nombreuses allées et venues jusqu'à l'ulaq. Elle redoutait qu'il ne l'obligeât à travailler plus vite alors que la fatigue rendait ses bras et ses jambes pesants.

— Je ne suis pas fatiguée, je suis forte, murmurait Chagak au vent. Je suis forte.

Ces paroles semblaient lui redonner de la vigueur et alléger le fardeau qu'elle devait transporter.

Enfin il ne resta plus que les peaux qu'elle avait utilisées sous les restants des carcasses.

Elle les porta à la mer et laissa les vagues entraîner le sang et les résidus de chair. Elle sécha ensuite les peaux avec du sable fin et les roula pour les conserver.

Elle regarda, alors, Homme-Qui-Tue, il souriait et le ricanement qu'il exprimait la fit le haïr un peu plus.

« Il devrait être mort », pensa-t-elle. Mais tuer était une affaire d'homme et dans son village, les hommes ne tuaient pas d'autres hommes, mais seulement des animaux. La même pensée lui revint : il devrait être mort, puis les mots devinrent une sorte de litanie : « un jour je le tuerai ! Je le tuerai, un jour je le tuerai ! »

Dans son village, les conteurs parlaient d'un temps, bien avant la naissance de Chagak quand les hommes, pour protéger leurs femmes et leurs enfants, avaient dû tuer d'autres hommes.

Oui, pensa encore Chagak, Homme-Qui-Tue ne méritait pas de vivre. Et le poids du couteau au fond de son suk la remplit d'un soudain sentiment de puissance.

Elle s'agenouilla près de Shuganan et l'appela par son nom en s'efforçant de mettre toute sa volonté pour atteindre la compréhension du vieil homme. Pendant un moment il ouvrit les yeux, mais il ne dit rien et Chagak n'était pas sûre qu'il la vît.

— Ne bouge pas, lui souffla-t-elle, je vais te ramener dans l'ulaq pour te soigner.

Il referma les yeux et Chagak regarda Homme-Qui-Tue. A nouveau la pensée de son couteau caché lui redonna de la force.

— Il faut le conduire dans l'ulaq, dit-elle, aide-moi à le transporter.

Et bien qu'il ne comprît pas ses paroles, Homme-Qui-Tue s'avança vers elle. D'un geste, elle lui indiqua la robe et en prit une extrémité.

Homme-Qui-Tue parla; des mots de colère. Il porta la main à la blessure de son visage. Chagak l'examina.

— Je peux te soigner, dit-elle. Aide-moi seulement à porter Shuganan et je te soulagerai.

D'une main elle fit le geste d'adoucir la plaie.

Homme-Qui-Tue grogna et prit l'autre extrémité de la robe de Shuganan et ensemble ils portèrent celui-ci jusqu'à l'ulaq.

Ils le déposèrent sur le côté de l'ulaq. Cela valait mieux, pensa Chagak. Dehors, les esprits de la maladie ne s'installeraient pas dans son corps.

Elle écrasa de l'herbe sèche et du bois mort et en fit un tas. Puis elle grimpa sur l'ulaq après un bref regard en direction d'Homme-Qui-Tue. Il ne fit pas un geste pour l'arrêter. Elle descendit à l'intérieur, prit un paquet de feuilles de caribou caché dans la couture de son tablier et remplit plusieurs coupes en bois avec de la graisse. Elle prit aussi une lampe de chasseur qu'elle alluma et elle remonta en l'abritant du vent.

D'abord elle commença par allumer un feu, soufflant sur la flamme jusqu'à ce que le bois se soit enflammé avant de retourner dans l'ulaq. Cette fois elle apporta un récipient contenant de l'huile et un autre de l'eau. Elle suspendit ce dernier sur un trépied posé sur le feu. Elle travaillait vite, s'assurant que les flammes ne touchaient pas le récipient au-delà du niveau de l'eau.

Il était préférable de laisser le récipient à quelque distance du feu, de chauffer d'abord des pierres et de les jeter dans l'eau, de chauffer et réchauffer d'autres pierres et de les ajouter dans l'eau jusqu'à ce qu'elle se mette à bouillir. De cette façon les récipients à eau duraient plus longtemps. Lorsqu'ils étaient suspendus directement au-dessus du feu la couche extérieure de la peau était carbonisée et s'amincissait. Si la flamme dépassait le niveau d'eau, le récipient prenait feu. Mais Homme-Qui-Tue avait retenu Chagak trop longtemps, elle ne pouvait attendre davantage. De cette façon le médicament serait prêt plus rapidement.

En attendant que l'eau boue, elle versa quelques feuilles de caribou dans l'un des bols en bois et les mélangea à de la graisse, en remuant la mixture entre ses doigts jusqu'à ce que le mélange soit bien réparti. Puis elle se pencha sur Shuganan et commença à lui passer cette pommade sur ses blessures, mais Homme-Qui-Tue vint se placer entre elle et le vieil homme et lui montra du doigt sa propre blessure.

Chagak était furieuse. Qu'était l'égratignure d'Homme-Qui-Tue comparée aux blessures de Shuganan? Mais elle passa néanmoins la mixture sur la joue d'Homme-Qui-Tue en s'efforçant de dissimuler la colère qui s'était emparée d'elle.

Quand elle en eut terminé avec lui, elle retourna vers Shuganan et Homme-Qui-Tue n'essaya pas de l'en empêcher. Elle lava le sang qui maculait les cheveux blancs du vieil homme, puis elle recouvrit chaque blessure de l'onguent.

Aucune plaie du visage ne nécessitait des points de suture et bien que la blessure sur le crâne fût longue, elle n'était pas profonde. Sa mère lui avait dit un jour que les plaies sur la tête étaient difficiles à recoudre, la peau recouvrant le crâne était si tendue qu'il était délicat de rapprocher les deux bords. Aussi se contenta-t-elle de laver et de soigner la blessure.

Quand elle eut terminé, l'eau bouillait. Chagak vida le reste du paquet de feuilles de caribou dans l'eau. Il fallait laisser bouillir le temps que Chagak compte le nombre de ses doigts et de ses orteils dix fois.

Quand ce fut prêt, elle sortit la valeur d'un bol de liquide et le laissa refroidir. Homme-Qui-Tue la surveillait sans rien dire. Avec soin, Chagak souleva la tête de Shuganan et pressa le bol contre ses lèvres. Tout d'abord la plus grande partie du liquide s'éparpilla, mais il finit par boire.

— Très bien, lui dit-elle avec douceur. Bois encore un peu. Tu vas reprendre des forces. Tu te sentiras mieux.

Quand le bol fut vide, Chagak désigna la robe et dit à Homme-Qui-Tue :

— J'ai besoin d'une autre robe, quelque chose qui le tienne au chaud. Je dois lui retirer son chigadax et son parka.

Pendant un moment Homme-Qui-Tue ne dit rien, les yeux durs, le regard sombre, mais finalement il acquiesça et Chagak retourna encore dans l'ulaq et cette fois elle rapporta la lourde robe en fourrure de phoque qui se trouvait sur la couche de Shuganan. Elle l'étendit sur ses jambes et lui retira son chigadax. A chaque mouvement, Shuganan poussait un cri. Homme-Qui-Tue se mit à rire et la haine de Chagak à son encontre grandit encore.

— J'ai besoin de ton couteau, dit-elle, les dents serrées.

Elle leva les yeux et répéta : couteau.

— Couteau, articula-t-il dans la langue de Chagak.

Il tira son couteau de chasse de son étui fixé sur son avant-bras gauche.

— Couteau ? répéta-t-il en le lui tendant, mais quand elle voulut le lui prendre il l'éloigna.

Chagak se leva, la main tendue et attendit comme une mère se tient devant un enfant capricieux et finalement Homme-Qui-Tue lui donna le couteau.

Chagak coupa le chigadax et le parka, elle coupa également les manches sur toute leur longueur avant de rendre le couteau à Homme-Qui-Tue pour pouvoir retirer doucement les vêtements du corps de Shuganan. Une blessure s'étendait depuis le milieu de sa poitrine jusqu'à son cou et des ecchymoses marquaient sa cage thoracique.

— Il a plusieurs côtes cassées, constata Chagak à haute voix.

Elle ne s'adressait pas à Homme-Qui-Tue mais à tout esprit qui pourrait l'entendre et peut-être lui venir en aide.

La grand-mère de Chagak lui avait dit un jour que les côtes cassées devaient être enveloppées et comprimées, mais si la côte avait perforé le poumon, le blessé avait très peu de chance de survivre. Quels en étaient les signes ? Du sang écumant à la bouche, de la toux et, bien que Shuganan eût saigné de la bouche, elle était certaine que cela provenait de ses dents cassées qui lui avaient coupé les joues et la langue.

En utilisant des bandes de peaux de phoque, Chagak enveloppa le torse de Shuganan et les serra étroitement. Il geignit à plusieurs reprises et chaque fois Homme-Qui-Tue éclata de rire, comme si ce spectacle était divertissant, mais Chagak continua en faisant semblant de ne pas l'entendre.

Lorsque ce travail fut terminé, elle se mit à coudre la blessure de la poitrine, puis appliqua de la pâte de caribou sur toutes les autres blessures.

Chagak était assise sur ses talons, mais Homme-Qui-Tue se pencha et poussa le bras gauche de Shuganan du pied. Celui-ci tressaillit.

Homme-Qui-Tue cracha par terre et s'exprima dans sa propre langue en désignant le bras de Shuganan.

— Oui, il est cassé, dit Chagak, sans dissimuler plus longtemps sa colère. Tu es un chasseur tellement fort ! Tu n'es si fort que pour frapper un vieil homme. Les esprits en tremblent !

Et à son tour, elle cracha par terre.

Aussitôt Homme-Qui-Tue la saisit par les cheveux, ses doigts lui égratignant le crâne. Il poussa son visage près du bras de Shuganan puis il articula lentement dans la langue de la jeune femme :

— Répare son bras ! Il doit sculpter. Répare son bras.

Chagak haussa les épaules. Homme-Qui-Tue vivait avec eux depuis suffisamment longtemps pour comprendre sa langue, une langue trop sacrée pour être parlée par quelqu'un qui détruisait les villages.

— Je vais lui réparer le bras, dit-elle.

Homme-Qui-Tue la relâcha et Chagak commença par masser lentement le bras cassé.

Elle n'avait jamais soigné ce genre de blessure, mais un jour, dans son village, le shaman l'avait fait. C'était un homme doté d'un grand pouvoir spirituel.

« Je porte son amulette », pensa-t-elle en tenant l'objet sacré à deux mains. Elle se mit à chanter. Ce n'était pas le chant du shaman, mais une mélodie de femme, quelque chose d'apaisant faisant appel aux esprits pour guérir les enfants. C'était ce qu'elle connaissait de mieux.

Le shaman avait utilisé un long morceau de bois, ressemblant à un os, quelque chose qui évoquait la force et la rectitude.

Il n'y avait qu'une seule chose qui répondît à ces caractéristiques et en temps ordinaire elle n'aurait pas osé y toucher : la canne en os de baleine de Shuganan. Pendant un long moment, elle se contenta de chanter en regardant le bras, rendu pourpre par les contusions et courbé où il n'aurait pas dû l'être.

Tout en chantant, elle déchira le chigadax de Shuganan en bandes assez longues pour faire le tour du bras. La canne de Shuganan était à l'intérieur de l'ulaq et une nouvelle fois, elle dit à Homme-Qui-Tue qu'elle allait chercher quelque chose. Il se contenta de grogner et elle revint vivement avec la canne.

Elle la posa contre le bras et enroula la première bande au-dessus de la cassure.

Mais Homme-Qui-Tue s'agenouilla à côté d'elle et lui fit signe de tenir le bras de Shuganan à hauteur du coude, puis il saisit le poignet du vieil homme en marmonnant quelque chose. Bien qu'elle ne comprît pas ce qu'il disait, elle tint le bras avec force, se rappelant brusquement un détail important qu'elle avait oublié au cours de la cérémonie du shaman : la remise en place de l'os.

Opérant une pression régulière, Homme-Qui-Tue tira.

Shuganan poussa un cri et pendant un moment ouvrit les yeux. Homme-Qui-Tue ne relâcha pas son étreinte et fit signe à Chagak d'envelopper le bras.

Elle enroula rapidement les bandes de cuir autour du bras et de la canne.

Quand elle eut terminé, Homme-Qui-Tue souleva Shuganan comme s'il n'avait été qu'un enfant et le porta dans l'ulaq.

20

Chagak resta pendant deux jours dans l'ulaq au chevet de Shuganan. Elle ne sortait que le matin de bonne heure pour vider les ordures de la nuit et pour remplir une outre d'eau à la source près de la falaise.

Le deuxième jour Shuganan ouvrit les yeux plus souvent, sans parler. Il commençait à boire du bouillon à petites gorgées et il paraissait mieux respirer.

Habituellement ils étaient seuls dans l'ulaq au cours de la journée, Homme-Qui-Tue se tenait dehors. Trop heureuse de son absence, Chagak ne perdait pas son temps à se demander ce qu'il pouvait faire.

Le matin du troisième jour, pendant que celui-ci mangeait et que Chagak pansait les blessures de Shuganan, Homme-Qui-Tue s'adressa à elle. Il parla longtemps, faisant parfois des gestes en direction de Shuganan, parfois vers elle. Finalement il se leva pour aller chercher les deux peaux de phoque fraîches rangées devant l'ulaq.

Quand il eut fini de parler, il attendit en regardant Chagak, jusqu'à ce que, mal à l'aise, elle finisse par dire :

— Quand Shuganan ira mieux, je gratterai et nettoierai les peaux et je te ferai un vêtement de nuit.

Mais Homme-Qui-Tue lui coupa la parole et avec un geste impatient lui désigna le trou du toit.

— Veux-tu quelque chose de plus à manger? demanda-t-elle.

Mais il la saisit par le bras en lui indiquant la sortie.

Il enfila son chigadax et ramassa deux harpons. Une peur soudaine étreignit la gorge de Chagak. Où avait-il l'intention de la conduire ?

— Shuganan... commença-t-elle.

Mais il la poussa en avant en éclatant de rire et en répétant sur un ton moqueur :

— Shuganan ! Shuganan !

Chagak sentit la tension monter dans sa voix et ne répondit pas.

« J'ai donné à manger à Shuganan, j'ai pansé ses blessures », pensa-t-elle. « Il peut rester seul sans danger. Il va dormir. »

Elle fut éblouie par la clarté du jour. Le ciel était bleu. Un ciel sans nuage était rare, la plupart du temps il était voilé de brume toute la matinée. Depuis quand n'avait-elle pas vu de ciel aussi bleu ? Avant l'arrivée d'Homme-Qui-Tue, avant qu'elle n'ait trouvé Shuganan. Puis elle se souvint. Le jour où sa mère lui avait offert son cadeau avait été sans nuage et chaud. Une belle journée juste avant... le feu... le carnage...

Homme-Qui-Tue la saisit par la manche de son suk et la poussa en direction de la plage. Elle vit que son ikyak était près du ruisseau et qu'il avait attaché des sacs autour de la coque.

— Attends, lui dit-il en poussant l'ikyak dans l'eau et en sautant dedans.

Chagak fut surprise qu'il se soit exprimé dans sa langue. Mais elle attendit en remarquant pour la première fois que l'ikyak était différent, avec une plus large ouverture qui n'était plus ronde mais ovale.

— Viens, dit-il en utilisant à nouveau le dialecte de Chagak.

Elle hésita. Voulait-il la faire monter dans l'ikyak avec lui ?

— Je viens ? demanda-t-elle en désignant l'ikyak.

Il acquiesça.

Chagak vit qu'il était assis dans son ikyak comme les chasseurs de son village, les jambes étendues. Pour tenir dans l'ikyak, elle devrait s'installer entre ses jambes et elle ne voulait pas se trouver aussi près de lui.

— Non, dit-elle en reculant, je dois rester avec Shuganan.

— Il est assez fort pour rester seul. Nous ne serons pas absents longtemps.

Stupéfaite, elle le regarda sans répondre en sentant une terrible peur l'envahir. Depuis combien de temps cet homme connaissait-il sa langue ? Avait-il toujours compris ce qu'elle et Shuganan disaient ?

— Tu es surprise que je parle ta langue ? dit-il en riant. Tu penses que je ne sais rien et que tu pouvais faire des plans sans que je le sache... Je connais d'autres femmes de ta tribu. Tu crois donc qu'elles ne m'ont rien appris ? Quelquefois la meilleure façon de connaître l'ennemi est d'être ami d'abord.

Chagak se sentit envahie par une faiblesse qui assombrissait tout autour d'elle.

— Je te parle maintenant pour que tu comprennes ce que je dis. Mais une épouse doit aussi comprendre la langue de son mari.

Il eut un sourire découvrant ses larges dents blanches et fit signe à Chagak de monter dans l'embarcation. Voyant qu'elle ne bougeait pas, il lui prit le bras et le lui tordit.

— Monte, ordonna-t-il.

Chagak se glissa dans l'ikyak en se tenant aussi loin qu'elle le put. Il la saisit par la taille et l'attira brutalement plus près de lui en la serrant entre ses jambes, puis il remonta le panneau les enfermant tous les deux jusqu'à la taille.

Il poussa ensuite l'ikyak au centre du ruisseau et Chagak sentit la secousse quand le courant les entraîna vers la mer. Elle ne s'était jamais aperçue combien l'eau pouvait être près des jambes et être aussi froide.

Pendant un moment, Homme-Qui-Tue pagaya en silence, puis il se mit à parler, montrant ses armes, son ikyak, la mer, les falaises en disant tous ces mots dans la langue de Chagak puis il les répétait dans sa propre langue. Très souvent le mot était similaire mais c'était la première fois que Chagak l'entendait.

Une sorte de sourde colère monta dans la poitrine de Chagak et elle resta silencieuse, refusant de répéter les mots de ce peuple détesté. En aucune façon, elle ne voulait se rapprocher de lui. L'odeur de la sueur de cet homme se mêlant à celle du poisson de son chigadax effaçait la bonne senteur du vent et de la mer.

— Répète, cria-t-il en la frappant sur le côté de la tête, répète, femme stupide!

Chagak se raidit dans l'attente d'un nouveau coup, mais il se contenta de pagayer plus vite et dirigea l'ikyak vers le nid de varech qui s'étendait à l'est de la falaise.

La marée était basse et le varech s'étendait sur les rochers découverts; au-dessus de l'eau on le voyait flotter comme de longues cordes de babiche.

— Arrache des patelles, dit-il en lui tendant un couteau de femme qu'elle avait vu à l'intérieur de l'ulaq, un couteau qui avait peut-être appartenu à la femme de Shuganan.

Homme-Qui-Tue conduisit l'ikyak près d'un gros rocher et Chagak se pencha, en utilisant le plat de la lame pour détacher les mollusques des rochers. C'était un dur travail, mais elle y était habituée.

Homme-Qui-Tue faisait avancer l'ikyak lentement parmi les rochers, contrôlant la profondeur de l'eau avec l'extrémité de son harpon.

Quand ils étaient entrés dans le marais, les loutres avaient disparu, mais à mesure que l'ikyak avançait lentement, sans faire beaucoup de bruit, elles commencèrent à faire surface, certaines se hasardant à suivre l'ikyak en regardant Chagak travailler, d'autres nageant au milieu du varech. Chagak leur lança quelques arapèdes et d'autres vinrent les rejoindre. Certaines se roulèrent sur le dos et s'exposèrent ventre en l'air, en se laissant balancer par les vagues, les yeux fermés. Des conteurs d'histoires racontaient que les loutres avaient leur propre village sous l'eau.

Chagak essaya de les regarder sans bouger trop brusquement. Les mères loutres tenaient leurs bébés entre leurs pattes en nageant sur le dos. D'autres jouaient, leurs fines têtes sombres plongeant et réapparaissant au milieu du varech, l'une d'elles apporta des moules du fond de l'eau et posa une pierre sur son ventre pour écraser les coquilles comme le font les pêcheurs.

Chagak avait prétendu que les loutres étaient ses frères et ses sœurs lorsqu'elle avait eu ses premières règles faisant d'elle une femme.

Puis, selon la coutume de son peuple, sa mère l'avait aidée à construire un abri de bois sec, de boue et d'herbe et Chagak était restée là pendant trente jours, mangeant peu, mais utilisant ses rêves pour en tirer des idées de dessins. Les chasseurs savaient qu'une femme ayant ses premières règles possédait certains pouvoirs et tout homme qui achetait des peaux de phoque à son père avait le droit de demander à Chagak de lui faire une ceinture ou de lui donner quelque chose pour lui porter chance à la chasse.

Aussi Chagak avait-elle travaillé pendant ces trente jours, ne recevant la visite que de sa mère et sa grand-mère. Elle s'était sentie seule et effrayée par les esprits qui auraient pu être attirés par son sang.

Une fois, après une longue nuit durant laquelle elle était restée éveillée par une pluie froide qui traversait les murs de son abri, inondant son lit et sa réserve de nourriture, Chagak s'était mise à chanter pour se réconforter sous la pluie, les mots venant d'autres chansons et à mesure qu'elle chantait des images se formaient dans son esprit, un village de loutres vivant près du village de ses parents et elle commença à comprendre pourquoi son père appelait les loutres des sœurs, pourquoi il prenait tant de soin pour ne pas les tuer ou même les déranger quand il pêchait au milieu du varech.

Et alors les loutres avaient paru lui parler, lui raconter les mêmes histoires que sa grand-mère, tenant l'esprit de Chagak occupé tandis que ses doigts tissaient une ceinture d'homme.

Maintenant, lorsqu'elle travaillait dans l'ikyak d'Homme-Qui-Tue, les loutres paraissaient lui apporter du réconfort, lui parler des choses joyeuses de la vie.

Chagak fit tomber une patelle dans le sac attaché sur le côté de l'ikyak et qui était presque plein.

Elle étendit le bras pour attraper une dernière patelle sur un rocher quand Homme-Qui-Tue lui dit :

— Ne bouge pas.

Elle leva les yeux sur lui et vit qu'il avait détaché les deux harpons et avant que Chagak ait pu esquisser un geste, avant même qu'elle ait compris ce qu'il avait l'intention de faire, il lança les deux harpons l'un après l'autre.

— Non ! cria-t-elle quand le premier harpon frappa une mère loutre, tenant un bébé sur son ventre.

Le second toucha une loutre qui dormait au milieu des varechs. Mais dès que Chagak eut proféré son cri, Homme-Qui-Tue lui plaqua la main sur la bouche.

— Ne bouge pas, je vais les tuer toutes, dit-il en retirant les harpons en enroulant les cordes à l'ikyak.

Il retira sa main de la bouche de Chagak et elle le supplia :

— Je t'en prie, elles sont sacrées pour ma famille, ne les tue pas ! Ce sont mes sœurs.

Mais Homme-Qui-Tue se contenta de lancer la tête en arrière et éclata de rire. Il riait toujours en détachant la loutre morte du varech et riait encore en attrapant la mère loutre et en tordant le cou à son bébé.

Chagak crut entendre une voix tranquille, la voix de la mère loutre lui dire :

— Reste tranquille. Inutile de le combattre.

Mais la colère poussa Chagak à l'action et elle se retourna sur Homme-Qui-Tue, le couteau de femme à la main. Elle entailla l'ikyak et les cordes qui retenaient les harpons et finalement taillada les bras d'Homme-Qui-Tue.

— Tu serais morte si je n'avais pas besoin du pouvoir de ton grand-père, dit-il en la saisissant par les bras et en l'obligeant à lâcher son couteau.

Puis tenant ses deux poignets d'une seule main, il ramassa la pagaie et en frappa Chagak sur la tête.

Le bruit de la pagaie sur son crâne provoqua un écho dans sa tête où se noyèrent le rire d'Homme-Qui-Tue et les cris effrayés des loutres qui essayaient d'aider celles qui avaient été tuées par le harpon.

« Sauvez-vous, vous ne pouvez rien pour vos morts », aurait voulu crier Chagak, mais sa bouche ne parvenait pas à articuler un seul mot.

« Comme le peuple de mon village », pensa-t-elle, et la douleur dans sa tête se métamorphosa en flammes rouges qui avaient embrasé l'uladikaq de son peuple et elle continua à entendre leurs cris tandis qu'Homme-Qui-Tue saisissait loutre après loutre, jeunes et vieilles et les jetait dans l'ikyak. Il en tuait certaines avec son harpon, d'autres avec le plat de sa pagaie, il en attrapait d'autres encore dans des filets tandis qu'elles nageaient près des loutres mortes autour de l'ikyak.

Prise dans l'obscurité Chagak ne pouvait plus bouger, ne pouvait plus rien faire que regarder, écouter et pleurer, regarder, écouter et pleurer.

21

Chagak se refusait à dépouiller les loutres. Elle aurait voulu leur construire un ulaq des morts et leur donner une sépulture comme elle l'avait fait pour son peuple.

Homme-Qui-Tue ne voulait pas manger les loutres et n'attendait pas de Chagak qu'elle les préparât à cet effet.

— Viande pas bonne, dit-il laconiquement.

Et Chagak avait acquiescé, bien qu'elle n'en eût jamais mangé. Il était bien assez difficile de dépecer ces peaux d'épaisses fourrures, de les étendre et de les tanner. Du moins pouvait-elle jeter leurs corps dans la mer en espérant que les esprits des animaux les retrouveraient.

Le troisième jour après la chasse aux loutres, Shuganan ouvrit les yeux et sourit à Chagak. Elle venait de lui laver le visage et l'exhortait à boire un peu de bouillon. Il sourit en lui repoussant la main et dit : « de l'eau ».

Riant et pleurant à la fois, Chagak lui donna de l'eau. Il but à grandes goulées au point que Chagak en fut effrayée, craignant que certaines plaies dans sa bouche et sa gorge ne s'ouvrent, mais quand il eut terminé les couleurs semblaient être revenues sur ses joues et une certaine force dans son corps.

Le vieil homme regarda autour de lui et demanda :

— Est-il parti ?

— Non. Il est sur la plage, dit Chagak qui vit la lueur d'espoir disparaître des yeux de Shuganan.

— Je n'ai pas réussi à le tuer, soupira-t-il.

Lui saisissant la main il demanda :

— Es-tu devenue sa femme ?

Avant de répondre, Chagak eut un temps de réflexion : effectivement elle ne l'était pas encore. Il était étrange qu'il n'ait pas exercé ses droits maintenant qu'il avait payé sa dot.

— Bientôt. Il a attrapé les loutres et leurs peaux sont prêtes. Il a dit que je devais en faire un suk pour moi, mais je ne sais pas si je dois faire cela avant ou après être devenue sa femme.

— Il y a un couteau caché... commença Shuganan, mais Chagak entendit Homme-Qui-Tue en haut de l'ulaq et elle couvrit la bouche de Shuganan pour l'empêcher de parler.

Si Homme-Qui-Tue l'entendait, il pourrait frapper Shuganan et le vieil homme était trop faible, un seul coup pourrait le tuer.

— Tu es réveillé, constata Homme-Qui-Tue dans la langue de Chagak.

Shuganan cligna des yeux et se raidit.

— Il comprend et parle la langue de mon peuple, dit Chagak qui aurait voulu se rappeler tout ce qu'elle et Shuganan avaient pu se dire en sa présence.

— C'est quelque chose qu'un homme doit savoir, dit Shuganan en s'efforçant de se redresser et Chagak se demanda s'il voulait dire la langue ou le fait qu'Homme-Qui-Tue la parlât.

Elle s'efforça de l'obliger à s'étendre sur sa couche en disant :

— Repose-toi.

Mais Homme-Qui-Tue coupa :

— Non. Il doit rester assis et m'entendre.

Sur ces paroles, il remonta sur le toit de l'ulaq et Chagak se demanda ce qu'il allait faire et pourquoi il tenait à ce que Shuganan restât assis.

— Je vais t'aider, dit-elle en se mettant derrière lui afin qu'il puisse s'appuyer sur elle.

Sa respiration paraissait plus difficile. Il baissa les yeux sur son bras gauche comme s'il le voyait pour la première fois.

— Ne bouge pas, dit Chagak, tu as des côtes et un bras cassés.

Il s'appuya lourdement contre elle et elle le sentit se détendre, puis se raidir quand il fut secoué par une quinte de toux.

Il essaya de se contenir mais voyant que l'effort lui causait plus de peine que la toux elle-même, Chagak conseilla :

— C'est douloureux, mais mieux vaut tousser, cela t'aidera à respirer.

Il se détendit à nouveau et peu à peu la toux cessa. Il cracha et murmura :

— Tu as raison, cela me soulage.

Homme-Qui-Tue revint dans l'ulaq et, à la surprise de Chagak, apporta un paquet de peaux de loutre sur chaque épaule. Il les déposa devant Shuganan et les compta. Puis il sortit les deux peaux de phoque de la réserve, chacune remplie de viande sèche puis il dit à Shuganan :

— Voici le prix que tu as réclamé pour ta petite-fille : deux phoques, seize peaux de loutre et elle sera ma femme.

Il regarda Chagak et bien qu'elle tînt la tête de Shuganan contre elle, bien qu'elle portât son suk en peaux d'oiseaux, elle sentit la chaleur de son regard et frissonna à la pensée des mains d'Homme-Qui-Tue posées sur elle et quelle horreur ce serait d'être la femme de quelqu'un qu'elle détestait à ce point.

— Tu as payé le prix, dit Shuganan dans un murmure et Chagak le sentit trembler. Mais si elle ne veut pas être ta femme, je ne la forcerai pas.

Homme-Qui-Tue bondit en avant et posa les mains sur le torse du vieil homme. Tout en regardant Chagak, il se mit à peser sur la poitrine blessée. Shuganan ne cria pas, mais Chagak sentit la soudaine difficulté de respiration.

— Je serai ta femme, dit-elle en regardant Homme-Qui-Tue avec toute la haine qu'elle ressentait.

— Non ! s'écria Shuganan.

— Je dois être sa femme, dit Chagak, autrement il pourrait te tuer et alors qui l'arrêtera ? Je n'ai même pas un couteau.

Homme-Qui-Tue se mit à rire.

— Tu as peut-être besoin d'un couteau, vieil homme, dit-il, ainsi tu pourras me tuer !

Il sortit son long couteau de chasse de son fourreau fixé à sa taille et il le planta dans le sol.

— Il est à toi pour la nuit. Tue-moi !

Et saisissant Chagak par le bras, il la sépara de Shuganan avec brutalité et la poussa vers sa couche.

Terrorisée, Chagak avait le souffle coupé et le cœur battant comme des vagues sur les rochers. Mais soudain elle crut entendre la voix de sa mère et se souvint de mots qu'elle avait entendus un jour :

— Ce n'est pas une chose terrible de devenir une épouse. Il y a une douleur la première fois et on saigne un peu, très peu, pas de quoi verser des larmes.

Puis Chagak entendit le murmure de quelque esprit, peut-être celui d'une des loutres qu'Homme-Qui-Tue avait massacrées :

« Ne lui laisse pas voir que tu as peur. Il ne faut pas qu'il le sache. »

Aussi quand Homme-Qui-Tue la suivit, Chagak resta debout et raidit les muscles de ses cuisses pour les empêcher de trembler.

— Assieds-toi, lui dit-il.

Se tenant aussi près que possible du rideau masquant la porte, Chagak s'assit en tailleur.

— Enlève ton suk.

Sauf le jour où elle l'avait réparé, Chagak n'avait pas retiré son suk en présence d'Homme-Qui-Tue. Mais maintenant, en tant qu'épouse, elle obéit aux instructions de son mari et retira son suk, s'efforçant de s'en entourer tandis qu'Homme-Qui-Tue s'approchait et commençait à faire courir ses mains sur ses bras.

Il rejeta son suk et le lança sur le sol, mais il était à portée de la couche et Chagak sentit un espoir naître en elle. Si elle pouvait atteindre son suk, elle pourrait récupérer le couteau qui était caché dans la doublure, mais alors, comme si Homme-Qui-Tue pouvait lire ses pensées, il ramassa le vêtement et le fit passer d'une main à l'autre.

— Il est bien lourd, dit-il en l'étendant par terre.

Il fit courir sa main, toucha le paquet que Chagak avait cousu dans l'ourlet et en sortit le couteau qu'il tint au-dessus du visage de la jeune femme.

— Tu as cousu un couteau dans ton suk, dit-il.

— C'est la coutume de mon peuple, répliqua Chagak d'une toute petite voix.

— Qu'y a-t-il d'autre là-dedans? demanda-t-il en continuant à examiner le paquet.

— Des aiguilles, un poinçon, du fil, des choses qui servent aux femmes.

— Et un couteau?

— C'est un couteau de femme.

Homme-Qui-Tue se mit à rire :

— Seulement un couteau de femme, il ne peut faire de mal à personne.

Il prit un de ses seins dans sa main et pressa la lame contre la peau délicate, traçant une ligne rose qui se mit à saigner.

— Certains hommes marquent leurs femmes, dit-il en dessinant une seconde ligne sanglante sur l'autre sein, avant de porter le couteau à la gorge de Chagak.

Il sourit.

— Mais pas mon peuple, conclut-il en jetant le couteau au fond de la pièce. Lève-toi.

Elle obéit. Homme-Qui-Tue retira son parka, sortit un couteau de l'étui fixé à son poignet et coupa le lien qui retenait le tablier de Chagak. Il eut un rire de gorge en tendant la main pour la passer entre ses jambes en insistant avec ses doigts durs, puis il porta les doigts à son nez.

— Tu es salée, dit-il, comme la mer.

Il la renversa alors sur la couche et lui écarta brutalement les jambes en continuant à la tâter et à la renifler et Chagak sentit la haine grandir en elle. Elle n'avait pas l'impression d'être une épouse mais une esclave.

Des larmes lui montèrent aux yeux, puis une voix parut murmurer :

— Viens avec moi, viens avec moi.

Et soudain Chagak fut loin d'Homme-Qui-Tue, elle marchait en haut d'une falaise, dans la joie d'un nouvel été, l'air chaud qui soufflait de la mer et, à sa surprise, Traqueur de Phoques était à côté d'elle, tenant sa main. Ils n'avaient plus de tabou, plus de raison d'attendre, il avait payé le prix pour l'avoir vierge.

Chagak sentit ses mains sur elle et elle se laissa aller sur l'herbe près de lui et retira son suk pendant qu'il enlevait son parka et lui retirait son tablier qu'il lançait sur le côté.

Mais brusquement le poids d'un corps s'abattit sur elle, chassant l'air de ses poumons et elle n'était plus avec Traqueur de Phoques, mais avec Homme-Qui-Tue.

Il lui écarta les jambes et s'efforça de la pénétrer avec de brusques secousses jusqu'à ce que Chagak se mordît les lèvres de douleur.

— Tu n'as jamais connu un homme ? dit-il et elle détesta son rire.

Il fit une autre tentative et elle eut l'impression que quelque chose en elle se brisait.

— Tu ne me veux pas, constata Homme-Qui-Tue et aussi soudainement qu'il l'avait pénétrée, il se retira, permettant ainsi à Chagak de reprendre sa respiration.

— Tu ne me veux pas, répéta-t-il en la frappant.

Le coup prit Chagak par surprise et elle sursauta. Il la frappa encore avec méthode et violence, sur le visage, les jambes, les bras, la poitrine, continuant à frapper jusqu'à ce que Chagak se roulât en boule, relevant les genoux pour se protéger le ventre et croisant ses bras au-dessus de sa tête.

— Tu apprendras à être une bonne épouse, dit-il. Je vais te dresser.

Allongé sur son matelas, Shuganan aurait souhaité ne pas entendre. Il avait été assez pénible d'écouter le rire d'Homme-Qui-Tue, mais maintenant il battait Chagak.

« Il m'a laissé avec un couteau », pensa Shuganan en essayant de rouler sur son matelas. Le poids de son corps parut chasser l'air de ses poumons et il ne put respirer, mais il s'approcha plus près du couteau en utilisant les doigts de sa main droite et ses genoux.

Chagak cria trois fois avant que Shuganan atteignît le couteau et pendant qu'il essayait d'enrouler sa main sur le manche les cris se transformèrent en sanglots, mais en entendant ces gémissements Shuganan sentit ses forces revenir.

Il resta immobile un moment puis il roula sur son dos en prenant de profondes aspirations. Ses côtes étaient si douloureuses qu'il aurait souhaité ne plus bouger pour éviter toute souffrance supplémentaire. Son esprit parut s'embuer, écartant toute pensée, pour sombrer dans un sommeil bienfaisant, mais il entendit à nouveau les cris de Chagak et il roula sur son ventre, s'arrêtant quand une gorgée de sang s'étrangla dans sa bouche. Il saisit le couteau et le tira. Mais Homme-Qui-Tue l'avait enfoncé si profondément dans le sol que Shuganan ne put le bouger.

Il essaya d'introduire son pouce contre le côté de la lame et finalement le couteau remua. Il agita le manche d'avant en arrière et pressa de nouveau son pouce contre la lame. A chaque poussée le couteau bougeait davantage et soudain, Shuganan sentit la lame glisser comme si la terre l'avait relâchée.

Il se rapprocha, alors, du rideau derrière lequel se tenait le couple. Il entendit du bruit, le rythme d'un homme sur une femme et les gémissements de Chagak. Shuganan roula encore sur son dos et attendit. Il n'était pas assez fort pour oser quoi que ce soit avant que l'homme ne fût endormi.

Homme-Qui-Tue avait battu Chagak jusqu'à ce que le sang sorte de son nez, puis il avait utilisé son couteau pour libérer la membrane qui couvrait sa virginité afin de s'ouvrir un passage pour la pénétrer. L'incision avait été légère, mais son sexe puissant à l'intérieur et sa façon de s'agiter contre la blessure provoquèrent une douleur telle qu'elle arracha des cris à Chagak à chaque mouvement.

Il lui fallut toute sa concentration pour se dominer et elle perdit le lien avec son peuple ainsi que la voix de sa mère.

Il lui sembla que la douleur durait depuis toujours, que c'était quelque chose qu'elle avait toujours connu, comme le rythme de la mer, le bruissement de l'océan. Ses cris devinrent ceux des mouettes, planant au-dessus d'elle. Aussi quand Homme-Qui-Tue s'arrêta enfin de bouger, la paix la saisit à la gorge. La fin de cette douleur ressemblait à la fin d'une tempête, la prenant par surprise et lui apportant une nouvelle frayeur. Il ne bougea pas mais parut peser plus lourdement encore ; elle sentit son sexe devenir progressivement plus petit et sortir d'elle avant de se reposer contre sa cuisse.

Il murmura quelque chose, puis Chagak l'entendit ronfler et en fut surprise. Comment pouvait-il dormir ? Mais son sommeil était un soulagement car, à part son poids, elle se retrouvait enfin seule.

Son nez saignait encore et elle chercha son tablier pour essuyer le sang qui commençait à former une croûte sur son visage. Elle bougea les mains et ne trouva rien. Finalement elle saisit le bord de la couverture d'herbe et l'attira vers elle. En même temps, elle sentit quelque chose émerger du sol, tâtonna et sentit une épaisseur de la longueur d'une main. Il y avait quelque chose en dessous. Puis vint un chuchotement, peut-être la voix de sa mère ou de sa grand-mère qui soufflait : « Shuganan a caché un couteau. »

Chagak fouilla la terre du bout des doigts. Elle devait étirer son bras et sa main se fatigua rapidement. Elle essaya de s'approcher plus près, mais Homme-Qui-Tue grogna et la retint plus étroitement contre lui et Chagak dut creuser avec le bout de ses ongles, mais elle le fit assez profondément pour saisir le manche d'un couteau qu'elle tira vers elle. Il n'était pas grand, mais c'était un couteau de chasse à lame bien affûtée. Tout d'abord il lui parut étrange dans sa main. C'était une arme d'homme qu'elle n'aurait pas dû avoir, mais elle se rappela la nuit où son village avait brûlé, elle se souvint de sa mère et de sa sœur périssant dans les flammes, elle revit le corps de Traqueur de Phoques, la plaie béante de son ventre et à ces souvenirs le couteau devint peu à peu une partie d'elle-même.

Elle voulait le tenir d'une main ferme mais elle savait qu'elle devait d'abord calculer l'endroit où elle devait frapper.

Elle leva sa main gauche et effleura son cou, laissa sa main reposer et retint sa respiration, sans bouger, jusqu'à ce qu'elle sente enfin la lente pulsation de la veine jugulaire. Elle se mit à trembler comme si tout son esprit s'était rassemblé au bout de ses doigts.

Elle porta, alors, sa main à son amulette et son esprit s'adressa à Aka, aux loutres de mer et aux esprits de son peuple :

— Ne me laissez pas échouer. Il tuera encore si je ne le tue pas. Guidez ma main. Laissez-moi le tuer !

Elle baissa la main et saisit le couteau comme si l'esprit du couteau se tendait vers son propre esprit et elle utilisa son petit doigt pour sentir la pulsation; alors, serrant les dents, elle leva son couteau et frappa Homme-Qui-Tue à la gorge.

Pendant un moment il ne se passa rien. Il n'y eut pas de sang, pas de mouvement et un esprit chuchota :

— Tu n'as pas frappé assez fort.

Mais tout à coup les mains d'Homme-Qui-Tue se nouèrent autour du cou de Chagak jusqu'à ce qu'elle ait l'impression d'étouffer.

Elle le frappa encore avec son couteau, le blessant aux bras et aux épaules et puis brusquement il y eut quelqu'un d'autre dans la pièce. D'abord Chagak pensa que c'était un esprit, celui de son père ou peut-être celui de Traqueur de Phoques venu pour l'aider, pour l'emmener dans le monde des esprits, puis elle reconnut Shuganan.

Il tenait un couteau. Chagak vit le vieil homme se redresser sur les genoux et le vit planter son couteau au milieu du dos d'Homme-Qui-Tue. Elle sentit la force de l'arme que Shuganan enfonçait dans les côtes de l'homme tandis qu'il s'appuyait sur lui pour la faire pénétrer plus profondément. Et soudain les mains qui enserraient le cou de Chagak se relâchèrent pour entourer la taille de Shuganan, le soulever et le jeter par terre avec force.

Le vieillard resta immobile et Homme-Qui-Tue se redressa sur ses genoux vomissant du sang en se tenant la gorge à deux mains.

Shuganan ne pouvait pas bouger. La douleur à son côté était si intense qu'il n'avait pas la force de serrer les dents pour les empêcher de claquer, mais ce n'était pas la douleur qui remplissait son esprit.

Homme-Qui-Tue était à genoux, un couteau dans le dos, le sang coulant de la blessure à sa gorge. Shuganan regarda jusqu'à ce que le sang cessât de couler, jusqu'à ce que l'homme restât immobile, son visage pressé contre le sol. Alors, Shuganan ferma les yeux. L'obscurité le séparait de ce mort et il ne ressentait plus rien, n'entendait plus rien, jusqu'à ce que la longue plainte de Chagak l'oblige à ouvrir les yeux.

La jeune fille était pelotonnée sur le sol à côté de lui, ses longs cheveux noirs tombant sur sa poitrine comme un rideau sombre. Même dans la faible lumière de l'ulaq, Shuganan distinguait les marques de coups rougissant ses bras et ses jambes. Mais il n'avait pas la force de la soutenir, de la réconforter.

22

Chagak agrippa l'amulette du shaman à deux mains et regarda Shuganan descendre dans l'ulaq. Il avait insisté pour sortir seul mais elle s'inquiétait et craignait qu'il fût trop faible pour redescendre. Elle ferma les yeux de soulagement quand le vieil homme revint sans encombre.

Il lui faudrait longtemps, avait-il dit. Elle devrait attendre et prier. Et malgré le handicap de ses blessures, il semblait qu'une partie de la force d'Homme-Qui-Tue fût maintenant passée chez le vieil homme.

« Pourquoi en serais-je surprise ? » se demanda-t-elle. Le chasseur gagnait toujours une partie de la force de l'animal qu'il tuait. Pour quelle autre raison un jeune homme après avoir tué son premier phoque devenait-il si hardi et sûr de son succès ? Pourquoi devenait-il soudain beaucoup plus habile avec son ikyak ?

Chagak n'avait pas dormi la nuit précédente. Ignorant la douleur de ses blessures, elle avait recouvert le corps d'Homme-Qui-Tue avec de vieilles peaux rangées dans l'ulaq. Elle avait recouvert les sculptures de Shuganan dans des peaux souples et les avait placées dans des estomacs de phoque et des paniers. Enfin elle avait rassemblé toutes les provisions, les armes au centre de l'ulaq avant de les transporter dehors.

Elle avait eu la tentation de laisser les peaux de loutre

qui avaient représenté sa dot, mais elle avait entendu la voix de sa mère murmurer :

— Ne laisse pas ces peaux avec lui. Il vaut mieux que tu les jettes à la mer. Peut-être que les esprits des loutres viendront les réclamer et les ramèneront chez elles près du rivage.

Aussi quand tout avait été enlevé à l'exception du corps d'Homme-Qui-Tue et d'une lampe, Chagak avait emporté les peaux de loutre en haut de la falaise et les avait jetées dans la mer une par une, puis elle avait demandé aux esprits des loutres de les réclamer et de revenir vivre sur la plage de Shuganan.

Pendant qu'elle travaillait, Shuganan s'était étendu près du feu qu'il avait allumé avec des bruyères sèches. Elle l'avait entendu psalmodier avec des mots qu'elle ne comprenait pas.

Maintenant elle l'attendait. Il est assez fort, se disait-elle, malgré l'inquiétude qui l'assaillait. Et si Shuganan ne parvenait pas à chasser l'esprit d'Homme-Qui-Tue de la plage? C'était une chose de construire un autre ulaq, difficile, mais possible, mais trouver une autre plage, commode d'accès, bien protégée par les falaises, abritée des courants, avec des rochers couverts de mollusques, du varech et des loutres vivant à proximité, poserait beaucoup plus de problèmes.

Chagak frissonna et rentra ses mains à l'intérieur de son suk. Son travail la nuit dernière avait chassé ses pensées inopportunes, maintenant les affreux souvenirs d'Homme-Qui-Tue lui revenaient.

Elle aurait souhaité avoir désobéi à son père et s'être donnée à Traqueur de Phoques. Au moins elle aurait pu espérer que si un bébé arrivait, il serait le fils de Traqueur de Phoques et non celui d'Homme-Qui-Tue.

Puis ses pensées se tournèrent vers Shuganan et les prières qu'elle devrait réciter. Elle commença un chant et quand ses inquiétudes sur la venue d'un bébé et sur ce qui s'était passé la nuit précédente interrompirent ses prières, Chagak murmura : « J'ai supporté de plus grands chagrins. Cela ne me tuera pas. » Et elle se remit à prier.

« Cela doit être fait », se dit Shuganan en descendant à l'intérieur de l'ulaq vide. Il avait passé la nuit à s'entretenir avec les esprits, en tenant son amulette à la main et en entretenant des feux de bruyère. Il aurait souhaité n'être pas seul avec Chagak dans cette entreprise et mieux connaître l'art du shaman. Mais il n'y avait pas de shaman et Shuganan se demandait s'il avait choisi la meilleure voie, si ses actions seraient plus fortes que l'esprit d'Homme-Qui-Tue.

Chagak s'était chargée de la plus grande partie du travail. Lui-même avait été trop faible pour l'aider. Elle avait sorti toutes les réserves et les provisions de l'ulaq pendant qu'il attendait enroulé dans les fourrures, couché sur le côté de l'ulaq.

Maintenant l'ulaq paraissait plus grand et nu. Un endroit étrange qui n'était plus sa maison.

Homme-Qui-Tue était allongé, face contre terre au centre de l'ulaq. Le sang avait cessé de couler et Shuganan voyait que son estomac et sa poitrine commençaient à prendre une coloration plus foncée.

Il saisit son couteau. Il n'était pas assez fort pour terminer rapidement cette besogne macabre mais il avait dit à Chagak de ne pas s'inquiéter s'il ne terminait pas avant la nuit.

Elle lui avait demandé si elle pouvait l'aider et il y avait une sorte de défi dans son regard. Mais Shuganan ne connaissait pas de femmes qui ait jamais participé à cette cérémonie. C'était bien assez que lui, qui n'était pas un shaman, fût obligé de le faire. Quelle malédiction une femme ne risquait-elle pas d'apporter en y participant ? Il vaudrait encore mieux ne rien faire du tout.

Shuganan plongea son couteau dans le corps d'Homme-Qui-Tue entre l'épaule et le bras. Il voulait suivre la tradition du peuple de sa femme en coupant le corps à chaque jointure, épaule, poignet, hanche, cheville. Et enfin la tête.

Alors l'esprit d'Homme-Qui-Tue n'aurait plus aucun pouvoir. Alors, Chagak et Shuganan seraient en sécurité.

Deuxième partie

PRINTEMPS 7055 AVANT J.-C.

23

Kayugh tourna l'aiguille en os dans sa main. Il travaillait depuis longtemps. Il avait taillé une longue esquille dans un os de cormoran, en avait aiguisé la pointe, puis il avait lissé la surface avec une pierre ponce afin de la rendre facile à utiliser. Une petite saillie à une extrémité permettrait à sa femme, Blanche Rivière, de nouer un fil autour de l'aiguille sans qu'il s'échappe.

Quand il eut terminé, il resta un moment assis, dans l'attente de Nez Crochu qui devait venir le prévenir dès que l'enfant serait né. Du reste, il devrait déjà l'être. Mais peut-être était-ce une fille et elle craignait de le lui annoncer.

Oui, il serait bon d'avoir un fils, pensa-t-il. Quel homme ne désirait pas un fils ? Mais il avait vu sa propre mère mourir en couches et depuis toutes les délivrances heureuses avaient été un soulagement pour lui.

Kayugh avait bien accueilli la naissance de sa fille, Baie Rouge, trois étés plus tôt. La plupart des hommes auraient demandé à leur femme de tuer l'enfant, Kayugh avait préféré garder sa fille.

Il ramassa l'os et découpa une nouvelle esquille pour faire une autre aiguille en discutant avec l'esprit de Blanche Rivière. Certainement son esprit ne lui permettrait pas de quitter la terre, sachant que des cadeaux l'attendaient, mais le ciel gris, la lourdeur de l'air chargé de pluie semblaient refléter le sombre pressentiment qui l'assaillait. Ce n'était pas un bon mois. Il aurait mieux valu que le travail de Blanche Rivière n'ait pas commencé avant la pleine lune, avant qu'un mois ne se fût écoulé depuis la mort de Jambe Rouge.

Jambe Rouge avait été la première femme de Kayugh. C'était une bonne épouse, plus très jeune. Elle était veuve et sans enfant, personne ne la désirait et elle était sur le point de se rendre dans la montagne, pour s'offrir aux esprits de l'hiver. Pourquoi aurait-elle eu droit à une partie de la nourriture quand elle n'avait pas de mari pour y pourvoir, pas d'enfant à élever? D'autres au village méritaient davantage d'être secourus.

Mais Kayugh avait vu en Jambe Rouge une femme forte qui connaissait les plantes pour guérir, habile à coudre. Qui pouvait nier que c'était le chigadax de Jambe Rouge qui avait sauvé la vie de son frère quand son ikyak avait chaviré et qu'il n'arrivait pas à le redresser? Quel autre chigadax aurait pu résister aussi longtemps dans l'eau, les coutures si serrées que l'eau n'avait pu y pénétrer et avait ainsi gardé le parka au sec de sorte que lorsque l'ikyak avait été retourné l'homme n'était ni gelé, ni mouillé?

En constatant les qualités de cette femme, Kayugh lui avait demandé d'être son épouse et avait quitté ses parents alors qu'il était encore bien jeune pour construire son propre ulaq.

Jambe Rouge avait été une bonne épouse. Elle venait dans son lit chaque fois qu'il le désirait, sa réserve était toujours remplie de poisson séché et de racine, le parka et les bottes de son mari étaient toujours tenus en bon état. Mais quand au bout de deux ans, elle ne lui avait donné aucun enfant, Jambe Rouge était venue le trouver et lui avait demandé de prendre une seconde épouse. Elle avait besoin d'aide pour tenir l'ulaq, prétendit-elle. Alors Kayugh avait trouvé Blanche Rivière.

Celle-ci appartenait à une famille d'un autre village. C'était une jolie personne et à la différence de la plupart des femmes, elle était grande. Sa peau était claire et ses yeux plus ronds que ceux des femmes du village de Kayugh.

Il l'avait rencontrée au cours d'un voyage de troc et il avait donné un paquet de fourrures et son bel ikyak pour l'obtenir. Kayugh la désirait vraiment et il avait supporté les quolibets des autres hommes quand, ayant perdu son ikyak, il avait ramené sa nouvelle épouse dans un ik de femme.

Et elle aussi avait été une bonne épouse, bien qu'elle fût moins douée que Jambe Rouge pour la couture et la cuisine.

Mais Jambe Rouge était maintenant morte depuis dix jours. Elle était tombée de son ik en ramassant des patelles sur les rochers et bien que Kayugh se soit jeté à l'eau et l'ait ramenée sur la plage, les esprits de l'eau lui avaient retiré son souffle avant qu'elle ait pu gagner le rivage.

Il n'existait pas d'ulaq des morts, aussi l'avait-on laissée à l'extrémité de la plage, en déposant des pierres sur son corps. Mais souvent au cours des jours suivants Kayugh avait senti son esprit près du sien et tout en sachant que l'esprit de Jambe Rouge ne lui ferait jamais de mal, il se demandait si elle ne chercherait pas un compagnon, ou si elle savait que la mort viendrait bientôt prendre l'un d'eux et qu'elle attendait afin de ne pas faire seule le voyage jusqu'aux Lumières Dansantes.

Mais ce n'était peut-être pas Blanche Rivière qui allait mourir, mais l'une des autres femmes. Kayugh réfléchit au petit groupe qui constituait son peuple. Sans en avoir le titre, mais en raison de ses qualités, il était considéré comme le chef. Les autres attendaient ses décisions. Il y avait huit adultes, trois hommes, cinq femmes et deux enfants. Non, pensa Kayugh, il ne restait que quatre femmes maintenant que Jambe Rouge était morte et parmi les quatre restantes, il n'y en avait pas une qu'il n'aurait pas regrettée.

Kayugh posa ses bras autour de ses genoux redressés et regarda la mer. On était au début de l'été. Ils devaient attraper des phoques afin de mettre des provisions de côté pour l'hiver. Autrement comment survivraient-ils ?

Soudain lui vint une pensée inattendue. Pourquoi vivrions-nous ? Il se frotta les yeux. Il était fatigué, inquiet. Sa première femme était morte et il craignait de perdre la seconde. Voilà tout. Il n'y avait aucun esprit l'incitant à rejoindre les hommes et les femmes de sa tribu qui avaient gravi la montagne, refusant de manger et attendant la mort quand leur village avait été anéanti par une vague gigantesque.

Cette vague avait enlevé le père de Kayugh, ses trois frères et sa sœur. Personne n'avait perdu davantage d'êtres chers que lui. Mais quand un chasseur décidait-il qu'il était temps de mourir alors qu'il était encore jeune? D'autres avaient besoin de son habileté à la chasse et à trouver une autre plage.

Aussi avait-il conduit son peuple vers l'ouest mais il avait vogué vers les îles du nord plutôt que celles du sud. Les hivers étaient plus rudes, mais les chasseurs qui se trouvaient là disaient qu'il y avait moins de raz de marée, arrivant la nuit, détruisant les villages et tuant les gens.

Il y avait moins de coquillages à ramasser pour les femmes, moins d'œufs, moins de racines, avait dit Oiseau Gris, mais Kayugh écoutait rarement Oiseau Gris. C'était un petit homme, sans grande force physique et à l'esprit mesquin et faible.

Mais si Oiseau Gris avait discuté les décisions de Kayugh, en revanche, Longues Dents les avait approuvées. Longues Dents était un brave homme, toujours prêt à rire et à plaisanter, laissant les autres parler de leurs succès à la chasse. Kayugh appréciait son jugement.

De l'endroit où il était assis, Kayugh voyait Longues Dents occupé à réparer son ikyak. La coque était retournée et Longues Dents passait de la graisse sur les coutures.

Longues Dents était un homme aux épaules étroites et aux hanches larges. Ses bras étaient longs et de tout le village c'était lui qui était capable de lancer son harpon le plus loin.

Premier Flocon, le fils de Longues Dents, travaillait à côté de lui. Le petit garçon avait déjà presque huit hivers. Bientôt il deviendrait un chasseur. Longues Dents n'était pas le père de Premier Flocon par le sang, il l'avait adopté quand, des années plus tôt, un raz de marée avait déjà anéanti leur premier village. La grande vague avait enlevé le propre fils de Longues Dents et noyé les parents de Premier Flocon. A l'encontre de Longues Dents, Premier Flocon était petit et trapu, puissant, même pour un petit garçon. Malgré leur différence de stature, Premier Flocon imitait la démarche dansante de Longues Dents, sa voix et la façon dont il regardait les gens, les yeux mi-clos.

En les voyant ensemble, Kayugh espéra avoir un fils plus fort, mais au même moment sa petite fille vint au bord de l'eau. Kayugh se leva et l'appela et quand elle s'approcha, il s'assit les jambes croisées et l'installa sur ses genoux.

Elle s'appuya contre lui et ses cheveux ébouriffés avaient une senteur de vent. Ce ne serait pas si terrible d'avoir une autre fille, pensa Kayugh. Puis il vit Nez Crochu sortir de l'endroit abrité que les femmes avaient trouvé entre deux collines et en voyant son sourire, l'espoir lui revint d'avoir un fils.

Mais quand Nez Crochu fut près de lui, sa première pensée fut pour Blanche Rivière.

— Ma femme... ? demanda-t-il sans terminer sa phrase.

— Elle va bien, dit Nez Crochu en s'asseyant à côté de lui.

Nez Crochu, une des épouses de Longues Dents, n'était pas une jolie femme. Elle devait son nom à son nez, épais et crochu comme un bec de macareux. Ses petits yeux noirs étaient très rapprochés et ses lèvres minces. Mais ses mains longues et fortes étaient belles, habiles aussi bien pour tanner des peaux que pour manier des aiguilles. Ces mains avaient peut-être un attrait particulier pour attirer les hommes car quand elle tissait ou brodait ceux-ci se réunissaient autour d'elle et lui parlaient comme à un autre homme, doté de la sagesse d'un homme.

Nez Crochu prit Baie Rouge par le menton.

— Nous avons eu quelques ennuis, dit-elle. Blanche Rivière a eu une hémorragie.

— Est-ce arrêté ?

— Oui.

— L'enfant ?

— Un fils, dit Nez Crochu avec un grand sourire.

— Un fils, répéta Kayugh et pendant un moment, il ne bougea pas.

Nez Crochu sourit, puis elle regarda ses mains.

— Elle lui a donné un nom.

Kayugh n'en fut pas surpris. C'était la coutume dans la famille de Blanche Rivière ; une coutume qui devait donner à l'enfant de la force pour chasser.

— Comment l'a-t-elle appelé ? demanda-t-il.

— Elle a murmuré le nom à l'oreille du bébé, mais elle n'a pas voulu nous l'apprendre avant de te le dire.

— Un fils, répéta Kayugh avec un rire qui paraissait naître au fond de son esprit. Il se leva, hissa Baie Rouge sur ses épaules et après avoir serré Nez Crochu dans ses bras, il appela Longues Dents :

— J'ai un fils ! lui dit-il.

24

La douleur de son dos réveilla Chagak. Au cours des trois derniers jours elle s'était aggravée et ce matin elle était si intense que même ses dents et sa mâchoire lui faisaient mal.

Elle se mit à quatre pattes avant de s'asseoir sur ses hanches, une main sous le ventre.

Elle rampa pour sortir de l'ulaq et alluma les lampes à huile en utilisant celle qui avait brûlé toute la nuit. Elle ramassa le seau en bois doublé d'argile contenant les déjections de la nuit et monta sur le toit de l'ulaq pour aller le vider dehors.

Le vent soufflait froid et vif sur la plage et les nuages étaient si épais que l'on voyait à peine poindre le jour.

— Il pleuvra ce soir, murmura un esprit et Chagak pensa que c'était la voix de l'esprit d'une loutre, une voix qu'elle entendait souvent depuis la mort d'Homme-Qui-Tue.

Mais elle ne répondit pas tandis qu'elle vidait le seau à quelque distance de l'ulaq et revenait le rincer dans une des flaques laissées par la marée.

— Il va pleuvoir ce soir, très fort, répéta la loutre.

— Oui, dit Chagak en s'asseyant près de la mare.

Elle resta un moment immobile, les bras sur ses genoux redressés avant de rincer le seau.

— Tu vas avoir ton bébé aujourd'hui, annonça la loutre

et la voix était aussi calme que si elle avait continué à parler de la pluie et du beau temps.

Chagak ferma les yeux.

— Pas aujourd'hui, dit-elle à haute voix.

— Crois-tu donc pouvoir rester éternellement enceinte ?

— C'est mieux que de mourir.

— Tu n'as jamais craint la mort.

— Qui s'occuperait de Shuganan si je mourais ?

— Tu ne vas pas mourir.

— Beaucoup de femmes meurent en couches.

— Pas toi.

— Et le bébé ? Va-t-il mourir ?

— Comment le saurais-je ? répondit la loutre. C'est à toi de choisir.

— Est-ce un garçon ou une fille ? demanda Chagak comme elle l'avait fait bien souvent sans jamais obtenir de réponse.

— C'est un garçon, dit la loutre, et la soudaineté de la réponse parut augmenter la douleur qui torturait Chagak.

Lorsqu'elle se fut calmée, elle répéta :

— Un garçon.

— Tu voulais une fille.

— Oui, dit Chagak.

Que lui avait dit sa mère ? Une fille porte l'esprit de sa mère, un garçon celui de son père. Chagak n'avait pas de mari pour l'obliger à tuer une petite fille s'il le voulait, mais si elle avait un garçon, comment pourrait-elle le garder ? Comment garder un enfant qui grandirait en apprenant à haïr et à tuer comme son père ? Et cependant elle redoutait la pensée de tuer le bébé.

— Shuganan s'en chargera pour toi, dit la loutre.

— Tu te trompes peut-être. Il est possible que je porte une fille, dit Chagak avec une soudaine colère contre la loutre comme si c'était elle qui avait choisi si ce serait un garçon ou une fille.

Une autre douleur l'obligea à baisser la tête entre ses bras.

— Marche, dit la loutre. Il faut marcher. L'enfant viendra plus facilement ensuite.

— Il faut d'abord que j'avertisse Shuganan et que je prépare de quoi manger, dit Chagak.

Elle retourna à l'ulaq et descendit lentement à l'intérieur. Elle aurait souhaité se rappeler davantage le processus de l'enfantement. Elle venait d'être formée à la naissance de Pup et elle n'avait pas eu la permission d'aider sa mère pour l'accouchement. Elle était restée en haut de l'ulaq et avait posé toutes sortes de questions aux femmes qui entraient et sortaient. Sa mère était une femme forte et à la fin du travail, elle n'avait pas crié, mais Chagak avait entendu d'autres femmes en couches gémir et parfois hurler de douleur. Ce souvenir la faisait frissonner et elle essaya de penser à autre chose et de se concentrer sur la préparation du déjeuner de poisson et de viande sèche. Elle essaya même d'entretenir une autre conversation avec l'esprit de la loutre, mais cette fois elle n'obtint pas de réponse. Tout en poursuivant ses tâches ménagères, elle eut soudain conscience que ses mains tremblaient et l'absence de sa mère pesa brusquement sur elle et, comme une enfant, elle se mit à pleurer à gros sanglots qu'elle ne pouvait contenir.

— Chagak? dit Shuganan en se levant de sa couche. Que se passe-t-il?

Avec un grand effort, elle retint ses larmes et essaya de sourire, mais un esprit semblait faire grimacer son visage.

— Je vais bien, dit-elle d'une toute petite voix. Puis elle ajouta avec plus de force : Je vais bien. Le travail a commencé.

— Parfait, dit-il, mais elle vit l'inquiétude de ses yeux. J'espère que tu auras un garçon, je lui apprendrai à chasser.

Chagak essaya encore de sourire, mais l'idée d'avoir un fils ne lui apportait aucune joie. Elle étendit un tapis et y posa de la viande et du poisson.

Shuganan mangea en n'utilisant que sa main droite. Son bras gauche était encore faible. Il avait paru bien se cicatriser mais l'os cassé avait attiré l'esprit qui raidit les jointures et à la fois le coude et l'épaule restaient si enflés qu'il pouvait difficilement bouger le bras.

Quand il eut fini de manger, Chagak mit de côté ce qui restait.

— Il faut manger, toi aussi, lui dit-il.

— Non, répondit-elle, je n'ai pas faim. Il vaut mieux que j'aille dehors. Il fait trop chaud et trop obscur ici.

Shuganan surveilla Chagak durant cette longue journée. Elle arpenta la plage, petite silhouette sombre, les mains croisées sous son suk, supportant son gros ventre. Quand le soleil atteignit le point nord-ouest de l'horizon, les nuages devinrent plus noirs, plus lourds. Chagak marcha plus lentement et Shuganan descendit du toit de l'ulaq. Il allait la ramener maintenant. Il voyait à la raideur de ses pas que les douleurs étaient plus fréquentes.

Elle aurait besoin d'une femme pour l'aider, pensa-t-il et depuis la mort de son épouse, jamais sa sagesse ne lui avait autant manqué.

Quand il s'approcha d'elle, Shuganan vit que la jeune femme marchait les yeux fermés en respirant vite, gonflant et dégonflant ses joues comme un enfant soufflant dans une vessie de phoque.

Elle s'arrêta en prenant conscience de sa présence et s'accroupit sur les talons.

— Reviens dans l'ulaq, lui dit-il.

— Je souffre trop, répondit-elle, j'ai besoin de rester au grand air et d'être près de la mer.

Shuganan hocha la tête et s'assit près d'elle.

Ils restèrent silencieux un moment, puis Shuganan remarqua que les joues de Chagak étaient baignées de larmes.

— Pourquoi pleures-tu ? demanda-t-il, la douleur est-elle si forte ?

Elle s'essuya les yeux d'un revers de main et répondit dans un murmure :

— Non, mais j'ai peur.

Il ne répondit pas car il se sentait lui-même effrayé. Beaucoup de femmes mouraient en couches, beaucoup, beaucoup de femmes. Et s'il arrivait quelque chose à Chagak ? Que ferait-il ? Il ne pouvait plus vivre sans elle.

Soudain elle s'accrocha à son bras.

— Il se passe quelque chose, dit-elle en écarquillant les yeux.

Elle se leva et de l'eau se mit à couler entre ses jambes.

— Qu'est-ce que c'est ? Que m'arrive-t-il ? demanda-t-elle avec effroi.

Perplexe, Shuganan dut avouer :

— Je n'en sais rien.

— Peut-être n'y a-t-il pas de bébé ? suggéra-t-elle. Peut-être n'y a-t-il que de l'eau ?

Et elle se mit à rire, mais Shuganan se leva, saisi de frayeur devant ce rire qui augmentait et devenait hystérique.

— Non, non, au contraire, l'eau est un bon signe, assura-t-il en la saisissant par les épaules. Tu vois bien ce n'est que de l'eau comme l'éclaboussure du bateau d'un chasseur contre le rivage.

Il l'aida à se relever et ensemble ils revinrent près de l'ulaq, Chagak laissant une trace humide sur les rochers. Shuganan posa un bras autour de sa taille pour la soutenir. Elle s'appuya contre lui et quand ils atteignirent l'ulaq elle s'effondra à ses pieds.

Il se pencha pour l'aider, mais elle l'écarta de la main, remonta ses genoux à l'intérieur de son suk et saisit une poignée d'herbe fraîche qui poussait au pied de l'ulaq. Shuganan se tenait debout et regardait son visage distordu.

— Ha ! Ha ! Ha ! Ha ! cria-t-elle et les yeux de Shuganan se remplirent de larmes.

Il avait espéré que cet enfant serait une bénédiction, un garçon à qui il pourrait apprendre à chasser, un garçon qui ramènerait des phoques à Chagak. Mais maintenant il se demandait comment il avait jamais pu penser que cet enfant pourrait être une bénédiction. Chagak avait tant souffert. D'abord en le concevant et maintenant en le mettant au monde.

— Ha! Haa! cria encore Chagak puis elle porta les mains entre ses jambes. Shuganan vit qu'elles étaient pleines de sang.

— Va-t'en, dit-elle à Shuganan et la force de sa voix l'encouragea quelque peu. Va-t'en, ne nous maudis pas tous!

Shuganan recula, partagé entre le désir de rester, souhaitant l'aider mais sachant qu'il ne le pouvait pas. Puis il pensa à la bandoulière qui lui avait servi à porter Pup.

— Je vais chercher la bandoulière, cria-t-il en se dirigeant vers l'ulaq, mais il ne savait pas si Chagak l'avait entendu.

L'obscurité de l'ulaq surprit momentanément Shuganan et il fourragea dans un tas de fourrures que Chagak avait préparées pour le bébé. Finalement il trouva la bandoulière de Pup. Il jeta le morceau de cuir sur son bras et retourna auprès de Chagak.

Quand il la vit, il se rendit compte qu'elle n'était plus dans les douleurs. Elle tenait la tête droite et ses bras reposaient mollement sur ses genoux. Puis il vit quelque chose de rouge près d'elle, et entendit un petit cri étouffé.

Chagak ouvrit les yeux et dit d'un ton morne :

— C'est un garçon.

Shuganan se pressa à côté de Chagak. Un beau bébé tout gras reposait dans l'herbe à ses pieds. Chagak arracha quelques longs cheveux de sa tête et s'en servit pour nouer le cordon qui allait du nombril de l'enfant à quelque chose sous son suk. Puis elle se pencha et mordit le cordon pour le couper.

Mais elle laissa l'enfant étendu dans l'herbe. Il se mit à crier plus fort en agitant ses bras et ses jambes.

— Il a froid, dit Shuganan qui voulut passer la bandoulière autour de l'enfant.

— Il faut le laver d'abord, dit Chagak.

Voyant qu'elle ne bougeait pas, Shuganan demanda :

— Avec de l'eau ou avec de l'huile?

— Apporte de l'eau. Inutile de gaspiller l'huile.

Mais Shuganan apporta l'eau et l'huile, une peau tannée et plusieurs peaux souples. Il ramassa le bébé et ce contact parut calmer l'enfant. Il trempa un morceau de peau dans l'eau et le serra pour l'assouplir avant de s'en servir pour enlever le sang du corps du bébé. Il l'enduisit ensuite d'huile. L'enfant était bien formé avec de longs bras et un ventre plat.

Shuganan se débattit à nouveau avec la bandoulière et réussit finalement à passer la plus large sous les petites fesses, la bande de cuir permettait aussi de soutenir la tête de l'enfant avant d'aller s'attacher sur l'épaule de Chagak. Mais quand le bébé fut installé, il se rendit compte que Chagak devait d'abord placer la bandoulière, puis y installer le bébé.

Il le tenait avec son bras valide, tout près de son parka.

— Enfile cela, dit-il. Ton fils a froid.

— Il n'est pas mon fils, répondit-elle. Il appartient à Homme-Qui-Tue. Laisse son père s'occuper de lui.

— Chagak, tu as besoin de cet enfant. Il deviendra un chasseur. Il t'apportera de quoi manger. Si tu le laisses mourir qui s'occupera de toi quand je ne serai plus là ?

— Je chasserai et je pêcherai. Je l'ai déjà fait.

— Mais un jour tu deviendras vieille et ce sera au-dessus de tes forces.

— Alors, je n'aurais plus qu'à mourir.

— Chagak, dit Shuganan d'une voix tranquille, un fils ne porte pas toujours l'esprit de son père.

Il essaya de capter son regard, mais elle détourna les yeux.

— Ton fils sera un homme brave. Nous lui apprendrons à se soucier des gens.

A la fin, Chagak se tourna vers Shuganan :

— Est-il fort ? demanda-t-elle.

— Oui, dit Shuganan en soulevant le petit corps pour qu'elle voie ses bras, ses jambes, son petit ventre.

Mais elle se détourna encore.

— Je dois d'abord enterrer le placenta.

— Je vais le faire.

— Non, tu serais maudit. Il faut que je le fasse moi-même puisque ma mère ou ma sœur ne sont pas là pour s'en occuper.

Elle se leva avec difficulté. La pluie avait commencé à tomber en grosses gouttes froides. Le bébé se remit à pleurer.

— Porte le bébé dans l'ulaq, dit-elle, je vais revenir.

Elle regarda Shuganan envelopper l'enfant de fourrure et le porter dans l'ulaq.

Elle se dirigea alors vers l'extrémité de la plage, contre les falaises. Elle avait l'esprit vide et se refusait à penser à l'enfant. Il était suffisant que la naissance soit passée.

Elle ramassa un morceau de bois et s'en servit pour creuser un trou.

A l'intérieur de l'ulaq, Shuganan se mit à chanter une berceuse, une mélodie que sa mère lui avait chantée autrefois, mais les mots s'accrochaient dans sa gorge et la chanson qui sortait de ses lèvres était un chant de deuil.

25

Blanche Rivière appela son fils Amgigh — Sang. C'était un nom étrange pour un enfant, mais Kayugh ne fit aucune objection. Le sang était la vie. Quel esprit ne respectait pas le sang ?

Une cérémonie eut lieu sur la plage, rapide, sans festivité. On annonça le nom aux vents, au ciel et à la mer, puis on se prépara pour un autre voyage.

Kayugh remplissait son ikyak quand Petit Canard vint vers lui. Seconde épouse de Longues Dents, Petit Canard était une petite femme ronde. A l'encontre des autres femmes, qui portaient leurs cheveux défaits, tombant sur leurs épaules, ou rentrés sous leurs cols, elle nattait les siens avec des lanières en peau de phoque et les laissait pendre sur son dos en queue de cheval. Petit Canard était timide et parlait peu, mais elle avait un don pour préparer et conserver la viande. Parfois les esprits lui inspiraient aussi ce qui allait se produire au cours des jours suivants. Elle adressa quelques mots à Kayugh, mais sa voix était si basse qu'il n'en comprit pas un seul. En réprimant son irritation, il se pencha pour écouter et entendit :

— Dans trois jours nous arriverons sur une plage. Un esprit m'a dit que ce serait un endroit où il ferait bon vivre, avec des flaques d'eau laissées par la marée et un ruisseau d'eau fraîche...

Elle s'interrompit pour le regarder et détourna les yeux

comme s'il lui faisait peur et posa la main sur sa bouche en ajoutant quelque chose.

— Je ne t'entends pas, dit Kayugh, parle plus fort.

— Il y aura des falaises là-bas, dit-elle sans le regarder. Elle se retourna vers les femmes qui emballaient les provisions, mais tandis que Kayugh la regardait avec inquiétude, elle se raidit et se retourna lentement vers lui.

— Ta femme... dit Petit Canard, avant de s'éloigner sans rien ajouter.

Kayugh sentit une frayeur l'envahir. Qu'y avait-il au sujet de son épouse ? Il aperçut Blanche Rivière au milieu des autres femmes. Elle était pâle et paraissait fatiguée, mais quelle femme ne l'aurait pas été en travaillant le jour pour plaire à son mari et en restant éveillée la nuit pour nourrir le nouveau-né ? Kayugh eut un mouvement de colère contre Petit Canard, puis il se souvint de ce qu'elle avait dit au sujet de la plage. C'était une bonne nouvelle. Petit Canard s'était-elle jamais trompée dans ses prédictions ? Peut-être avait-elle voulu dire que Kayugh devrait insister pour que Blanche Rivière travaille moins et se repose davantage ?

Il se dirigea vers les femmes. Leurs bavardages s'arrêtèrent et elles le regardèrent. Il posa la main sur la tête de son épouse et la caressa.

— Nez Crochu, dit-il, ma femme va avoir beaucoup de nuits sans sommeil avec notre nouveau fils, pourrait-elle être dispensée de ramer aujourd'hui ?

— Cela ne posera pas de problème, répondit Nez Crochu, mon fils est assez fort pour prendre sa place.

Kayugh regarda l'enfant et vit un éclair de fierté briller dans ses yeux. Oui, ce serait une bonne manière de préparer Premier Flocon à conduire un ikyak. Il se souvint combien cette tâche lui avait paru ardue la première fois. Pagayer dans un ik de femme serait plus facile que de se trouver dans un ikyak d'homme.

— Merci, murmura Blanche Rivière.

Mais quand Kayugh se tourna vers Petit Canard pour voir si elle approuvait sa décision, celle-ci avait la tête baissée sur une botte d'herbe sèche qu'elle nouait.

Le lendemain, ils partirent tôt le matin et naviguèrent jusqu'au coucher du soleil. Ils s'arrêtèrent, alors, pour passer la nuit sur une plage couverte de rochers gros comme des poings. Les femmes récoltèrent assez de bois mort pour faire du feu, mais il n'y avait pas de proches collines pour offrir un abri.

Ils se rassemblèrent en un demi-cercle autour du feu, dos au vent, afin d'abriter les flammes. Les femmes sortirent de la viande sèche. Petit Canard éplucha des pousses de bambous verts et fit cuire à la broche des poissons qu'elle avait attrapés durant la journée, puis elle planta des baguettes dans le sable autour du feu.

L'effort de la journée de voyage avait donné une telle faim à Kayugh qu'il n'attendit pas que le poisson placé devant lui soit complètement cuit, dès que la peau commença à grésiller, il saisit l'une des baguettes plantées dans le sable et se mit à manger.

Quand il eut mangé la moitié du poisson, il tendit la baguette à Blanche Rivière pour lui en offrir l'autre moitié, mais elle secoua la tête.

— Il faut manger, lui dit-il.

— Je vais le faire, dit-elle en essayant de sourire, mais la fatigue se lisait sur son visage et ses yeux étaient cernés de noir ce qui inquiéta Kayugh.

Les paroles de Petit Canard lui revinrent en mémoire et durant le reste de la soirée, il surveilla Blanche Rivière. Il fut soulagé de la voir manger et il remarqua qu'elle riait en écoutant les histoires de Longues Dents. Bien qu'elle marchât lentement, en portant une main à son ventre, elle aida les autres femmes à entretenir le feu et à préparer l'endroit pour dormir.

Quand il se coucha pour la nuit, Kayugh avait presque oublié ses soucis.

Tout d'abord le bruit se situa dans les rêves de Kayugh. C'était un cri de mouette, puis le cri d'une femme dans les douleurs de l'enfantement, mais peu à peu il se réveilla et se rendit compte que c'était le cri étouffé d'un bébé.

Il se redressa et dans le petit jour, il vit que Petit Canard et Longues Dents avaient également été réveillés par le bruit.

— C'est ton fils, dit Longues Dents.

A ces mots, Kayugh ressentit une sorte de vertige. Chez les Premiers Hommes, un bébé ne pleurait pas aussi longtemps que celui-ci l'avait fait. Un bébé restait attaché contre sa mère, au chaud, sous son suk et il était capable de téter quand il le voulait.

Petit Canard se glissa hors de sa couche et aux yeux de Kayugh ses mouvements étaient trop lents, chaque pas semblait lui coûter. Mais quand il essaya lui-même de se redresser, il sentit ses bras et ses jambes d'une lourdeur de pierre. Aussi resta-t-il assis, comme si l'enfant qui pleurait n'était pas le sien, comme si la femme que Petit Canard secouait n'était pas la sienne.

Petit Canard tourna la tête vers lui et quand elle parla ses mots étaient lents, comme s'ils faisaient partie d'un rêve.

— Elle a saigné, dit-elle, puis elle ajouta plus bas : elle est morte, Kayugh. Un esprit est venu la chercher.

Kayugh ne put ni bouger, ni parler. Longues Dents vint près de lui et soudain tout le camp se réveilla.

— Viens, dit Longues Dents, et sa voix donna à Kayugh la force dont il avait besoin.

Il arracha la couverture de ses jambes et se leva.

— Allons sur la plage, reprit Longues Dents, les femmes vont s'occuper de Blanche Rivière.

— Elle est morte, dit Kayugh en regardant Longues Dents comme s'il espérait l'entendre répondre, « Non, elle n'est pas morte, Petit Canard s'est trompée ».

Mais Longues Dents répéta :

— Oui, elle est morte. Puis prenant le bras de Kayugh, il ajouta : Viens avec moi, nous allons contrôler les provisions.

— Où est ma fille ? demanda Kayugh, soudain irrité par l'insensibilité de Longues Dents.

Nez Crochu lui tendit Baie Rouge. La fillette se frottait les yeux d'un mouvement convulsif parce qu'elle avait été réveillée brusquement. Kayugh serra l'enfant contre lui et se détourna du cercle d'hommes et de femmes qui s'était formé devant lui. Il demanda à Nez Crochu :

— Donne-moi mon fils.

Il vit le regard de surprise de Longues Dents et entendit le ricanement d'Oiseau Gris. Nez Crochu hésita et dit :

— Il pleure.

— Donne-moi mon fils, répéta Kayugh en posant Baie Rouge pendant que Nez Crochu allait chercher l'enfant.

Les bras et les jambes du bébé tremblaient de froid et ses cris se transformèrent en gémissements ressemblant à celui que proféraient parfois les bébés phoques.

— Il a froid, dit Nez Crochu qui se tourna vers Petit Canard pour lui demander d'apporter une fourrure.

Quand il fut enveloppé, le bébé cessa de pleurer comme s'il avait seulement besoin de chaleur. Kayugh prit l'enfant d'abord avec quelque maladresse, puis il le plaça dans le creux de son bras avant de se baisser pour prendre Baie Rouge et s'éloigner du cercle de son peuple.

Kayugh trouva un endroit abrité par des rochers où le sol était sec. Il s'assit et installa Baie Rouge sur un de ses genoux en laissant son bras gauche reposer sur sa cuisse. Il regarda ses deux enfants. Baie Rouge s'appuya contre lui en fermant les yeux, mais Amgigh tenait ses yeux grands ouverts comme s'il étudiait le visage de son père.

Kayugh pouvait pleurer maintenant avec sa fille à moitié endormie et seul son fils pour le voir. Un fils ne pouvait avoir honte de voir pleurer son père sur la mort de sa femme, mais bien qu'il souhaitât verser des larmes, Kayugh n'y parvint pas. Il continua à regarder son fils et vit combien il était beau, avec ses fins sourcils et ses grands yeux noirs.

Sa fille aussi était jolie. Elle ressemblait tellement à Blanche Rivière et Kayugh se demanda pourquoi, avec ces deux beaux enfants, l'esprit de Blanche Rivière avait décidé de les quitter. Y avait-il un autre esprit qui fût déjà parmi les Lumières Dansantes qui l'ait enlevée à Kayugh, loin de la terre ? Jambe Rouge aurait-elle fait une chose pareille ? Non, au cours de toutes les années où elle avait été l'épouse de Kayugh, Jambe Rouge avait toujours pensé beaucoup plus aux autres qu'à elle-même.

Peut-être Kayugh n'avait-il pas été un bon mari. Peut-être avait-il trop pensé à lui-même et pas assez à ses femmes. Mais non, il avait aimé ses femmes. Et il était un bon chasseur. Les avait-il laissées sans viande? Sans peau de phoque pour travailler? Sans boyaux pour coudre?

Elles avaient eu une bonne vie ensemble. Ses épouses avaient été comme des sœurs, s'occupant l'une de l'autre. Baie Rouge les appelait toutes les deux « Maman ».

Peut-être que ses femmes n'avaient pas choisi de mourir? Peut-être lui avaient-elles été enlevées parce qu'il n'avait pas assez apprécié ce qu'il possédait.

Il avait été un chasseur honoré dans un grand village. Ils avaient une belle plage, suffisamment de nourriture et bien que jeune encore, Kayugh avait deux bonnes épouses, un fils poussant dans le ventre de sa mère, une jolie petite fille bien portante. S'était-il jamais attardé à penser combien la vie s'était montrée bonne pour lui? Il n'aurait su le dire. Il avait tant de choses à penser, la chasse, réparer son ikyak, faire des voyages pour aller troquer la marchandise.

Il avait suffi d'une nuit pour bouleverser sa vie. Une vague — un raz de marée — quelque chose qui n'arrivait qu'une ou deux fois au cours d'une vie, mais qui avait atteint trois fois en cinq ans le peuple de son village.

Au cours des années précédentes, les pertes n'avaient pas été aussi considérables, mais cette fois seul l'ulaq de Kayugh, celui qui se trouvait à l'endroit le plus élevé, n'avait pas été détruit et beaucoup de gens étaient morts.

Si Petit Canard n'avait pas parlé d'une autre vague, qui allait arriver l'été suivant, peut-être que Kayugh serait resté avec ceux qui avaient décidé de reconstruire le village, mais il avait pensé à sa fille et au bébé à venir, encore dans le ventre de Blanche Rivière, et il avait décidé de chercher un endroit pour eux qui n'apporterait pas toujours la mort.

— Ce n'est pas un bon endroit pour y vivre, avait-il dit aux hommes. La plage est trop basse, trop facilement ouverte à la mer. Les esprits nous envoient des vagues pour nous tuer et rient de notre stupidité. Nous devons trouver une autre plage pour y installer notre village.

Seul Longues Dents l'avait approuvé, puis finalement Oiseau Gris s'était laissé convaincre, mais c'était un homme qui avait peur de tout et Kayugh aurait préféré ne pas l'emmener avec lui.

Oiseau Gris parlait facilement. Dans sa bouche les insultes étaient subtiles, laissant des marques que l'on n'oubliait pas. Mais c'était peut-être sa langue dorée qui lui avait gagné sa jolie femme. Coquille Bleue avait une peau fine et douce, de belles dents blanches, des yeux grands et vifs. Son nom lui-même rappelant la luminescence de l'intérieur d'une patelle, était beau.

Son père n'avait pas fait le bon choix de mari pour elle. Quand Kayugh avait rencontré la jeune femme pour la première fois, alors qu'elle venait de se marier, elle souriait toujours, riait souvent, maintenant elle était silencieuse, prête à courber la tête si Oiseau Gris marchait sur elle la main levée.

Mais Oiseau Gris était un homme, un chasseur et qui pouvait refuser à Coquille Bleue et à son enfant à naître une chance de partir vers la sécurité ?

Aussi Coquille Bleue et Oiseau Gris étaient venus avec Kayugh, Longues Dents et leurs familles quand ils avaient quitté leur village. « Partir avait été la meilleure solution », pensa Kayugh, « mais si j'étais resté j'aurais peut-être encore deux épouses et je serais capable de garder mon fils. »

— Et maintenant je vais devoir te quitter, dit-il au bébé. Car qui pourrait te nourrir ? Si je t'emmène tu finiras par mourir et dans ce cas il vaut mieux que tu restes avec ta mère. Ainsi ton esprit ne sera pas perdu. Elle te guidera vers les Lumières Dansantes. Si je t'emmenais comment trouverais-tu ton chemin si tu devais mourir ?

Le bébé regardait son père comme s'il comprenait.

— Tu es trop sage, dit Kayugh, en baissant sa joue sur les cheveux bruns et doux de son fils.

Et enfin les larmes vinrent, tandis que Kayugh pleurait ses deux femmes et le fils qu'il devait laisser. Le bébé aussi se mit à pleurer et, en l'entendant, Kayugh eut l'impression que leurs cœurs n'en faisaient qu'un seul et que leurs esprits s'étaient rejoints.

Longues Dents et Oiseau Gris avaient creusé une tombe étroite, à peine plus profonde qu'une main d'homme et avaient empilé des rochers au pied de la tombe. Lorsque Kayugh revit Blanche Rivière, les femmes l'avaient lavée et étendue dans la tombe, les genoux relevés vers son menton, le visage marqué de taches d'ocre. La femme était à nouveau une enfant, une enfant qui naissait au monde des esprits.

Tous les autres s'étaient rassemblés autour de la tombe, même Premier Flocon qui se tenait près de Longues Dents.

Kayugh prit sa place dans le cercle. Il posa Baie Rouge par terre près de lui et elle regarda la femme couchée dans la tombe mais ne dit rien. Le bébé était tranquille, il suçait un coin de la fourrure qui l'enveloppait. Quand les femmes commencèrent leur chant funèbre, Kayugh posa le bébé dans la tombe en plaçant l'enfant dans l'espace entre les genoux relevés de sa femme et sa poitrine. Le bébé enfonça son nez contre sa mère, en ouvrant la bouche et s'agita sur le suk de sa mère.

Kayugh reprit sa place dans le cercle et essaya de se joindre au chant, mais il ne se rappelait plus les paroles et n'arrivait pas à élever la voix. Finalement il se tint immobile, silencieux, les yeux fermés pour retenir ses larmes.

Longues Dents vint près de lui et plaça la première pierre dans la main de Kayugh, celui-ci la posa aux pieds de sa femme, se souvenant qu'il avait fait le même geste pour enterrer Jambe Rouge. Il avait l'impression d'avoir enterré beaucoup d'épouses, de n'avoir cessé d'enterrer des femmes depuis qu'il était enfant, d'avoir passé davantage de temps à chanter des chants de morts que des chants pour attirer les phoques, pour chasser la solitude d'un ikyak sur la mer.

Il regarda les autres, les femmes, une par une déposèrent une pierre, puis ce fut le tour de Longues Dents et d'Oiseau Gris, tous empilèrent des pierres sur le corps de sa femme.

— Maman? dit Baie Rouge d'une petite voix qui se perdit presque au milieu du bruit des pierres qui s'amoncelaient. Maman!

Cette fois le mot était articulé plus fort, c'était presque un cri. La fillette se mit à pleurer, arrachant une douleur au fond du cœur de Kayugh jusqu'à ce que finalement il ne pût en supporter davantage et voulût rester seul, loin de ces gens, de sa fille, de la vue de son fils qui allait bientôt être enterré sous les pierres.

Il se retourna avec l'intention de s'éloigner et de retourner sur la plage, mais alors il entendit le cri de son fils. Ses enfants l'appelaient. Il fit demi-tour, prit Baie Rouge dans ses bras et, se penchant sur la tombe, tira le bébé des bras de sa femme morte et le tendit à Coquille Bleue.

La jeune femme s'arrêta de chanter et se tourna avec des yeux ronds vers son mari, mais Oiseau Gris ne dit rien.

— Quand ton bébé va-t-il naître ? demanda Kayugh.

Coquille Bleue eut un hochement de tête dubitatif avant de répondre :

— Bientôt.

— Aura-t-elle assez de lait pour deux ? demanda Kayugh à Nez Crochu.

— C'est le cas de la plupart des femmes.

— Garde mon fils, dit-il à Coquille Bleue. Si tu peux le nourrir, il t'appartiendra ainsi qu'à ton mari.

Puis Kayugh emmena sa fille sur la plage en laissant les autres enterrer sa femme.

26

Le bébé était sous le suk de Chagak, attaché contre sa poitrine par la bandoulière en cuir. Les seins de la jeune femme étaient devenus chaque jour plus lourds et plus gonflés pendant sa grossesse mais semblaient avoir perdu une partie de leur délicatesse depuis que le bébé tétait.

C'était un enfant fort et gras, la tête couverte de cheveux noirs. « Il ne ressemble pas à son père », se répétait Chagak. N'avait-elle pas entendu la loutre lui chuchoter qu'il ressemblait à son frère Pup et même à son propre père ? Peut-être avait-il leur esprit ou l'esprit de l'un des hommes de son village.

Mais peut-être aussi avait-il l'esprit d'Homme-Qui-Tue. Qui pouvait le dire ?

Même s'il ne l'avait pas, il était du devoir d'un fils de venger son père et de tuer ceux qui l'avaient tué. Que pouvait ressentir un homme qui devrait tuer sa mère pour honorer son père ?

Chagak s'efforça de s'absorber dans son travail. Elle tissait un panier avec des fibres de roseau pour la chaîne et d'ivraie pour la trame, mais elle n'arrivait pas à écarter son fils de ses pensées. Shuganan était assis près de la lampe à huile, de l'autre côté de l'ulaq, polissant une statuette en ivoire avec une pierre ponce.

Il n'avait guère parlé à Chagak depuis la naissance. Cependant Chagak lui avait demandé s'il pensait qu'elle devait conduire l'enfant à Aka, pour laisser son esprit retourner dans les montagnes de son village. Il ne lui avait pas véritablement répondu, disant seulement que c'était à elle de décider. C'était son enfant et non celui de Shuganan.

Chagak regarda le vieil homme. Il n'avait jamais complètement guéri des blessures que lui avait infligées Homme-Qui-Tue. Bien qu'il ne se plaignît jamais, il marchait plus difficilement, protégeant son côté gauche et il boitait beaucoup plus bas. Mais il semblait qu'en échange, les esprits lui avaient donné encore plus d'habileté dans son art. Ses sculptures étaient meilleures, plus compliquées, si détaillées que Chagak pouvait distinguer le dessin de chaque plume d'un suk en stéatite, les fins cheveux d'ivoire sur la tête d'un homme.

— Shuganan, dit Chagak en essayant de parler doucement, mais dans le silence de l'ulaq, sa voix résonna si fort que le bébé sursauta.

Le vieil homme leva la tête et s'arrêta de travailler, mais Chagak ne trouva rien à lui dire. Comment pouvait-elle lui expliquer qu'elle souhaitait seulement l'entendre parler, qu'elle désirait ne plus être seule avec ses pensées ?

Finalement elle demanda :

— Crois-tu que si l'enfant vit, il devra nous tuer pour venger son père ?

Shuganan fronça les sourcils et pendant un moment il étudia le visage de Chagak.

— Nul ne peut prévoir ce que les esprits vont dire à un homme de faire.

Lui-même s'exprimait lentement comme s'il pensait à autre chose. Il ajouta :

— Mais n'oublie pas qu'un homme qui venge son père doit aussi venger son grand-père. Qui a tué ta famille ? S'il te tue pour apaiser l'esprit de son père, qui devra-t-il tuer pour apaiser l'esprit de son grand-père ? Peut-être que le seul homme qu'il devrait tuer est moi-même. Mais je suis vieux. Je serai probablement mort avant que cet enfant soit assez grand pour posséder son propre ikyak.

— Non, dit Chagak. Si tu meurs, qui lui apprendra à chasser et à utiliser un ikyak ?

— Tu as donc décidé de le laisser vivre?

— Je n'ai pris aucune décision. Je ne sais que faire. Je ne connais pas assez les esprits pour choisir.

Shuganan soutint son regard :

— Le détestes-tu? demanda-t-il.

La question la surprit.

— Que m'a-t-il fait pour que je le haïsse? C'est son père que je haïssais.

— Tu aimais son grand-père et sa grand-mère, son oncle et sa tante?

— Oui.

Shuganan se pencha sur son travail sans regarder Chagak.

— Je pense qu'il doit vivre.

Chagak poussa un soupir. Quelque chose au fond d'elle-même voulait crier que l'enfant devait mourir, que son esprit serait sûrement empreint de la cruauté de son père, mais elle se contenta d'abandonner son travail et sortit l'enfant de son suk. Elle retira la peau tannée posée entre ses jambes et nettoya ses fesses avec des cendres fines ramassées dans le feu et gardées dans un petit panier. Puis elle l'enveloppa et le redressa.

— J'ai besoin de savoir quel genre d'homme il sera, dit-elle. Le peuple de son père est tellement mauvais. Quelle chance a-t-il d'être bon?

Shuganan étudia encore le visage de la jeune femme. Il était temps de lui apprendre la vérité, mais il redoutait toujours autant de la perdre. Quand elle saurait, peut-être s'en irait-elle.

Il avait été seul pendant tant d'années et il devait encore faire le voyage pour aller prévenir les Chasseurs de Baleines. Qui pouvait savoir s'il survivrait à cette entreprise? Mais la pensée que Chagak pourrait s'en aller lui était insupportable et il se rendit compte combien sa solitude lui avait pesé. Il avait besoin de parler, d'échanger des idées, de rire.

Pourtant s'il lui disait la vérité, peut-être déciderait-elle de laisser vivre son enfant et ainsi les plans qu'il avait faits pourraient se réaliser et Chagak connaîtrait sa véritable revanche.

Alors il se décida :

— Il y a beaucoup de choses que tu ignores à mon sujet. Le temps est maintenant venu que je te les dise. Écoute-moi et ensuite, si tu décides que tu ne peux rester avec moi, je t'aiderai pour que toi et ton fils trouviez un autre endroit pour vivre et je resterai ici pour dire à Voit-Loin que toi et Homme-Qui-Tue êtes morts tous les deux. Je lui montrerai l'ulaq des morts.

Chagak tint le bébé contre elle et quand il commença à pleurer, elle le glissa sous son suk attaché à la bandoulière. Elle était assise les jambes croisées, les coudes sur ses genoux, le menton dans sa main. Shuganan eut un petit sourire triste. Elle avait l'air d'une enfant qui se prépare à écouter une histoire.

Il se racla la gorge et commença :

— Je connais la langue d'Homme-Qui-Tue et ses coutumes parce que ces choses n'ont pas de secrets pour moi depuis mon enfance.

Il fit une pause en essayant de présumer si Chagak comprenait, s'il y avait de la frayeur ou de la haine dans ses yeux. Mais elle restait immobile sans laisser deviner ses pensées.

— Je suis né dans leur tribu et j'ai grandi dans leur village. Ma mère était une esclave enlevée chez le Peuple Morse. Mon père, ou celui qui prétendait l'être, était le chef du village.

« Ce n'était pas un homme terrible, ni cruel, mais ma mère étant une esclave nous avions peu de contact et comme j'étais grand, maigre et plus faible que les autres garçons, je n'étais pas autorisé à posséder un ikyak et personne ne m'apprit à chasser ou à utiliser des armes. Mais je m'en fabriquai moi-même. D'abord seulement des pointes acérées, puis en regardant les armes utilisées dans le camp, j'appris à faire des têtes de harpon en os ou en ivoire et à tailler le silex et l'obsidienne.

« D'habitude je travaillais en secret, car je ne savais pas si mon père approuverait. Mais en voyant les autres garçons devenir chasseurs, je décidai de ne pas être traité toujours en enfant et de n'avoir jamais les joies et les responsabilités d'être un homme. Aussi je commençai à fabriquer un harpon. Je travaillai avec soin, faisant appel à l'esprit des animaux pour m'aider. Je passai tout un été à ce travail, et gravai une tête barbue, je gravai des phoques et des lions de mer sur le manche en bois et je le polis jusqu'à ce qu'il fût très doux.

« Un jour où la mer était trop démontée pour chasser, mon père était assis en haut de son ulaq et je lui offris le harpon. Bien qu'il ne dît rien, je lus la surprise dans son regard et plus tard, je vis qu'il montrait le harpon aux autres hommes.

« Trois ou quatre jours après, il construisit une coque d'ikyak et demanda à ma mère de fabriquer une couverture en peau de phoque. Cet été-là il m'apprit à chasser et me donna un harpon qui avait appartenu à son père.

« Pour la première fois j'eus l'impression que je faisais partie du peuple de mon père et je travaillai dur pour lui plaire. J'appris à chasser et je continuai à graver et à sculpter. Mon père remplit notre ulaq de fourrure et de belles armes que d'autres peuples lui donnaient en échange de mes sculptures.

« J'avais quatorze étés quand je participai au premier raid.

Shuganan s'interrompit, puis il ajouta vivement :

— Je n'ai jamais tué personne. Nous faisions ces raids principalement pour nous procurer des armes, peut-être pour capturer une femme comme épouse et la plupart des femmes étaient consentantes.

« Je ne ramenai jamais rien, mais il y avait une certaine excitation dans ces expéditions, quelque chose que je ne peux expliquer, le pouvoir de s'approprier ce qui appartient aux autres.

« Mais un jour au cours de cet été un shaman arriva au village. Lui et mon père devinrent amis. Le shaman prétendait être le fils d'un esprit puissant et il exécutait des signes avec le feu, faisant jaillir des flammes du sable et de l'eau. Il connaissait des chants qui rendaient les hommes malades et des médecines qui les guérissaient. Bientôt tout le monde crut ce qu'il racontait et comme ses croyances n'étaient pas très différentes des nôtres, il ne fut pas difficile de le suivre.

« Si un chasseur gagne de la force de l'animal qu'il tue, disait-il, alors ne gagnera-t-il pas aussi de la force en tuant un homme ?

Shuganan entendit Chagak pousser un petit cri étouffé, mais il poursuivit :

— C'était là un raisonnement que j'ai cru moi-même pendant quelque temps.

Il s'interrompit, mais Chagak resta immobile. Elle avait baissé la tête et Shuganan ne pouvait voir ses yeux.

— Nos raids devinrent de véritables tueries, continua Shuganan de sa même voix douce. Mais je découvris que s'il est facile de renverser un homme et de lui prendre son arme ou son ikyak, c'est un acte terrible que de le tuer. Et chaque raid devint plus difficile non seulement pour moi, mais pour certains autres.

« J'étais alors en âge de prendre une épouse et d'avoir mon propre ulaq. Un certain nombre d'entre nous avions décidé de trouver une femme et de quitter le village pour aller commencer une autre vie ailleurs sans avoir à tuer.

« On nous dit que nous pouvions partir, mais on ne nous donnerait pas d'épouses. Certains décidèrent alors de rester, d'autres de s'en aller quand même. Comme je préparais mon ikyak, les hommes du village vinrent me trouver. Le shaman me déclara que je ne pouvais partir. Je n'aurais plus besoin de participer aux raids mais je devais rester avec mon peuple et si je refusais il pratiquerait une magie qui tuerait ma mère et tous ceux qui avaient décidé de s'en aller.

« Je restai dans un ulaq, plus ou moins sous surveillance. On m'apportait à manger. Mes lobes d'oreille furent percés, comme l'avaient été ceux de ma mère, en signe d'esclavage. Chaque jour je devais faire des sculptures car le shaman voyait en elles de grands pouvoirs. Il prétendait qu'un homme possédant une sculpture représentant un animal tirait une petite partie de l'esprit de l'animal vivant.

« Ce fut une période abominable pour moi, Chagak, dit

Shuganan en baissant la voix. Je passai deux années à ne faire rien d'autre que ces sculptures. J'avais toujours aimé le toucher de l'ivoire ou du bois, mais j'en vins à le détester. J'aurais voulu m'enfuir, mais alors que ferait le shaman ? Un jour, alors qu'elle m'apportait mon repas, je vis que ma mère partageait ma peine et son chagrin me donna le courage d'agir.

« Le shaman venait souvent dans l'ulaq pour me regarder travailler. Nous ne parlions pas, mais un jour je lui montrai un fanon de baleine que mon frère m'avait apporté. Je lui dis que j'avais rêvé d'un motif et que ce serait un cadeau pour lui.

« Je gravai plusieurs animaux sur la surface de ce fanon. Autour d'eux, j'ajoutai des gens en miniature, représentant l'image de chaque homme que nous avions tué au cours de nos raids. Et ainsi, tandis que le shaman me regardait travailler il commença à me faire confiance. Il m'accorda plus de liberté dans le camp, un jour il me laissa même aller chasser avec les autres. Mais ce qu'il ignorait c'est que la nuit, quand tout le monde dormait, je continuais à graver.

« Je creusai un trou au centre de la sculpture pour y cacher une lame d'obsidienne que l'on m'avait donnée en échange d'une sculpture. Je fis un petit couvercle en ivoire pour cacher le trou et je ne laissai jamais le shaman toucher ce fanon. Quand j'eus terminé, je lui dis que j'allais organiser une cérémonie pour lui faire cette offrande.

« Il fit ce que je lui demandai et vint au bord de l'eau, tôt le matin, quand personne n'était encore éveillé à l'exception de quelques femmes.

« J'avais demandé au shaman d'apporter ses armes avec lui : harpons, lances, bolas. Quand il commença à chanter, je plaçai le fanon gravé dans sa main et lui dis de fermer les yeux. Puis je fis sortir l'obsidienne et la lui plongeai dans le cœur. Il ne poussa même pas un cri. Il ouvrit seulement les yeux et mourut.

« Je volai ses armes et un ikyak et m'enfuis. Je voyageai pendant de nombreux jours jusqu'à ce que je trouve cette plage où je construisis un ulaq et vécus seul. Je chassai des phoques et des lions de mer et appris à faire mes propres vêtements.

Shuganan se frotta le front avec ses mains et toussa pour s'éclaircir la gorge.

— Je fis du commerce avec les Chasseurs de Baleines et après trois ans de solitude, je pris une femme. Nous avons été heureux.

Chagak leva les yeux sur lui.

— Ainsi vous avez vécu ici tous les deux seuls, dit-elle, tu chassais et tu faisais des sculptures.

— Non, pendant longtemps je n'ai plus sculpté, dit Shuganan. Cela me semblait mal, presque impie. Mais il y avait quelque chose en moi qui paraissait pleurer, comme si j'étais en deuil et souvent le matin en me réveillant mes mains étaient raides et douloureuses.

« Puis ma femme fit un rêve. Une femme qu'elle ne connaissait pas lui parla et lui dit que je devais sculpter et que mon travail pouvait être bienfaisant. Une joie pour les yeux et une aide pour l'esprit. Je crois que cette femme était ma mère et je pense que son esprit est venu nous rendre visite pendant qu'elle entreprenait son voyage vers les Lumières Dansantes.

« Je pleurai sa mort, mais je me remis à sculpter et le vide que je ressentais depuis tant d'années fut remplacé par un sentiment de paix. Je compris alors que mes sculptures étaient une bonne chose.

Shuganan s'arrêta de parler et s'approcha de Chagak.

— Maintenant tu sais que je faisais partie de la tribu d'Homme-Qui-Tue. Est-ce que tu me hais ?

Pendant un long moment la jeune femme ne dit rien, mais elle ne détourna pas les yeux de son visage. Shuganan eut l'impression que son cœur s'arrêtait dans l'attente de sa réponse. Finalement elle répondit :

— Non, je ne te hais point. Tu es un grand-père pour moi.

— Et tu pourrais aimer un grand-père et pas un fils ? demanda Shuganan.

Chagak se mit à se balancer en croisant les bras sur

l'enfant à l'intérieur de son suk et sentit sa chaleur. Le désespoir qui l'avait envahie depuis qu'elle était enceinte parut disparaître et à sa place naquit une joie, forte, dure, envahissante.

— Il vivra, murmura-t-elle.

27

Kayugh enfonça la pagaie dans la mer et dirigea son ikyak entre les vagues. Incapable de supporter les cris de son fils, il avait pagayé avec ardeur et avait bientôt distancé l'ik des femmes et même les ikyan des autres hommes.

Six jours s'étaient écoulés et ils n'avaient pas encore trouvé la baie promise et la bonne plage. Ses prédictions ne s'étant pas réalisées, Petit Canard ne levait plus les yeux en sa présence et ne se tenait pas avec les femmes pour les repas.

La confusion de jours ne signifiait pas grand-chose. Ce n'était pas l'erreur de Petit Canard qui torturait le cœur de Kayugh.

Toutes les nuits les femmes se passaient son fils de l'une à l'autre. Chacune essayait de tirer du lait de ses seins. Les femmes qui avaient eu de nombreux enfants et les avaient allaités longtemps savaient que le lait revenait facilement. Dans le village de Kayugh on voyait sans surprise une grand-mère allaiter son petit-fils. Mais Petit Canard n'avait jamais eu d'enfant et parmi les quatre enfants de Nez Crochu, trois avaient été des filles, offertes au vent. Le quatrième, un garçon, avait été emporté par la grosse vague qui avait détruit le village un mois seulement après sa naissance. Nez Crochu ne l'avait pas nourri assez longtemps pour avoir du lait pour Amgigh.

Coquille Bleue donnait au bébé le peu de lait que contenaient ses seins et Nez Crochu lui faisait absorber du bouillon. Mais l'enfant devenait de plus en plus frêle, ses cris s'affaiblissaient chaque jour.

Aussi allait-il mourir. « Dans ce cas, il n'y aurait personne pour le conduire dans le monde des esprits », pensa Kayugh. « J'aurais dû le laisser avec sa mère. Quelle chance lui reste-t-il ? »

Mais Blanche Rivière avait voulu que son fils ait un nom afin de le rendre plus fort, indépendant de sa mère. Telle était la coutume dans sa famille.

Qu'avait dit le père de Blanche Rivière à Kayugh ? C'était parce qu'on donnait son nom à un enfant dès sa naissance qu'il y avait tant de bons chasseurs dans la famille. Et qui pouvait le nier ? Quel chasseur avait rapporté plus de viande et de fourrure qu'aucun des frères et des oncles de Blanche Rivière ?

Soudain la colère que Kayugh avait nourrie envers lui-même se tourna contre sa femme. Il l'avait toujours bien traitée, il lui avait apporté des présents et l'avait louée devant les autres hommes. Pourquoi avait-elle choisi de mourir ?

La colère de Kayugh grandit jusqu'à lui faire oublier tout ce qu'il avait appris sur la chasse et les voyages en mer, il lança sa pagaie en l'air et hurla sa frustration. Il n'accorda aucune attention aux animaux qu'il effrayait, aux phoques qui l'entendraient.

Il cria jusqu'à ce que sa gorge le brûlât et que dans l'obscurité de ses yeux fermés il distinguât le visage de son fils. Et il pensa : « Non, Amgigh n'aura pas à partir seul, je l'accompagnerai ! »

Qui osait prétendre qu'il fallait une mère pour guider ses enfants dans le monde des esprits ? Nez Crochu s'occuperait de Baie Rouge et il n'avait plus personne qui ait besoin de lui.

Mais, pensa-t-il soudain, un chasseur devait-il tout abandonner pour un enfant qui aurait pu mourir même si sa mère avait vécu ? Valait-il mieux mourir pour son fils ou vivre pour son peuple ?

Peut-être choisissait-il la mort pour fuir la vie, pour se soustraire au chagrin de la perte de deux femmes, puis d'un fils ou peut-être s'il choisissait de vivre était-ce parce qu'il avait peur de la mort ? Qui pouvait le dire ?

Kayugh se détourna de ses pensées et scruta la mer avant de diriger son ikyak vers le sud, où il apercevait la ligne sombre d'une terre. Depuis des jours ils étaient passés devant des plages étroites et de hautes falaises, des endroits ouverts à la mer et n'offrant ni abri, ni protection contre le vent, mais voici qu'en s'approchant des falaises, Kayugh découvrait une baie prometteuse. Il pagaya plus vite, dépassa les falaises et s'approcha d'une plage qui montait doucement vers une colline verdoyante. La plage était assez vaste pour offrir des flaques d'eau laissées par la marée, des masses sombres de varech s'étendaient au pied des falaises.

Kayugh regarda le soleil. Il était près de se coucher. Loin derrière lui, les autres allaient installer un camp sur une autre petite plage.

Kayugh fit tourner son ikyak et repartit. Demain il reviendrait. Il les conduirait vers cette plage où ils pourraient construire un village au-dessus des collines, à l'abri des vagues qui pourraient surgir.

« Et je vivrai encore un jour », se dit Kayugh, « il faut d'abord que je conduise mon peuple ici. Alors je déciderai ce qu'il convient de faire pour moi et mon fils. Qui sait, Coquille Bleue aura peut-être son bébé et mon fils pourra vivre. »

28

Chagak se réveilla tôt. Son fils pressa ses lèvres contre son sein et elle sentit la montée de lait.

Aujourd'hui, ils allaient donner son nom à son fils. Ils feraient une petite cérémonie, elle et Shuganan ; et le lendemain ils se prépareraient au long voyage vers les Chasseurs de Baleines.

Chagak craignait que son grand-père ne se souvînt pas d'elle. Depuis combien d'années Nombreuses Baleines était-il venu rendre visite au village des Premiers Hommes ? Trois ans ? Quatre ans ? Et même alors sa mère avait été prompte à l'écarter du chemin de son grand-père, l'envoyant avec sa sœur chercher de l'eau potable, cueillir des racines ou ramasser des oursins.

Et même s'il se souvenait d'elle, lui et les hommes de sa tribu ne croiraient peut-être pas ce qu'elle et Shuganan leur diraient. Et alors, les Petits Hommes viendraient et il y aurait un autre massacre. Chagak réprima un frisson, puis elle se souvint de la sagesse de Shuganan. Il saurait ce qu'il convenait de dire pour être convaincant.

La voix de la loutre parut revenir pour lui chuchoter que même si les Chasseurs de Baleines croyaient Shuganan, même s'ils combattaient les Petits Hommes et les décimaient, son fils serait en danger.

« Oui », se dit-elle, « s'ils découvrent que mon fils a été engendré par un ennemi, ils tueront l'enfant. » Cette idée la glaça d'horreur et elle comprit qu'elle devait chasser cette mauvaise pensée.

— Non, dit-elle à haute voix, Personne ne le saura. Je ne le dirai pas, Shuganan non plus. L'enfant sera sauvé.

Comme s'il avait compris ses paroles, le bébé poussa un petit cri et Chagak le sortit de son suk. A la prochaine lunaison, il serait assez grand pour dormir dans un berceau. Pour l'instant elle était heureuse de l'avoir contre elle pour la nuit.

Elle écarta les couvertures et retira les peaux souillées qu'elle irait rincer dans la mer avant de les mettre à sécher sur la plage. Elles deviendraient raides et dures, mais elle leur rendrait leur souplesse en les étirant avec ses doigts et ses dents afin de pouvoir les utiliser encore.

Quand elle eut fini de s'occuper du bébé, elle l'enveloppa dans une fourrure propre et le remit sous son suk. Parce que c'était le jour où il allait recevoir son nom, Chagak était supposée rester dans l'ulaq jusqu'à ce que Shuganan ait préparé le feu de bois sur le rivage. Mais depuis qu'il avait été si sévèrement corrigé par Homme-Qui-Tue, le vieil homme se réveillait tard le matin et était lent à se mettre en train. Fatiguée d'attendre dans l'air confiné de l'ulaq, Chagak monta sur le toit. Le matin était gris mais clair et le vent apportait une riche senteur de phoque.

Mais quel homme avait pu chasser le phoque ? Ce ne pouvait être Shuganan. Chagak regarda vers la mer. Ses yeux s'agrandirent et posant ses mains autour du bébé, elle descendit pour courir vers la plage.

Shuganan s'éveilla et se tint immobile, écoutant pour deviner si Chagak était éveillée. Il y avait longtemps que ses bras et ses jambes ne l'avaient fait autant souffrir. Il n'arrivait pas à se lever.

Pourtant aujourd'hui devait avoir lieu la cérémonie au cours de laquelle l'enfant recevrait son nom. Il ne pouvait rester couché. Il se redressa lentement. La douleur lui fit venir les larmes aux yeux. Il les essuya d'un revers de main.

« A quoi suis-je bon ? » se demanda-t-il. « Je n'arrive même plus à me lever. Comment vais-je pouvoir pagayer dans un ikyak ? Comment vais-je apporter de la viande pour Chagak et le bébé ? Elle a besoin d'un chasseur. »

Il appela la jeune femme mais elle ne répondit pas. Il l'appela encore, surpris de ne pas la voir venir. C'était jour de fête. Qu'y avait-il de plus sacré que le jour où un enfant recevait son nom, prenait son identité ? Chagak devait rester dans l'ulaq tandis qu'il préparait le feu sur la plage pour la cérémonie.

Une peur soudaine accéléra son pouls. Il pensait avoir convaincu Chagak de garder son fils, mais peut-être se trompait-il. Qu'arriverait-il si elle avait fait un geste irréparable avant que le bébé n'ait reçu son nom afin de pouvoir réclamer sa place dans le monde des esprits ? La peur de Shuganan se transforma en douleur et il dut appuyer ses deux mains contre sa poitrine pour comprimer les battements de son cœur.

Mais sûrement, Chagak comprenait l'importance de la vie du bébé dans le plan qu'ils avaient élaboré. Peut-être n'éprouvait-elle pas un besoin de vengeance. Peut-être voulait-elle seulement s'échapper. Elle pourrait le faire plus facilement sans un vieil homme invalide et sans un bébé encombrant.

Oubliant ses douleurs, Shuganan se redressa dans une position assise et appela encore. Toujours pas de réponse.

« Elle est sortie vider le seau », pensa-t-il, mais il aperçut le seau dans un coin. Peut-être avait-elle oublié la cérémonie qui devait avoir lieu et était-elle seulement sortie prendre l'air. Mais Shuganan se rendit compte de la folie d'une telle pensée. S'appuyant sur une épaule, et utilisant son bras droit comme levier, il parvint à se soulever.

Quand il fut debout, la raideur de ses genoux parut être la seule chose qui le retint et il fit quelques pas chancelants.

« J'aurais dû lui parler davantage du bébé », pensa-t-il. « J'aurais dû sonder ses véritables sentiments et lui faire comprendre qu'un enfant était une bénédiction. Qu'est-ce qui m'a fait prétendre... »

— Shuganan !

Chagak descendit lestement et faillit renverser le vieil homme dans sa précipitation, mais son soulagement à la revoir était tel qu'il se mit à rire.

— Je t'ai appelée, dit-il en riant encore.

Chagak dansa autour de lui et les mots qui sortirent de ses lèvres ressemblaient à une chanson :

— Viens, viens vite voir, attends seulement de voir ce qui est arrivé !

Elle remonta promptement sur le toit de l'ulaq et quand il finit par la rejoindre péniblement et sentit la douceur du vent, il se dit que Chagak appréciait seulement la belle journée qui se préparait, mais en sortant sur le toit il vit la véritable raison de son excitation et la force de son émerveillement le jeta presque à genoux.

— C'est Tugix qui nous l'envoie, murmura-t-il en regardant le cadeau qui leur était fait et qui se trouvait étendu sur leur plage, la queue encore dans l'eau.

— Nous ne mourrons jamais de faim, dit Chagak, nous aurons toujours de l'huile pour nos lampes et nous garderons les mâchoires pour en faire les poutres de notre ulaq, ce qui vaut tellement mieux que le bois que nous apporte la mer.

Shuganan secoua la tête. Une baleine ! Qui pouvait croire qu'un présent pareil leur fût accordé ? Sa peau sombre brillait encore d'humidité et même à cette distance, Shuganan pouvait voir la blancheur de sa large mâchoire inférieure. Les longues fibres de sa bouche feraient de solides paniers et sa viande serait riche et douce. L'huile tirée des os bouillis brûlerait sans fumée et la graisse donnerait de la chaleur aux jours les plus froids.

— Pouvons-nous quand même procéder à la cérémonie ? demanda Chagak d'une voix hésitante.

Shuganan se mit à rire :

— As-tu jamais vu de plus somptueux cadeau pour cette fête ? Qu'offre-t-on en général ? Quelques peaux, un estomac de phoque d'huile ? La viande pour le repas.

Et Chagak se mit à rire, elle aussi.

— Nous allons procéder à la cérémonie mais d'abord il faut réclamer la baleine. Apporte-moi ma lance et quelques cordes.

Shuganan s'approcha lentement de l'animal. Le vent

était empreint d'une forte odeur de mer et de poisson. Il essaya de se rappeler quand une baleine s'était échouée sur sa plage pour la dernière fois. Peut-être était-ce quand il était encore un jeune homme, lorsqu'il avait ramené sa femme de son île. Et pendant un instant le visage de son épouse apparut clairement dans son souvenir. Le chagrin l'étreignit comme si les années n'avaient pas adouci sa peine et il fut submergé par la fatigue de son grand âge. Mais quand il vit Chagak apporter les cordes et la lance, ses jambes agiles sautant sur les rochers et le sable, malgré le bébé qu'elle portait sous son suk, son chagrin se dissipa, seul demeurait le souvenir de ce qu'il devait faire.

Lorsqu'elle fut à ses côtés et lui tendit la lance, Shuganan la planta dans le sol. Il lia ensuite une extrémité de la corde à la hampe de la lance et l'autre à la queue de la baleine. Sa peau commençait à sécher, et le sel de la mer traçait des lignes blanches sur son corps. Mais la queue était toujours dans l'eau et quand les vagues la recouvraient, elles se retiraient avec des cercles bleus et verts d'huile de la peau de la baleine, comme si la mer, en apportant ce cadeau, ne le donnait pas sans demander quelque chose en retour.

Shuganan leva ses mains vers les vagues.

— Écoutez ! Écoutez ! dit-il en élevant la voix au-dessus du vent, un cadeau nous est donné. Cet être tout-puissant a choisi de se donner à Shuganan et à Chagak en l'honneur de son fils et de son petit-fils. Respectez les souhaits de la baleine. Ne la ramenez pas dans la mer.

Il se tourna quatre fois dans toutes les directions du vent, puis vers Tugix et leva son visage vers le soleil. Et chaque fois, Shuganan répéta les mêmes paroles. Puis il dit à Chagak :

— Maintenant elle est à nous.

Si son pouvoir était assez puissant, la mer n'arracherait pas la baleine de la lance de Shuganan.

Ils procédèrent à la cérémonie ce même matin. Chagak regarda tandis que Shuganan enflammait le bois sec qu'elle avait entassé au bout de la plage. La baleine leur bloquait la vue de la mer, mais le ciel ressemblait à une autre mer plus immense. Le monde de Chagak était entouré d'eau, comme si elle, Shuganan, son fils et la baleine étaient les seules créatures en dehors de l'île et de l'eau.

La cérémonie serait courte, lui avait dit Shuganan et la fête serait célébrée un autre jour pour glorifier à la fois la cérémonie et le cadeau de la baleine.

Quand le feu fut allumé, Shuganan entonna une chanson que Chagak ne connaissait pas, les paroles étaient dans la langue de Shuganan. Elle ne l'aurait pas voulu, mais elle n'avait pas le choix. Elle ignorait ce que son peuple chantait à ce genre de cérémonie en l'honneur d'un garçon. Dans son village seuls les hommes et la mère de l'enfant étaient présents, bien que tout le village prît part aux réjouissances quand il s'agissait d'une petite fille. Il était donc normal que Shuganan chantât ce qu'il savait, car s'il n'y avait pas de chants de méchants esprits pourraient venir rôder en cherchant à voler son nom pour l'utiliser dans de mauvais desseins avant que l'enfant soit assez grand pour réclamer la protection de son nom.

Chagak se rappelait les histoires que son père lui avait racontées à propos de la première cérémonie. En ce temps-là, il n'y avait qu'un homme et une femme et personne pour leur donner un nom. Et sans nom, ils n'avaient pas d'esprit. Quel esprit pourrait exister sans porter un nom ?

Cet homme et cette femme virent qu'ils étaient différents des poissons. Ils n'avaient pas d'écailles ni de nageoires. Ils n'avaient pas de fourrure et ne ressemblaient donc pas aux phoques ou aux loutres. Ils ne possédaient pas d'ailes ou de plumes comme les oiseaux. « Nous sommes une nouvelle race », dit l'homme et il se mit à prier et à chanter, un hymne sacré, réclamant un nom. Il le fit jusqu'à ce qu'un nom leur fût donné. « Je suis l'Homme et tu es la Femme », dit-il à sa compagne. Ce fut la première cérémonie pour l'attribution d'un nom et depuis les noms furent reçus avec gratitude et selon un rite sacré.

Chagak sentit le bébé remuer contre son ventre nu. Il

était encore une partie d'elle-même, son esprit se joignait encore au sein autant que s'il était encore dans ses entrailles. Mais quand il aurait un nom, il serait séparé, il adopterait une nouvelle personnalité et un nouvel esprit serait né.

Elle lui avait confectionné un vêtement avec des peaux d'eiders tués l'été précédent. C'était le cadeau qu'elle lui offrait pour cette fête. Shuganan avait sculpté un phoque qui devait être suspendu au-dessus de son berceau pour s'attirer les faveurs des esprits des phoques.

La baleine était peut-être le présent envoyé par son peuple pour cette occasion. Chagak pensa à ceux qu'elle avait enterrés avec tant de peine. Mais pourquoi son peuple ferait-il un cadeau au fils d'un Petit Homme?

Le chant de Shuganan se termina. Le bois qui avait flambé, attisé par les paroles qu'il avait criées dans le vent, était maintenant tombé, comme si les flammes attendaient pour voir le bébé. Le bois craqua soudain et des étincelles jaillirent. Shuganan tendit les bras et Chagak détacha l'enfant pour le lui présenter.

Le bébé était nu. Son petit corps rond, enduit avec de l'huile de phoque, luisait. Chagak pensa qu'il allait pleurer en sentant la fraîcheur du vent, mais il agita ses jambes et poussa de petits cris joyeux ressemblant aux rires des mouettes.

Tandis que Shuganan tournait le visage de l'enfant dans les quatre directions du vent, le bébé se tint très droit, sans bouger la tête. Alors, Shuganan se leva et conduisit l'enfant jusqu'à la baleine et lui fit poser la main sur son flanc.

Chagak regarda le vieil homme revenir près du feu en marchant sur les galets. Un malaise s'empara d'elle. Pourquoi avait-il fait ce geste? Son peuple n'était pas celui des Chasseurs de Baleines. Elle n'avait pas promis de prévenir son grand-père afin que son fils fût élevé selon leurs coutumes. Une peur soudaine l'envahit. Et s'ils réclamaient l'enfant? Et si son grand-père voulait le garder près de lui? Comment pourrait-elle refuser, elle qui n'avait pas de mari?

Mais quand Shuganan lui rendit le bébé, Chagak repoussa ces sombres pensées. La baleine était un signe favorable, l'indication de la bienveillance d'Aka. En décidant de laisser la vie à son fils, elle avait fait le bon choix.

Elle reprit son fils, il glissa dans ses bras facilement, comme si elle avait toujours été sa mère, comme s'il avait toujours été une partie d'elle-même.

— Maintenant il faut lui dire son nom, dit Shuganan avant de recommencer à chanter.

En tant que mère, Chagak avait l'honneur de choisir le nom de son fils et elle se pencha près de l'enfant, ses cheveux tombant autour de lui comme un rideau. « Tu es Samig », chuchota-t-elle afin qu'il fût le premier à apprendre son nom, afin qu'il reçût la protection de son nom avant tout autre esprit, avant même le vent et la mer. « Tu es Samig », répéta-t-elle encore pour être sûre qu'il avait bien entendu.

Puis elle souleva l'enfant face au vent et répéta son nom comme Shuganan le lui avait dit. « Cet enfant est Samig », dit-elle à la terre et au ciel, au vent et à la mer, à Aka et à Tugix, à la baleine et à Shuganan. « Samig » — Couteau. Quelque chose qui pouvait détruire ou créer, quelque chose qui, comme un homme, pouvait apporter le bien ou le mal.

Pendant un moment, Shuganan la fixa, comme s'il était surpris par sa voix, comme s'il n'avait pas compris ce qu'elle disait, mais il plaça la main sur la tête de l'enfant :

— Samig, dit-il, et en élevant la voix, il se tourna vers Tugix pour répéter : Samig.

29

Le peuple de Kayugh avait passé la dernière nuit sur une plage étroite, un endroit dangereux, bordé par des murs de rochers arides. Chaque homme tenait son ikyak prêt et les femmes se blottirent sous leur ik. Au cours de la nuit les hommes prirent leur tour de garde, surveillant la mer, espérant avoir le temps de prévenir si l'eau montait au-dessus des limites de leur camp.

Kayugh fut le dernier à prendre la veille. En regardant chaque vague, il priait pour que les esprits contrôlent la mer et le vent.

Finalement le soleil se leva, pâle et voilé de nuages. Les femmes s'étaient réveillées pour préparer le premier repas, mais Kayugh continuait à surveiller la mer. Il entendit un faible vagissement et le cri de son fils affamé lui brisa le cœur.

Pendant un moment il regarda Nez Crochu et Coquille Bleue plonger leurs doigts dans un bouillon de poisson et laisser le bébé sucer les gouttes, mais très vite, il détourna la tête.

Pendant les trois premiers jours après la mort de Blanche Rivière, le bébé avait crié continuellement et Kayugh avait redouté que les hommes exigent sa mort pour que ses gémissements n'effraient pas les animaux ou les poissons, mais heureusement, les cris étaient devenus faibles, assourdis encore par les fourrures qui l'entouraient.

— Ta mère va venir te chercher, avait dit Kayugh à l'esprit de l'enfant. Elle va venir te chercher et alors tu ne souffriras plus.

*

Après la cérémonie de l'attribution du nom, Shuganan jeta une corde sur la baleine et l'amarra aux rochers des deux côtés. S'aidant de la corde Chagak grimpa et allant de la tête à la queue découpa un morceau de la peau épaisse pour atteindre la couche de graisse dans laquelle elle pratiqua une longue incision jusqu'à la queue.

A deux reprises, au cours de l'opération, elle glissa et tomba sur la plage. La seconde fois, elle retira le bébé de son suk et l'installa dans un endroit abrité au pied de la falaise.

Puis elle pratiqua des entailles de la longueur d'un bras d'homme, divisant la peau de la baleine en dix sections. En haut de chacune elle fit deux trous, attacha une corde à travers chacun et la fit glisser le long du côté de la baleine. Avec l'aide de Shuganan elle saisit la corde pour retirer la couche de graisse de la carcasse qu'elle transporta avec la peau et déposa le tout dans l'herbe, près de l'ulaq au-delà de l'atteinte des vagues.

Depuis que la baleine était morte, la chaleur de la décomposition était suffisante pour accélérer la fermentation de la chair. Pendant que Chagak travaillait, l'odeur était telle que son estomac commença à protester, mais en voyant Shuganan continuer à tirer en s'aidant même de sa main gauche, elle s'efforça d'oublier l'odeur et les blessures de ses mains et de ses paumes provoquées par les cordes. Lorsqu'ils eurent retiré les derniers morceaux de graisse, Shuganan déclara :

— Je vais enlever ce qui reste. Découpe un morceau de viande, j'ai faim.

Chagak sourit et lui lança la corde, puis elle découpa un gros morceau de chair qu'elle porta dans l'ulaq.

Avec son couteau de femme, elle coupa de petits bouts de viande et les tint un par un au-dessus de la flamme de la lampe à huile. Puis elle rangea les morceaux dans un panier et le porta à Shuganan. Ils s'installèrent à l'ombre de la baleine pour manger.

Ensuite ils utilisèrent leur réserve de bois sec pour allumer deux grands feux, un à chaque extrémité de la plage. Quand les feux furent bien allumés et le bois réduit en charbon distillant suffisamment de chaleur, Chagak disposa des pierres sur le feu. Pendant qu'elles chauffaient, elle agrandit le foyer de cuisson à l'aide d'un bâton terminé par une pelle d'argile.

Shuganan apporta de grands paniers et les posa sur les foyers. Chagak les remplit d'eau et de morceaux de graisse.

Pendant que la jeune femme retournait à la baleine pour en découper d'autres morceaux, Shuganan retira des pierres chaudes du feu et les jeta dans les marmites et attendit que l'eau se mette à bouillir. Il enleva alors les pierres qui avaient refroidi à l'aide d'une épaisse branche recourbée et les remplaça par d'autres pierres chaudes jusqu'à ce qu'une épaisse couche de graisse se soit formée à la surface de chaque marmite.

« Nous ne mourrons pas de faim cet hiver », pensa Shuganan et il se mit à chanter.

Le groupe de Kayugh était reparti tôt le matin. Kayugh repoussait son chagrin avec chaque coup de pagaie et distança bientôt les embarcations de femmes plus lentes et à midi, il avait même dépassé les ikyan de Longues Dents et d'Oiseau Gris. Tout en pagayant il se remémorait la crique, la localisation des falaises et de la plage, la couleur des rochers et la forme des lits de varech qui s'étendaient jusqu'au rivage.

Quand il vit les falaises, la petite baie marquée par des groupes de gros rochers, il éprouva une soudaine excitation. C'était bien la plage qu'il avait trouvée la veille et c'était peut-être celle qu'avait prédite Petit Canard.

Il pagaya plus vite, se glissant dans les eaux peu profondes de la baie. Puis il arrêta son embarcation. Une énorme baleine était étendue sur la plage.

Il cligna des yeux, rit et ouvrit la bouche pour remercier la mer, mais il remarqua soudain que la baleine était partiellement dépecée. Son cœur se mit à battre plus vite et sa déception l'immobilisa un moment. Il ne pourrait réclamer cette plage pour son peuple, elle était déjà occupée.

Le poids accumulé des soucis de Kayugh — ses nuits sans sommeil, passées à écouter son fils pleurer, la recherche d'une bonne terre — pesait sur lui et Kayugh avait l'impression qu'une main géante le précipitait dans la mer.

Mais il réfléchit. Peut-être que ceux qui occupaient cette plage permettraient à leur petit groupe de rester quelques nuits pour se reposer, ramasser des racines et pêcher des oursins. Kayugh releva sa pagaie à la verticale dans l'eau en immobilisant son ikyak au milieu des vagues.

Une baleine échouée était un grand cadeau, arrivant rarement à un village, mais pour un tel présent, il y avait très peu d'activité sur la plage. Deux feux avaient été allumés, mais habituellement, toutes les femmes devraient travailler autour des foyers et les hommes s'activer pour enlever la graisse et découper la viande.

Plus il regardait, plus Kayugh se demandait si cette plage appartenait à un peuple ou s'il ne s'agissait pas de quelques chasseurs qui, ayant trouvé cette baleine, s'étaient arrêtés pour dépecer l'animal. Mais il ne vit aucun ikyak, aucun signe d'abri temporaire.

Soudain un vieil homme s'avança en boitant vers le milieu de la plage. Ses épaules étaient voûtées et il marchait en s'aidant d'une canne. Ce n'était pas un chasseur. Peut-être un shaman vivant seul ? Avait-il appelé la baleine sur sa plage ? Kayugh avait entendu dire que certains shamans possédaient de tels pouvoirs. Si cet homme était l'un d'eux, il pouvait détruire Kayugh et ses amis d'un seul geste de sa canne, il pourrait blesser sans utiliser de lance ou de harpon, il pourrait même tuer sans couteau.

« Alors puis-je conduire mon peuple ici ? » se demanda Kayugh et il entendit une voix quelque part qui répondait : « Non. » C'était impossible. Pourquoi faire courir ce risque à tout le monde ? Mais s'il allait seul à terre maintenant, le shaman pourrait le tuer et Longues Dents et les autres arriveraient sur cette plage sans se douter de rien et s'ils venaient à terre, ils risquaient d'être tués, eux aussi.

Avec des mouvements lents, aisés, Kayugh dirigea son ikyak dans le creux d'une vague et y resta jusqu'à ce qu'il puisse ramener son embarcation derrière les falaises et s'éloigner du rivage.

*

Chagak s'agenouilla derrière le foyer. La baleine limitait son champ de vision. La peau noire et épaisse et la couche de graisse avaient été enlevées. Des mouettes se perchaient sur le haut de la carcasse arrachant des lambeaux de chair rouge, mais il n'y avait pas de petits garçons pour courir sur cette plage et les chasser avec de longs bâtons ou en leur lançant des pierres. Une partie du contenu de l'estomac de la baleine s'était déversée sur les galets et du sang tachait l'eau.

Chagak avait sorti tous les matelas d'herbe et les rideaux tissés de l'ulaq et les transformait en sacs de stockage. Shuganan coupait du petit bois et en faisait de gros tas afin d'entretenir le feu.

Durant la nuit ils prendraient un tour de garde pour surveiller les feux et remettre des pierres chaudes dans l'eau.

Demain, si la mer répondait aux désirs de Shuganan, ils dépouilleraient le reste de la baleine et détailleraient la viande pour la mettre à sécher.

Cette baleine avait été un merveilleux cadeau, mais Chagak ne put s'empêcher de penser à la célébration qui aurait eu lieu dans son village en pareille occasion, les danses, les chants, la joie de nombreux feux allumés tout le long de la plage. Et bien que Shuganan et elle se soient réjouis, c'était une joie tranquille, un chant de l'esprit. Qui pouvait dire ce qui était le mieux? Avec une certaine perversité, Chagak aurait voulu avoir les deux.

— Il y a une baleine échouée sur cette plage, dit Kayugh en approchant son ikyak de celui de Longues Dents.

Mais avant qu'il ait pu en dire davantage, Longues Dents annonça la nouvelle à Oiseau Gris et aux femmes. Kayugh immobilisa son ikyak et secoua la tête. Il essaya de dominer le tumulte des voix excitées et finalement, plaçant son ikyak près de celui des femmes, s'écria :

— Attendez ! Certes, il y a une baleine, mais il y a aussi un vieil homme.

— Un vieil homme ! ricana Oiseau Gris.

— Il est en train de dépecer la baleine. Il allume des feux pour faire fondre la graisse.

— Qu'importe ! dit Oiseau Gris, qu'est-ce qu'un vieil homme ? Nos femmes peuvent s'occuper de lui.

— Si la plage lui appartient, la baleine est à lui, répondit Kayugh. Peut-être nous laissera-t-il y rester — mais il y a le risque qu'il considère notre arrivée comme une menace.

— Il ne verra rien s'il est mort, déclara Oiseau Gris.

— Et si c'est un shaman ? demanda Longues Dents. Et si c'est lui qui a appelé la baleine sur sa plage ? Veux-tu te faire l'ennemi d'un tel homme ? Que te fera-t-il s'il est capable de tuer une baleine ?

Oiseau Gris ne répondit pas et se pencha sur son ikyak comme s'il voyait un petit accroc dans la coque.

— Laissez-moi y retourner seul, dit Kayugh. Établissez un camp près de cette baie et si je ne reviens pas, ne venez pas à ma recherche.

Se tournant vers Coquille Bleue, il ajouta :

— Ne t'inquiète pas pour mon fils. Si je meurs je l'emmènerai avec moi dans le monde des esprits.

A Nez Crochu il expliqua :

— J'ai donné Baie Rouge à Longues Dents. Désormais elle sera sa fille.

Nez Crocha acquiesça et prit l'enfant sur ses genoux.

Kayugh fit tourner son ikyak et s'éloigna lentement au milieu des vagues.

Il faisait presque nuit et Shuganan souffrait des bras et des jambes, mais c'était une bonne fatigue. Chagak avait transporté les matelas d'herbe et le berceau du bébé sur la plage. Ils installèrent un camp dans l'herbe au-dessus des marques de la marée, près du foyer. Le mouvement des vagues n'avait pu entraîner la baleine et la marée n'était pas montée au-delà des ailerons.

En utilisant un axe et un couteau, Shuganan détachait maintenant les os de la mâchoire. C'était un travail délicat et il se rendait compte qu'il ne pourrait découper toute la mâchoire avant le coucher du soleil.

« Si la mer nous accorde encore six ou sept jours, pensa-t-il, nous aurons assez de viande et de graisse pour deux hivers. »

Il semblait que ses bras étaient devenus plus forts en travaillant et il commençait à espérer que Chagak pourrait lui faire un chigadax avec la peau de la langue de la baleine. Il se mit à espérer qu'il allait pouvoir chasser à nouveau quand les jeunes phoques commenceraient à nager près de là. Il pourrait utiliser de nouveau son ikyak.

Lorsqu'il sentit une présence derrière lui, il pensa que Chagak était revenue l'aider et il dit :

— Apporte-moi une lampe.

Mais quand il se retourna, il vit qu'il ne s'était pas adressé à Chagak mais à un jeune homme. Shuganan faillit s'étrangler et resta immobile, son couteau à la main.

Les yeux du jeune homme se portèrent sur les armes, mais il s'approcha assez près de Shuganan pour pouvoir le toucher et il tendit ses deux mains, paumes en l'air.

— Je suis un ami, dit-il, je n'ai pas de couteau.

Pendant un moment, Shuganan ne bougea pas. « Je n'ai pas été assez rapide », pensa-t-il. « Je n'ai pas prévenu les Chasseurs de Baleines. » Puis il s'avisa que l'homme s'était exprimé dans la langue des Premiers Hommes et qu'il portait le parka en peau d'oiseau semblable à celui des chasseurs des Premiers Hommes.

— Je m'appelle Kayugh, dit l'homme. Je cherche une nouvelle plage pour m'y installer. Un raz de marée a détruit mon village.

Il était grand, bien bâti, avec des yeux ronds et le teint clair.

« On lit son âme dans ses yeux », pensa Shuganan qui cessa d'avoir peur.

— Y a-t-il d'autres personnes avec toi ? demanda-t-il en s'avançant, mais il ne vit pas d'ikyak dans la mer ou de gens sur la plage.

Le nouveau venu hésita en dévisageant Shuganan.

— Je suis seul, dit-il enfin.

Il fit une pause et son regard soutint celui du vieil homme comme si leurs esprits se comprenaient.

— Les autres ont campé pour la nuit plus à l'est. J'ai vu la baleine et j'ai remarqué ta présence. Je suis seulement venu te demander si nous pouvions passer quelques jours pour chercher des racines et des oursins.

— Combien êtes-vous ?

— Trois hommes, trois femmes, trois enfants.

Shuganan étudia encore ce visage ouvert. Il lui paraissait sympathique. C'était quelqu'un qu'il aurait choisi comme mari pour Chagak, mais qui pouvait dire ? Parfois le mal se cache sous d'étranges aspects. Peut-être était-il un esprit venu pour voler la baleine. Peut-être était-il un shaman qui avait entendu parler de ses sculptures. Peut-être aussi avait-il femmes et enfants, mais dans ce cas, pourquoi ne pas les avoir amenés avec lui ?

Shuganan eut envie de lui demander de partir, mais il se dit qu'après tout il était possible que ce soit un esprit bienveillant et que ce soit lui qui ait envoyé la baleine et qu'il veuille maintenant mettre Shuganan à l'épreuve pour savoir s'il était capable de partager.

— Tu peux venir pour la nuit, dit-il. Nous avons beaucoup de viande, comme tu peux le voir. Mange à ta faim et emportes-en une partie pour les tiens.

30

Chagak sortit Samig de son berceau et l'accrocha solidement à sa poitrine.

La lampe à huile de Shuganan ressemblait à une étoile sur la plage sombre et sous sa lumière elle était certaine de distinguer deux hommes. Elle se leva et attendit de reconnaître Shuganan. Il travaillait à nouveau sur la mâchoire de la baleine. Les gros os étaient presque séparés de la carcasse et, oui, il y avait bien un autre homme avec lui. Un esprit venu pour lui enlever Shuganan ? Ou Voit-Loin revenu avec son peuple ?

Chagak se demanda si elle devait s'enfuir.

Elle avait laissé son couteau près de l'autre feu et elle s'en voulait maintenant de son étourderie. Si elle retournait sur la plage, l'homme la verrait sûrement. Elle ramassa un morceau de bois qui traînait sur le sol. C'était mieux que rien.

L'homme semblait aider Shuganan. Voit-Loin l'aiderait-il ? Non, à moins d'espérer y gagner une femme pour la nuit, mais pourquoi travailler quand celui qui protégeait Chagak n'était qu'un vieil homme ? Pourquoi ne pas prendre ce qu'il voulait ? Comment Shuganan pourrait-il l'en empêcher ?

Et le bébé ? Certains hommes ne trouvaient aucun plaisir à la vue d'un enfant d'un autre homme.

Devait-elle laisser son fils à l'abri, le cacher sous un tas d'herbe ? Mais il risquait de pleurer... Mieux valait le garder sous son suk. Si elle devait se sauver, au moins il serait avec elle.

— Chagak !

Shuganan l'appelait. Sa voix était claire, sans frayeur. S'il y avait eu du danger, il ne l'aurait pas appelée. Elle laissa tomber son morceau de bois dérisoire et avant de réfléchir davantage, glissa le bébé sous son suk. Puis elle se dirigea vers l'autre feu, ramassa son couteau et revint lentement rejoindre les deux hommes. Elle garda la tête baissée et se croisa les bras sur la poitrine en s'efforçant de cacher la forme de l'enfant.

Shuganan vint au-devant d'elle et lui prit le bras pour l'entraîner près de la baleine. L'homme les attendait, ses mains, salies par le sang de la baleine, tendues dans un geste de salutations.

Ce n'était pas Voit-Loin, constata Chagak avec soulagement. Ni aucun des marchands qui venaient parfois au village de son peuple.

— Ma petite-fille, dit Shuganan en s'exprimant dans la langue des Premiers Hommes.

Le nouveau venu était grand. Chagak eut l'impression d'être une enfant près de lui. Sa tête atteignait à peine son épaule.

— Kayugh, présenta Shuganan en la regardant comme s'il l'invitait à parler.

Elle répéta le nom en levant les yeux.

C'était un beau nom. Un nom qui parlait de force. L'homme avait un visage large, carré et des yeux qui rappelèrent à Chagak ceux de son propre père, des yeux habitués à scruter la mer. Il lui sourit, mais elle vit de la tristesse dans ce sourire, quelque chose qui la poussa à se demander pourquoi il était seul.

— Nous avons besoin d'aide pour détacher les os de la mâchoire, dit Shuganan.

Elle aurait préféré qu'il ne lui demande pas son assistance. Elle ne pouvait pas courir le risque de blesser le bébé et maintenant elle allait être obligée de le laisser voir. Elle regarda Shuganan :

— J'ai le bébé, dit-elle. Laisse-moi le mettre dans son berceau.

Elle lut soudain une sorte d'espoir dans les yeux de Kayugh et un frisson de crainte la secoua. Mais Shuganan semblait ne ressentir aucune frayeur tandis qu'il expliquait à Kayugh :

— Mon petit-fils.

Chagak retourna au camp qu'ils avaient dressé près des feux de la plage. Elle sentait le regard du nouveau venu sur elle.

« Il va te demander de passer la nuit avec lui », chuchota la voix de la loutre, mais Chagak refusa de l'entendre et elle chassa de sa mémoire tous les souvenirs de la nuit qu'elle avait passée avec Homme-Qui-Tue, la douleur d'un homme prenant une femme de force.

Elle déposa le bébé dans son berceau, prenant soin de placer son visage à l'abri du vent et retourna vers les hommes. Ils avaient détaché les mâchoires du haut de la tête et les retiraient de la carcasse. Elle et Shuganan saisirent l'os qui formait la moitié gauche de la mâchoire inférieure de la baleine. Ils le tirèrent ensemble sur les galets, Chagak ajustant ses pas à ceux de Shuganan. Kayugh tira la mâchoire droite tout seul et la porta presque jusqu'à l'ulaq alors que Shuganan et Chagak étaient encore à mi-chemin.

L'os était glissant et portait encore des lambeaux de chair et les mains de Chagak n'étaient pas assez fortes pour le tenir plus de quelques pas. Finalement elle porta l'os courbé contre sa poitrine afin de s'aider des muscles de ses épaules. Elle regarda Shuganan et vit qu'il avait fait la même chose. Mais soudain Kayugh se mit entre eux et tira si fort que la plus grande partie du poids parut soulevée.

Quand ils atteignirent le haut des dunes, ils lâchèrent l'os. Chagak cueillit une poignée d'herbe et essuya ses mains et le devant de son suk.

— Viens, dit Shuganan à Kayugh, Chagak va surveiller les feux pendant un moment. Tu es le bienvenu dans mon ulaq.

La jeune femme retourna près des feux. Elle était soulagée de se retrouver seule, heureuse d'avoir une excuse pour rester sur la plage, mais elle aurait aussi voulu être là pour entendre ce que Kayugh avait à dire. Pourquoi était-il là?

Elle s'agenouilla près du berceau de Samig. Le bébé était endormi aussi elle préféra ne pas le lever. Shuganan avait fabriqué son berceau avec du bois sec. Une peau de phoque en fourrure couvrait l'enveloppe tissée doublant le châssis en bois que Chagak avait décoré avec des plumes de macareux et des disques d'écaille détaché de coquillages. Dans l'un des coins, près de la gravure du phoque, Shuganan avait suspendu une petite sculpture représentant une baleine.

Ce n'était pas l'animal que Chagak aurait choisi mais il lui avait expliqué que c'était un signe qui ferait croire aux Chasseurs de Baleines que l'enfant était doublement de leur sang : petit-fils de la femme de Shuganan, et petit-fils de Nombreuses Baleines. Maintenant Chagak se demandait si ce n'était pas cette sculpture qui avait attiré la baleine sur leur plage.

Elle ajouta du bois dans le feu en se rapprochant de cette clarté qui semblait éloigner les esprits et naissait avec l'obscurité. Le ciel gardait les couleurs du soleil; des lueurs rouges et roses éclairaient le lointain horizon. Chagak se souvint que la plage de son peuple était orientée de la même façon, les collines entourant le village cachaient les couleurs du soleil durant les courtes nuits d'été. Mais ici, si elle marchait jusqu'à l'extrémité de la baie, il n'y aurait rien entre elle et le soleil à l'exception de la mer.

Elle prit ses pinces en bois, faites de roseaux verts tressés et retira une pierre du feu. Elle la souleva pour la mettre dans la marmite en avançant lentement afin que si elle laissait tomber la pierre en faisant un faux pas, elle ne risque pas de marcher dessus.

Elle lâcha la pierre dans la marmite. L'huile et l'eau frissonnèrent et firent quelques bulles. Si les feux brûlaient toute la nuit, il y aurait une épaisse couche d'huile à la surface de chaque marmite le matin. Chagak l'enlèverait et la verserait dans un panier pour la faire refroidir.

Ceci fait, tout morceau de sable ou miette de viande

pouvant faire rancir l'huile tomberait au fond. Chagak écumerait le dessus et le placerait dans un estomac de phoque pour servir de graisse pour les boyaux, et même pour imperméabiliser les coutures des iks et des ikian.

Chagak revenait vers le feu quand elle vit une ombre se profiler dans l'obscurité près de l'ulaq. Sa première pensée fut qu'il s'agissait d'esprits de la nuit et elle fit appel à voix basse à l'esprit de la loutre et saisit dans sa main l'amulette du shaman, mais au même moment Kayugh apparut dans la lumière.

Elle éprouva un instant de soulagement, vite remplacé par la soudaine frayeur que Shuganan l'ait autorisé à passer la nuit avec elle. Muette de terreur, elle ne put proférer un seul mot.

Elle tenait les pinces entre eux comme si c'était une protection. Il ne fit aucun geste mais s'accroupit devant le feu en regardant les flammes. Chagak jeta une autre pierre chaude dans la marmite.

Quand elle revint près du feu, Kayugh se leva. Un brusque tremblement agita les mains de Chagak et elle se retourna en prétendant s'occuper de Samig.

— Tu as un fils, dit Kayugh en s'approchant pour écarter les couvertures. C'est un bel enfant, sain et gras.

— Un jour il sera chasseur, affirma Chagak, ce qui était la réponse habituelle d'une mère recevant ce genre de compliment.

— Où est ton mari ?

— Il est mort, répondit Chagak d'un ton abrupt.

Avec Shuganan ils avaient décidé de raconter la même histoire aux Chasseurs de Baleines. Elle espérait que c'était ce qu'il avait dit à cet homme.

— Je suis navré de l'apprendre.

— Son nom était Traqueur de Phoques. C'était un homme courageux, dit Chagak qui fut surprise de sentir des larmes lui monter aux yeux, mais il semblait que ses paroles faisaient de Traqueur de Phoques le véritable père de Samig.

Kayugh caressa la tête de l'enfant, sa main s'attardant sur sa fontanelle.

— Tu dois être fière de ton fils, dit-il en levant les yeux pour rencontrer le regard de la jeune femme.

— Oui, murmura-t-elle en baissant les yeux, la frayeur la saisissant de nouveau à la gorge.

— J'ai dit à ton grand-père que j'allais surveiller les feux afin que tu puisses te reposer.

Chagak le regarda avec surprise. Shuganan l'avait aidée à dépecer la baleine car la mer aurait pu entraîner l'animal. S'il y avait eu une autre femme, Shuganan ne l'aurait aidée que dans le dépouillement et le découpage des gros os. Pourquoi ce chasseur offrait-il son aide ?

Mais la loutre parut lui murmurer à l'oreille :

« Peut-être en veut-il une partie pour l'emporter dans son village. »

— Tu devrais dormir, dit Chagak. Tu as navigué dans ton ikyak toute la journée. Shuganan viendra prendre ma place.

— C'est un vieil homme. Il a besoin de plus de sommeil que toi ou moi.

— Je vais dormir un moment, puis je reviendrai, décida-t-elle.

Elle resta debout tandis que l'homme se servait des pinces pour ajouter une pierre brûlante dans la marmite. Puis elle se baissa pour prendre son bébé et se diriger vers l'ulaq.

— Il m'a proposé de venir dormir, dit Chagak à Shuganan, en suspendant le berceau de l'enfant à une poutre au-dessus de sa couche.

Puis elle revint au centre de l'ulaq et s'installa près du vieil homme.

— Aurais-je dû rester avec lui ?

— Non, dit Shuganan. Il voulait que je te parle.

Chagak avait été surprise de voir le vieil homme encore éveillé en entrant dans l'ulaq, mais maintenant elle joignit ses mains avec appréhension en demandant :

— Il veut partager ma couche ?

Shuganan se mit à rire.

— Quel homme ne le désirerait ? Mais non, ce n'est pas ce qu'il m'a demandé. Il m'a parlé seulement de ton fils et de ton mari.

— Il m'a également posé des questions à ce sujet. Je lui ai répondu ce que nous avons décidé de dire aux Chasseurs de Baleines.

— Tu as bien fait.

— Que voulait-il, alors ?

Mais en posant la question, elle se souvint tout à coup de sa gentillesse avec Samig, du désir ardent qui s'était reflété dans ses yeux en regardant l'enfant et une autre peur la fit réagir :

— Il ne veut pas Samig, au moins ? demanda-t-elle d'une voix tremblante.

— Tu t'inquiètes beaucoup trop, dit Shuganan sur un ton de reproche.

Chagak serra les lèvres et sentit des larmes lui monter aux yeux.

— Son village a été presque entièrement détruit par la mer. Un raz de marée. Il est le chef d'un petit groupe de survivants, deux autres hommes, trois femmes, quelques enfants. Ils voudraient venir sur cette plage pour y rester avec nous.

— Veulent-ils construire un village et réclamer cette terre comme la leur ?

— Seulement avec notre permission. Autrement ils partiront dans quelques jours, quand les femmes auront eu le temps de faire sécher du poisson et de ramasser des racines.

— Leur as-tu dit qu'ils pouvaient rester ?

— Juste quelques jours. Si ce sont des gens convenables, ils pourront rester. Sinon, ils devront partir.

— Qui les obligera à partir ? demanda Chagak. Il ne serait pas difficile pour trois hommes de nous tuer et de garder la plage.

— Et qu'est-ce qui les empêcherait de faire cela maintenant ? Kayugh va retourner vers les siens. Il leur dira où nous sommes. Il vaut mieux pour nous bien les accueillir. De plus, nous allons bientôt partir pour le village des Chasseurs de Baleines. Qui sait si nous reviendrons ?

Chagak arracha une poignée d'herbe du sol de l'ulaq et l'éparpilla entre ses doigts.

— S'il y a trois hommes et trois femmes, Kayugh doit avoir une épouse, dit-elle.

— Il a parlé d'une épouse.

Cette pensée soulagea Chagak, mais elle savait que beaucoup d'hommes étaient assez forts pour subvenir aux besoins de plus d'une épouse.

— Nous aurions dû lui raconter que j'étais ta femme, dit-elle.

— Pourquoi ? Peut-être que lui ou un de ses hommes désirera t'avoir pour femme. Tu as besoin d'un bon mari.

Chagak secoua la tête.

— Non, dit-elle en se levant, je vous ai toi et Samig. Je n'ai pas besoin d'un mari. Je ne veux pas d'un mari.

Elle s'exprimait à haute voix et avec colère. Samig se mit à pleurer. Son vagissement semblait tomber du haut des poutres.

— Si Kayugh demande à m'avoir pour femme, dis-lui non, déclara-t-elle avant d'aller se coucher.

31

Kayugh dirigea son ikyak à travers les rochers qui protégeaient la petite baie choisie par les siens.

Ce n'était pas un bon endroit pour y construire un village. De gros blocs de pierre se dressaient dans l'eau, obstruant la vue de la mer. La plage était elle-même encombrée de rochers. En revanche, elle se prêtait aisément à un camp car il y avait une falaise protégeant du vent et un ruisseau d'eau fraîche.

Des ombellifères comestibles de diverses variétés, telles la libèche ou l'ache, poussaient entre les rochers. Des ugyuuns aux longues tiges cannelées, plus hautes que des hommes, avaient été dépouillées de leurs grandes feuilles blanches et noires et Kayugh comprit que les femmes les avaient cueillies. Bien des fois il avait vu Jambe Rouge faire griller les feuilles d'ugyuun sur des roseaux verts au-dessus du feu, jusqu'à ce que les feuilles soient assez sèches pour les émietter et en faire une poudre servant à relever le goût de la viande séchée.

Kayugh avait passé une nuit et une matinée avec Shuganan et Chagak et, bien que le vieil homme l'ait incité à rester encore une nuit, Kayugh avait craint que Longues Dents et Oiseau Gris ne pensent qu'il lui soit arrivé quelque chose de fâcheux s'il restait plus longtemps.

Et puis, toujours au fond de son esprit, le rendant parfois aveugle à ce qu'il aurait dû voir en tant que chasseur à bord de son ikyak — le changement des vents, la position des nuages, la couleur de la mer — revenait la pensée de son fils. L'enfant était-il encore en vie ? Nez Crochu avait-elle réussi à lui faire avaler du bouillon depuis leur arrivée sur la plage ?

A présent, même si Coquille Bleue ne mettait pas son enfant au monde rapidement, il restait l'espoir de confier son fils à Chagak.

Kayugh détacha le panneau en peau recouvrant son ikyak et avec une dernière poussée de sa pagaie se laissa porter par une vague pour atteindre le rivage. Il sauta lentement hors de son embarcation qu'il saisit à deux mains pour la soustraire au reflux.

— Kayugh ! cria la voix d'Oiseau Gris.

Kayugh se rembrunit. Oiseau Gris était toujours pressé d'apporter de mauvaises nouvelles. Peut-être Amgigh était-il mort.

Kayugh détacha ses armes et ses provisions du fond de l'ikyak et les posa sur la plage.

Oiseau Gris vint s'asseoir à côté de lui.

— As-tu retrouvé cette île ? demanda-t-il.

— Oui, dit Kayugh en retirant son chidagax pour le poser sur l'ikyak afin de l'inspecter et de voir s'il n'y avait pas d'accroc.

— La baleine était-elle toujours là ainsi que le vieil homme ?

— Oui, répondit encore Kayugh.

— L'as-tu tué ?

— Pourquoi l'aurais-je fait ? Il m'a laissé me reposer dans son ulaq. Il m'a donné un morceau de baleine pour vous le rapporter.

— Est-il seul sur cette plage ?

N'ayant pas trouvé d'accroc au chidagax, il le posa sur le reste des provisions. Il le graisserait plus tard, il n'y avait pas de trace d'humidité dans les coutures qui pouvait le faire moisir. Il se pencha sur l'ikyak pour vérifier les coutures des peaux de lion de mer. Les questions d'Oiseau Gris commençaient à l'agacer et, pour une raison inconnue, il répugnait à l'idée de lui parler de Chagak.

— Ce vieil homme est un shaman, dit-il sèchement, puis il demanda : mon fils est-il encore en vie ?

Oiseau Gris haussa les épaules.

— Les femmes n'ont pas encore entonné de chants de morts.

— Et Coquille Bleue, t'a-t-elle donné un fils ?

— Pas encore.

Bonne et mauvaise nouvelle, pensa Kayugh, mais il se sentit libéré d'une certaine tension. Il retourna l'ikyak pour inspecter la coque. Il ne trouva aucune déchirure et prit un morceau de graisse de sa réserve pour en couvrir les coutures.

— Où est Longues Dents ? demanda-t-il.

— Nous avons trouvé une cave, un peu plus loin dans les collines. Les femmes y ont installé un abri. Longues Dents et moi avons pris un tour de garde pour surveiller la mer en attendant ton retour et afin que tu ne penses pas que nous étions partis.

Kayugh avait terminé le graissage de son ikyak. Il ramassa son harpon, son chidagax et l'estomac de phoque contenant la viande de baleine et plaça le tout sur ses épaules en disant :

— Conduis-moi à cette cave. Je vous raconterai ce que j'ai trouvé et nous déciderons ce que nous devons faire.

— J'espère qu'il ne reviendra pas, dit Chagak.

— Il n'est pas bon pour nous d'être seuls, répondit Shuganan. Que ferais-tu s'il m'arrivait quelque chose ? Tu ne pourrais chasser et en même temps t'occuper de Samig.

Chagak entoura le bébé de ses bras et se mit à se balancer. Ses mouvements éveillèrent l'enfant et aussitôt il se mit à téter.

— Ce sont des gens de la même tribu que la tienne, reprit Shuganan. Ils parlent la même langue.

— Bien sûr, soupira Chagak.

Elle s'efforça de se souvenir des nombreuses joies qu'elle avait connues en vivant au village de son peuple et essaya de se dire que ce ne serait pas différent, mais un esprit malin sembla lui apporter des doutes. S'attendraient-ils à vivre dans l'ulaq de Shuganan ? Les femmes lui diraient-elles ce qu'elle devait faire ? Chagak était devenue une femme maintenant, avec un bébé à elle. Mais elles étaient trois et elle était seule.

— Quels sont tes projets pour les Chasseurs de Baleines ? demanda-t-elle.

— Nous devons aller les voir. Nous parlerons à Kayugh des dangers qui l'attendent ici. Ce sera alors à lui de décider s'il doit rester ou partir.

— Dans ce cas, ils s'en iront peut-être.

Mais Shuganan s'entêta :

— Peut-être choisiront-ils de venir avec nous chez les Chasseurs de Baleines.

— Ils ne sont que trois, expliqua Kayugh. Le vieil homme et sa petite-fille, elle a un fils.

Ils étaient assis en cercle devant la caverne. Un feu brûlait au centre et les enfants étaient assis avec les adultes, même le bébé de Kayugh. Ses mains et son visage étaient froids quand il les toucha, bien que Coquille Bleue les eût enveloppés dans une fourrure.

Il faisait encore jour mais avec l'ombre de la caverne et les craquements du feu, on se serait cru en pleine nuit, ou peut-être par une sombre soirée d'hiver, moment opportun pour raconter des histoires.

— Nous pouvons tuer le vieil homme et l'un de nous prendra sa femme comme épouse, dit Oiseau Gris.

— Pourquoi tuerions-nous ce vieil homme ? rétorqua Longues Dents en crachant par terre. Tu es bien fou, Oiseau Gris.

Kayugh regarda les deux hommes. Oiseau Gris serrait les poings en pinçant les lèvres avec une expression méprisante, tandis que l'autre l'ignorait et se concentrait sur Kayugh.

— Nous ne sommes pas des tueurs, dit-il.

Il rencontra le regard de Longues Dents semblant lui dire qu'il était d'accord avec lui et il reprit avec plus de confiance :

— Si ce vieil homme n'avait pas voulu de nous sur son île, nous n'y serions pas allés, mais il nous y invite. C'est un shaman, j'en suis sûr et il a de grands pouvoirs. Je vous ai parlé de la baleine, mais laissez-moi vous parler de son ulaq.

— Que nous importe son ulaq, coupa Oiseau Gris.

— Il y a trois ulas, continua Kayugh. Deux sont fermés comme des ulas des morts, l'autre, plus petit, est celui dans lequel vit le vieil homme. A l'intérieur les murs ont été garnis d'étagères sur lesquelles se trouvent de petites représentations d'hommes et d'animaux, toutes gravées ou sculptées avec des yeux, une bouche et des détails d'habillement comme des plumes ou de la fourrure.

« D'abord j'ai cru que ce vieil homme était un esprit, et qu'il avait fabriqué ces statuettes pour attirer les animaux sur sa plage, mais pendant que nous étions assis et bavardions il a travaillé tout le temps avec un couteau, gravant et sculptant un morceau d'ivoire jusqu'à ce qu'il commence à ressembler à une baleine. Il me l'a donné.

Kayugh tira la sculpture de son parka. Il avait vu Shuganan faire un trou dans l'ivoire et y insérer une cordelette afin que Kayugh pût porter la figurine comme une amulette autour du cou.

Pour percer ce trou, Shuganan avait utilisé un morceau d'obsidienne taillé en pointe à une extrémité. Il avait placé un petit bol d'huile sur ses genoux et y avait plongé la sculpture en la tenant fermement d'une main tandis que de l'autre il tournait la pointe de l'obsidienne, pressant, tournant, pressant, tournant, pressant, tournant.

— L'huile renforce l'ivoire, a-t-il expliqué, sans elle l'ivoire s'écaillerait et parfois pourrait même éclater et alors l'esprit de la sculpture s'échapperait.

Kayugh se pencha en tenant la figurine dans sa main. Elle n'était pas plus longue que son petit doigt, et sa blancheur brillait à la lueur du feu.

Les femmes portèrent leurs mains devant leurs bouches

et Longues Dents lui-même siffla doucement. Oiseau Gris se pencha en avant mais ne toucha pas l'objet.

— Ce vieil homme avait-il vraiment une baleine sur sa plage ? demanda Longues Dents.

— Oui, une grosse baleine.

Longues Dents secoua la tête.

— Peut-être l'a-t-il attirée avec une sculpture ?

— Je l'ignore, dit Kayugh, mais il y avait plusieurs sculptures de baleine dans son ulaq et une autre au-dessus du berceau du bébé.

Nez Crochu changea de position et s'approcha du feu. Kayugh savait que c'était le signe qu'elle voulait parler. Habituellement les femmes ne prenaient pas la parole au cours des réunions du village. Mais Nez Crochu posait toujours des questions avisées et répondait avec une même sagesse. Les hommes étaient habituellement disposés à l'écouter.

— La femme est-elle sa petite-fille ou son épouse ? demanda-t-elle.

— Sa petite-fille. Il m'a dit que son mari était mort. Elle est très jeune et parle la même langue que nous. Son grand-père est très âgé et j'ai eu l'impression qu'il n'avait pas toujours parlé notre langue.

— Nous devrions tuer ce vieil homme, répéta Oiseau Gris. Cela nous ferait plus de femmes et plus d'enfants.

— Nous ne pourrions le tuer même si nous le voulions, protesta Longues Dents. Ses sculptures le protègent.

Oiseau Gris haussa les épaules d'un air dubitatif :

— J'ai connu d'autres hommes qui sculptaient. Quel grand pouvoir y a-t-il là-dedans ? J'ai moi-même gravé des silhouettes de phoque sur la lance de mon harpon.

— Oui, dit Nez Crochu, mais nous savons tous que cela ne t'a pas aidé dans ta chasse.

Oiseau Gris sauta sur ses pieds et se pencha sur l'impertinente, mais Longues Dents, assis entre eux, s'interposa et obligea Oiseau Gris à se rasseoir. Puis, se tournant vers sa femme, il ordonna :

— Nez Crochu, reste tranquille.

Anxieux de savoir pour quelle raison Nez Crochu s'intéressait à Chagak, Kayugh demanda :

— Pourquoi voulais-tu savoir si cette femme était son épouse ou sa petite-fille?

Nez Crochu sourit :

— Si elle est vraiment sa petite-fille, comme te l'a dit le vieil homme, avec un fils à élever, peut-être nous accueillera-t-il bien parce qu'elle a besoin d'un mari. Mais si elle est son épouse et qu'il nous a menti, ou bien il tend un piège pour nous attirer là et nous tuer ou bien il n'a aucun pouvoir et il a peur que toi et les autres hommes le tuent et prennent sa femme.

— Et quel bien tirerons-nous de tout cela? demanda Oiseau Gris. Nous ne savons pas si elle est ou non son épouse. Si le vieil homme est un esprit, il nous tuera. S'il est seulement vieux et effrayé, sa place est probablement remplie de mauvais esprits qui sont venus le tourmenter. Qu'adviendra-t-il si ces esprits sont là quand nous arriverons? Comment protégerons-nous nos femmes et nos enfants?

— C'est une bonne plage, dit Kayugh. Les falaises l'abritent de la mer et il y a de nombreuses flaques d'eau laissées par la marée pour les oursins. Il y a également un ruisseau d'eau fraîche et des nids d'oiseaux dans les falaises. De l'herbe pousse sur les dunes de la plage.

Kayugh fit une pause et le cri aigu de son fils troua le silence. Coquille Bleue plongea ses doigts dans un pot de bouillon gras et en fit tomber quelques gouttes dans la bouche du bébé. Kayugh baissa les yeux et se détourna. Il avait agi cruellement en prolongeant la vie de son fils. Le bébé serait mort maintenant s'il l'avait laissé avec Blanche Rivière et ensemble ils auraient trouvé le chemin des Lumières Dansantes.

— Tu as bien dit que la femme avait un gros bébé? demanda Oiseau Gris.

Kayugh vit l'expression malicieuse dans le regard de l'homme et ne répondit pas.

— Tu veux que nous risquions notre vie afin que ton fils ait une chance de vivre. Même si la femme accepte de le nourrir, il ne vivra pas. Regarde-le, il est déjà mort. Un esprit vit en lui qui n'est pas le sien. Tu entends seulement le cri d'une mouette ou d'un macareux. C'est un leurre.

Oiseau Gris désigna le pendentif représentant la baleine que Kayugh tenait encore dans sa main.

— Comment savons-nous que le vieil homme n'a pas sculpté cette baleine pour l'envoyer ici avec de mauvais esprits pour nous conduire dans un piège ? Tu nous sacrifierais tous pour un enfant qui devait être mort depuis longtemps.

Oiseau Gris se leva :

— Nous ne devons pas partir, grogna-t-il.

Et il s'éloigna du feu. Mais Longues Dents dit à Kayugh :

— Si tu décides d'y aller, moi et mes femmes nous irons avec toi.

Kayugh rencontra le regard de Longues Dents et y lut la sagesse et la force. Oiseau Gris se tenait immobile, le dos au feu. Personne ne le forcerait à les accompagner et peut-être même serait-ce un soulagement pour eux, mais Kayugh doutait qu'Oiseau Gris eût le courage de rester seul. Il regarda son fils. L'enfant suçait toujours les doigts de Coquille Bleue.

« Je dois décider sans le prendre en considération », pensa-t-il, aussi dit-il à son esprit : « Amgigh est mort. Même le lait de Chagak ne pourrait le sauver. » Et dans son esprit Kayugh vit son fils mort, avec la petite pile de pierres qui le recouvrirait et se vit lui-même pagayant vers la haute mer. Alors, glissant au fond de son ikyak, il sentit les vagues recouvrir sa tête. Tous deux allaient mourir et ensemble leurs esprits retrouveraient celui de Blanche Rivière pour gagner les Lumières Dansantes.

Puis, lui-même étant mort, il vit Longues Dents se battre pour tous les autres avec Oiseau Gris qui était plus une charge qu'une aide.

« Je ne peux pas mourir », pensa Kayugh. « Je ne peux quitter les miens. Blanche Rivière viendra chercher notre fils. C'était une bonne mère. Pourquoi m'inquiéter et imaginer qu'elle permettrait à l'esprit d'Amgigh de s'égarer dans le monde des morts ? »

Aussi à nouveau, Kayugh dit à son esprit : « Amgigh est

mort. Si nous allons sur la plage de Shuganan, cela ne fera aucune différence pour mon fils. La décision à prendre doit être celle qui sera la meilleure pour nous tous. »

Dans son souvenir Kayugh revit la bonté qui brillait dans les yeux de Shuganan, le pouvoir de ses sculptures, la force qu'il y avait en Chagak. Quelle raison y avait-il de craindre quelque chose ?

Il releva la tête et s'adressa au visage expressif de Longues Dents et au dos tourné d'Oiseau Gris :

— Nous allons y aller.

32

Shuganan était assis en haut de l'ulaq et regardait la plage. Chaque matin, en se réveillant, son estomac se serrait jusqu'à ce qu'il ait vu que la carcasse de la baleine était toujours là et que les vagues ne l'avaient pas enlevée. Et chaque nuit il se réjouissait. Il y avait davantage de viande en réserve, davantage d'huile enlevée.

La baleine était toujours là, réduite à son squelette, aux os et au sang.

Shuganan redressa les épaules et appela Chagak. La nuit précédente ils avaient recouvert les deux feux car ils avaient davantage besoin de sommeil que d'huile.

Aujourd'hui Chagak trierait les os, faisant bouillir les plus gros pour en tirer de l'huile et gardant les plus petits pour assaisonner les ragoûts.

Chagak sortit de l'ulaq, son suk gonflé par le bébé qu'elle tenait contre elle.

— La baleine est-elle toujours là ? demanda-t-elle en se tournant pour regarder.

— Oui.

Elle n'ajouta rien mais se pencha pour serrer le bras de Shuganan et sauter de l'ulaq pour aller sur la plage.

Shuganan la regarda attiser les braises, ajouter de l'herbe sèche et du bois mort ; bientôt les flammes se mirent à brûler. Mais il gardait surtout ses yeux fixés sur la mer, dans l'attente du retour de Kayugh ramenant les siens avec lui.

Kayugh enfonça sa pagaie dans l'eau et son ikyak devança celui d'Oiseau Gris. Il étudia la falaise sur la droite. Oui, c'était bien la haute falaise à l'est de la plage de Shuganan.

— C'est là, cria-t-il en agitant sa pagaie au-dessus de sa tête, puis il fit tourner son ikyak dans la baie.

Il vit Shuganan se presser sur la plage et il vit la carcasse de la baleine, réduite aux seuls os. Entre l'arc des côtes, des mouettes piaillaient et se battaient pour des restants de viande.

Kayugh manœuvra pour glisser son ikyak entre les rochers qui parsemaient le rivage et en approchant de la plage, il détacha le rabat qui le recouvrait, sauta dans l'eau jaunâtre et tira son ikyak à terre.

Shuganan l'attendait et le salua avec les paumes de ses mains levées. Puis Longues Dents se présenta. Lui aussi salua Shuganan et tous deux aidèrent Oiseau Gris ainsi que les femmes et les enfants à descendre de leur ik.

Chagak se tenait près des feux et Kayugh souhaita pouvoir prendre son fils des bras de Coquille Bleue pour le lui porter et lui demander de le nourrir. Chaque jour, en voyant le bébé plus près de la mort, Kayugh sentait ses forces l'abandonner comme si les déficiences de l'enfant le transformaient lui-même en vieil homme.

« Tout cela à cause de mon égoïsme », pensa-t-il en regardant Chagak travailler. Mais quand il avait décidé de conserver l'enfant, c'était parce qu'il avait jugé insupportable d'ajouter ce chagrin à la mort de deux épouses et de tous ceux qui avaient péri et appartenaient à son peuple. Sa douleur était encore si intense qu'il se demandait parfois si quelque chose à l'intérieur de lui n'était pas brisé et saignait rendant ainsi ses bras et ses jambes si lourds, forçant son estomac à refuser toute nourriture.

Mais avec cette longue attente, l'espoir devenait pire et

sa peine était encore augmentée par un esprit qui lui soufflait : « Il va mieux. Ne vois-tu pas qu'il est un peu moins maigre ? Ne vois-tu pas qu'il ouvre davantage les yeux et que ses cris sont plus forts ? » Aussi Kayugh ne pouvait se fier à son propre jugement et ne comprenait la vérité qu'en lisant le chagrin dans les yeux de Nez Crochu et la peur dans ceux de Coquille Bleue.

Plongé dans ses pensées, Kayugh ne vit pas Oiseau Gris se dresser près de lui et sursauta quand il lui susurra :

— Tu ne nous avais pas dit qu'elle était belle.

— Cela aurait-il rendu ta décision de venir plus facile ? demanda Kayugh.

— Je croyais que tu n'étais venu ici que pour sauver ton fils.

— J'ai décidé de venir ici parce que c'est une bonne plage.

— Alors, tu ne te soucies pas si je décide de prendre une seconde femme ? demanda Oiseau Gris.

La colère envahit Kayugh et il serra les poings.

— Qui chassera pour la nourrir ? demanda-t-il sur un ton méprisant qui blessa Oiseau Gris comme un coup de couteau.

Mais avant qu'Oiseau Gris ait eu le temps de répondre, Shuganan se trouva soudain entre eux.

Le vieil homme avait redressé les épaules et ses yeux étaient brillants comme des charbons ardents :

— Je vous offre l'hospitalité de mon ulaq et de ma plage et vous vous battez déjà pour ma petite-fille.

— Elle a besoin d'un mari, dit Oiseau Gris.

— C'est moi qui déciderai si elle a besoin d'un mari, répliqua Shuganan d'une voix assez forte pour être entendue de tout le monde, y compris des femmes et des enfants qui déchargeaient l'ik.

Kayugh attendit une réponse d'Oiseau Gris, mais il ne dit rien et finalement Longues Dents s'approcha et indiqua l'ik à Oiseau Gris :

— Ta femme a besoin de ton aide.

Oiseau Gris s'éloigna lentement.

— Personne ne prendra ta petite-fille pour femme à moins qu'elle et toi consentiez au mariage, dit Kayugh. Et si tu le souhaites, nous partirons.

Mais avant que Shuganan ait pu répondre, Longues Dents ajouta :

— Kayugh semble peu s'excuser pour la grossièreté d'Oiseau Gris, mais il en fait plus que tu ne penses.

Kayugh frappa l'épaule de son ami :

— Les problèmes d'un homme lui appartiennent, dit-il calmement.

Mais Longues Dents insista :

— Quand nous serons vieux, notre peuple aura besoin de jeunes chasseurs.

— Coquille Bleue porte peut-être un fils, dit Kayugh.

Longues Dents sourit :

— Peut-être, mais il est possible aussi qu'il chasse comme son père.

— Oiseau Gris chasse quand même.

— Je n'aime pas la viande des petits rongeurs.

Se tournant vers Shuganan, Longues Dents déclara :

— L'épouse de Kayugh est morte en couches et son fils n'a pas de femme pour le soigner. Nous demandons seulement à ta petite-fille de bien vouloir partager son lait et non d'être une épouse.

— C'est une décision qu'elle seule peut prendre, dit Shuganan. Mais quand vous aurez terminé de décharger vos embarcations, venez dans mon ulaq, je le lui demanderai.

Chagak souleva une autre pierre brûlante avec ses pinces en bambou et la fit tomber dans la marmite. Elle essayait de travailler comme si personne d'autre n'était sur la plage et qu'elle ne voyait pas Shuganan avec les hommes et les femmes du village de Kayugh.

Mais maintenant, sous la conduite de Shuganan, ils passèrent devant elle pour se diriger vers l'ulaq, les hommes tenaient leurs harpons et leurs lances, les femmes étaient chargées par des paquets de viande, des tapis d'herbe.

Il y avait deux enfants, un petit garçon d'environ huit étés tenant un sac en peau de phoque sur son épaule et une petite fille n'ayant pas plus de trois étés tirant un tapis d'herbe.

Selon la coutume de politesse, les adultes ne regardèrent pas Chagak, mais le petit garçon la dévisagea en passant et se pencha pour regarder la marmite.

La petite fille leva la main et désigna Chagak avec son index tendu. Elle s'arrêta et parut sur le point de parler, mais elle mit son doigt dans sa bouche et courut pour rejoindre les autres.

Chagak resta debout pour surveiller ces gens qui entraient dans l'ulaq. Elle aurait souhaité être présente pour leur dire où mettre leurs affaires et s'assurer que les provisions soient mises de côté, mais elle continua son travail.

Elle utilisa un bâton pointu en bambou vert pour tirer les derniers morceaux de carcasse restant et les empila sur une peau pour refroidir. Plus tard elle les couperait en petits bouts afin de servir d'hameçon pour pêcher.

Elle retirait le dernier morceau quand elle vit Shuganan descendre de l'ulaq en compagnie de Kayugh et des deux autres hommes. Chagak baissa la tête afin de ne pas se faire remarquer et s'absorba tellement dans sa besogne qu'elle sursauta en entendant Shuganan parler à ses côtés.

— Voici ma petite-fille, Chagak, dit-il aux autres hommes, et se tournant vers elle, il ajouta : tu connais déjà Kayugh. Ces hommes font partie de son village : voici Longues Dents et Oiseau Gris.

Chagak s'essuya les mains sur son suk et se leva.

Longues Dents était grand et ses bras paraissaient aussi longs que son parka. Il avait le teint foncé avec des traits accusés et des cheveux ébouriffés. Il lui sourit en montrant une rangée de longues dents blanches proéminentes que l'on apercevait entre ses lèvres même lorsqu'il tenait la bouche fermée, mais il y avait une bonté dans son sourire qui mit la jeune femme à l'aise.

L'autre homme, Oiseau Gris, ne sourit pas. Ses lèvres s'aplatissaient sur ses dents comme une loutre en colère, une barbe hirsute ornait son menton et des poils à peine plus gros que des moustaches de phoque tombaient sur le devant de son parka. Elle eut l'impression qu'il fermait à demi les yeux à dessein, plissant son front dans son effort. Il était plus petit que Kayugh et Longues Dents, mais se tenait en bombant le torse comme s'il pouvait augmenter sa stature par son seul effort. Il fut le premier à parler et il le fit sans commentaire de politesse sur le temps ou le travail de Chagak.

— Nous voulons voir ton fils.

La jeune femme croisa ses bras sur son suk dans un geste de protection.

— Il dort, dit-elle, bien qu'elle sentît sa bouche sur son sein et ses petites mains pétrir sa poitrine.

Mais Longues Dents prit la parole comme si Oiseau Gris n'avait rien dit et même comme s'il n'était pas là.

— Nous avons voyagé pendant de nombreux jours. Nos femmes sont fatiguées. Ton grand-père leur a offert un abri dans son ulaq. Quand elles seront reposées, elles viendront t'aider.

Sans être vraiment des paroles habituelles de politesse, il y avait au moins de la déférence dans sa voix.

— Il sera agréable d'avoir de l'aide, répondit-elle.

— Kayugh a un fils, lui aussi, dit Shuganan.

— J'en suis heureuse pour toi, répondit Chagak, mais dès qu'elle eut parlé, elle vit le regard de cet homme s'assombrir avec une expression lui rappelant le chagrin qu'elle nourrissait au fond de son cœur depuis l'anéantissement de son peuple. L'enfant est-il malade ? demanda-t-elle, oubliant qu'elle ne devait pas parler sans y être invitée.

Mais Kayugh ne parut pas le remarquer. Il fit un pas en avant en disant :

— Ma femme est morte après sa naissance et j'ai décidé de garder le bébé avec moi. Mais aucune de nos femmes n'a de lait pour le nourrir.

Chagak sortit son fils de la chaleur du suk et le tendit à Kayugh pour le lui montrer. L'enfant était nu à l'exception d'une peau tannée passée entre ses jambes. Il remua les bras et les jambes dans l'air froid et se mit à crier.

— C'est un bel enfant, dit Kayugh.

— Tous les bébés paraissent beaux et forts à côté de ton fils, ricana Oiseau Gris sans regarder Kayugh.

— Où est ton fils ? demanda Chagak.

— Dans l'ulaq, répondit Kayugh, Coquille Bleue, l'épouse d'Oiseau Gris, s'occupe de lui.

Chagak acquiesça, puis, comme s'il n'y avait personne sur la plage qu'elle et Kayugh, elle souleva son suk et pressa son sein pour en faire jaillir du lait. Ensuite elle remit Samig à sa place et le laissa téter.

Après avoir réajusté son suk sur son fils elle dit :

— J'ai assez de lait pour deux. Je vais nourrir ton fils.

33

Lorsque Chagak entra dans l'ulaq, il lui sembla que c'était un endroit différent. Les provisions entassées dans les estomacs de phoque étaient amoncelées au pied du tronc d'arbre central. Des fourrures s'empilaient dans les chambres et débordaient dans la pièce principale.

Mais, bien qu'elle se fût attendue à entendre le bourdonnement des voix de femmes, celles-ci étaient silencieuses. Pendant un moment elle se tint immobile, regardant autour d'elle ces femmes qui la dévisageaient.

Elles étaient assises au centre de l'ulaq, se tournant le dos, le visage levé vers les étagères où étaient exposées les sculptures de Shuganan. Une des femmes, ayant un gros nez crochu, tenait la fillette sur ses genoux. Le petit garçon était assis à côté d'elle. Une autre femme au visage rond et plein était assise et regardait le sol, ses cheveux sombres tirés en arrière et nattés, mais ce fut la femme la plus petite qui retint l'attention de Chagak. Son suk était gonflé.

« Coquille Bleue, la femme d'Oiseau Gris », pensa-t-elle et en même temps elle entendit la voix de la loutre lui murmurer « Que cette femme est jolie ! »

Oui, pensa Chagak, tout le monde aurait plaisir à regarder le petit nez fin, les lèvres pleines et les grands yeux de Coquille Bleue. Involontairement elle toucha son propre visage et se demanda si quelqu'un aurait du plaisir à le regarder.

Tout d'abord, elle n'eut pas envie de parler. Elle aurait voulu aller directement dans sa chambre en tirant le rideau entre elle et ces femmes. Mais elle avait dit à Kayugh qu'elle s'occuperait de son fils et maintenant que les hommes surveillaient les feux, elle pouvait le faire.

Finalement, elle déclara :

— Les sculptures de Shuganan ne contiennent pas de mauvais esprits. Il ne faut pas en avoir peur et vous serez bientôt habituées à leurs regards.

Ce fut comme si ces paroles rendaient la vie à ces femmes. Celle qui avait un gros nez parla aux autres et bientôt toutes les trois se mirent à dérouler leurs matelas d'herbe et à sortir leurs provisions. Cette femme semblait diriger tout le monde. Chagak s'approcha d'elle et lui montra où se trouvait la réserve des provisions. Elle tira les rideaux et les souleva afin que les femmes puissent y mettre leurs propres réserves.

— Je m'appelle Nez Crochu, dit la femme. Puis elle désigna la petite fille assise sur ses genoux : voici Baie Rouge, la fille de Kayugh.

— Je suis heureuse que tu sois venue, Baie Rouge, dit Chagak, mais la fillette tourna son visage contre la poitrine de Nez Crochu.

— Le petit garçon est-il aussi le fils de Kayugh ? demanda Chagak.

— Non, répondit Nez Crochu, Premier Flocon est mon fils. Mais Kayugh a bien un fils. Coquille Bleue s'occupe de lui. Il est malade.

Coquille Bleue leva les yeux.

— Il est très faible, soupira-t-elle, et je n'ai pas de lait. Mon mari n'est pas content que je m'occupe de cet enfant. Il dit que cela pourrait apporter une malédiction sur nos propres enfants.

— J'ai du lait, dit Chagak, mais les paroles de Coquille Bleue l'avaient mise mal à l'aise.

Le fils de Kayugh pourrait-il transmettre sa faiblesse à Samig ? Mais la voix de la loutre lui souffla « Tu as promis à Kayugh de t'occuper de l'enfant ».

Coquille Bleue souleva son suk et en sortit le bébé. Tout d'abord le regard de Chagak se porta sur le ventre rond de Coquille Bleue. La jeune femme était enceinte et près d'accoucher. Puis elle vit l'enfant. Il ressemblait à un petit vieux. Ses yeux et son ventre étaient trop gros pour ses bras et ses jambes décharnés. Depuis quand n'avait-il rien absorbé?

Coquille Bleue détacha la bandoulière qui retenait l'enfant et ouvrit un paquet posé à côté d'elle. Elle en sortit une fourrure et une peau de phoque propres pour accrocher la bandoulière et tendit le tout à Chagak. Samig était suspendu à l'épaule droite de Chagak. Elle passa l'autre bandoulière sur son épaule gauche et prit le fils de Kayugh qu'elle installa avant de lui tendre son sein. Elle dut lui presser les joues pour lui faire ouvrir la bouche et attendit avec quelque anxiété jusqu'à ce qu'elle sente une faible succion. Le bébé ouvrit les yeux comme s'il était surpris que ce simple geste ait rempli sa bouche, mais il continua à téter en s'accrochant à son sein des deux mains.

Coquille Bleue retourna au centre de l'ulaq et prit place à côté de Nez Crochu. Elles se mirent à parler mais à voix si basse que Chagak n'entendit pas ce qu'elles disaient. Soudain elle se sentit seule et gênée comme si c'était elle qui était en visite dans l'ulaq.

Les femmes se mirent à rire et même la plus timide leva la tête. Chagak craignit brusquement qu'elles ne parlent d'elle, aussi se détourna-t-elle et s'occupa-t-elle du bébé de Kayugh. Il n'avait pas assez de force pour téter continuellement. Il lâchait le sein et laissait sa tête aller en arrière les yeux clos, avant de revenir chercher la manne nourricière.

Chagak baissa son suk, recouvrant le petit bébé. Elle jeta un coup d'œil vers les autres femmes et vit que Coquille Bleue la regardait. Elle lut le soulagement dans ses yeux, mais il semblait que le soulagement de Coquille Bleue fût devenu le souci de Chagak.

La loutre chuchota : « Cet enfant va mourir. »

— Non ! dit Chagak si vivement qu'elle eut une soudaine vision de la loutre quittant le rivage pour aller se réfugier dans la mer en se retournant sur le dos devant la violence de Chagak.

Mais celle-ci ne put s'empêcher de penser que la loutre avait raison. Le bébé n'avait même pas pleuré quand Coquille Bleue l'avait retiré tout nu de la chaleur de son suk. Un enfant qui n'a plus la force de pleurer, pouvait-il vivre ?

Chagak tint ses mains sous son suk et caressait doucement la tête de l'enfant dès qu'il cessait de téter, puis elle caressa également Samig, contrôlant si ses jambes et ses bras restaient bien fermes et dodus, s'assurant que le fils de Kayugh ne retirât pas la force de son fils en tétant son lait.

Elle garda la tête baissée aussi ne vit-elle pas Coquille Bleue s'approcher pour demander :

— Est-ce qu'il tète ?

La question fit sursauter Chagak et son cri de surprise fit rire Coquille Bleue. Mais Chagak n'y vit aucune raison de sourire, son ulaq rempli de ces femmes étrangères, un bébé mourant suspendu à sa poitrine. Pourquoi Shuganan avait-il accepté de laisser ces gens rester ?

Cependant Coquille Bleue ignorait ses pensées et se mit à bavarder à propos de la carcasse de la baleine et de la viande à mettre à sécher.

Chagak ne désirait pas voir les autres femmes se mêler de ses affaires. C'était son travail et elle l'avait accompli de la façon qu'elle jugeait appropriée. Elle aimait prendre ses décisions et ne voulait pas voir les autres changer ce qu'elle avait organisé.

Mais la voix de la loutre murmura : « Il y a longtemps que tu as quitté ton village. Quelle femme refuse de l'aide ? Tu laisses bien les hommes t'aider en ce moment, pourquoi pas les femmes ? Elles en savent davantage sur ce sujet que les hommes. »

Aussi Chagak écouta-t-elle Coquille Bleue d'une oreille plus complaisante en essayant de sourire pendant qu'elle parlait, mais elle ne l'écouta pas vraiment avant qu'elle ne se mette à parler de Kayugh. Alors, pour une raison inconnue, elle se sentit intéressée et demanda :

— Oiseau Gris, ton mari est-il le frère de Kayugh ?

— Non, répondit Coquille Bleue, le père et la mère de

Kayugh sont venus dans notre village avant sa naissance. Ils faisaient partie des Chasseurs de Morses. Son père était venu dans notre village pour faire du troc, il s'y est plu et y a amené sa femme pour s'y installer.

Chagak avait entendu parler du peuple des Morses par son père. C'étaient de braves gens avait-il dit, aimant rire, généralement de haute taille, de teint clair et qui dressaient des animaux appelés des chiens pour traîner des charges et protéger leurs camps. Aussi Chagak ne put-elle s'empêcher de poser une question enfantine :

— A-t-il un chien ?

Coquille Bleue se mit à rire.

— Non, répondit-elle, mais c'est un grand chasseur, bien meilleur que les autres. Il serait devenu notre chef s'il était resté dans notre village. Mais il n'a pas eu le choix. La mer montait et notre île devenait plus petite chaque année. Kayugh a dit que d'une façon ou d'une autre nous serions obligés de partir. Malheureusement jusqu'ici notre voyage ne s'est pas bien passé, spécialement pour Kayugh.

— Oui, dit Chagak, il m'a dit que sa femme était morte en couches.

— Elle a eu une hémorragie quand le bébé est né et elle nous a caché que cela avait été aussi grave. Et avant, la première femme de Kayugh est morte, ajouta Coquille Bleue. Elle s'est noyée en allant à la pêche. Kayugh a essayé de la sauver, mais il est arrivé trop tard, elle était déjà morte. Elle était vieille et avait été mariée avant d'épouser Kayugh, mais Kayugh l'avait prise comme première femme en lui rendant honneur, bien qu'elle ne l'ait pas honoré en lui donnant un enfant.

Chagak sentit le fils de Kayugh lâcher sa poitrine et fut prise d'une soudaine frayeur, craignant qu'il ne soit mort. Elle regarda sous son suk et vit le lait couler de la bouche de l'enfant. Il s'était endormi. Elle leva les yeux vers Coquille Bleue et lui dit :

— Il dort. Veux-tu le tenir un peu ?

Coquille Bleue détourna les yeux.

— Non, soupira-t-elle. Je n'ai pas de lait. Si tu veux le garder il faut lui donner à téter plus souvent.

Chagak pensa encore à l'expression douloureuse dans les yeux de Kayugh quand il parlait de son fils. Il n'était pas surprenant que Coquille Bleue ne désirât pas garder le bébé. Qui pouvait désirer tenir un enfant dans ses bras quand il était en train de mourir ?

Coquille Bleue se leva :

— Il faut que j'aide Nez Crochu à déballer nos affaires. Puis elle changea de ton pour demander : le vieil homme, est-il ton mari ?

Chagak leva la tête.

— C'est mon grand-père. Cherchant ses mots, elle ajouta : le père de mon fils est mort.

Puis elle s'occupa du fils de Kayugh, le réveillant afin qu'il se remette à téter et elle ne releva pas la tête pour voir si Coquille Bleue avait d'autres questions à poser.

34

Chagak était assise dans l'ulaq, un bébé accroché à chaque sein. Kayugh et les siens, là depuis trois jours, l'avaient aidée à terminer le découpage et le séchage de la viande de baleine et à faire fondre la graisse.

Des casiers étaient disposés tout le long de la plage, d'une falaise à l'autre, chaque casier contenant de la viande noire de baleine coupée en morceaux plus fins qu'une lame d'obsidienne et de la longueur de l'avant-bras de Chagak.

Dans l'ulaq, elle avait suspendu des tapis de sol en herbe tressée pour en faire des rideaux, partageant la grande pièce en endroits pour dormir.

Les hommes avaient commencé à creuser un nouvel ulaq, assez grand pour loger tous les amis de Kayugh et Chagak souhaitait les voir terminer ce travail rapidement car elle se sentait mal à l'aise au milieu de cette bruyante assemblée dans l'ulaq de Shuganan. Dans son propre village la construction d'un ulaq était une occasion de se réjouir, mais celle de cet ulaq était gâchée par les constantes récriminations d'Oiseau Gris et sa mesquinerie envers Coquille Bleue.

Il était pénible aussi de voir les autres femmes se servir de ses réserves, ainsi que de ses pierres de cuisson. Plus tôt, ce jour-là devant le foyer allumé sur la plage, Nez Crochu avait utilisé de l'huile de baleine pour faire cuire un hareng qu'elle avait attrapé. Pour cette cuisson elle s'était servie d'une large pierre plate dont Chagak se servait pour broyer les graines et les baies sèches et qu'elle prenait grand soin de tenir toujours propre et sans la moindre tache d'huile afin de pouvoir conserver la poudre pendant des mois sans crainte de moisissure. Mais quand Chagak s'aperçut que Nez Crochu avait chauffé la pierre, le mal était fait. Elle s'était contenue en se disant qu'elle chercherait une autre pierre après le départ de Nez Crochu. Les voyageurs ne pouvaient tout emporter avec eux et Nez Crochu avait peut-être abandonné sa pierre de cuisson.

Chagak avait essayé de tenir les plats prêts et d'expliquer comment elle avait l'habitude de mettre les provisions de côté, mais il semblait que chacune des femmes n'en fît qu'à sa tête et la pièce où se trouvaient les réserves était remplie de sacs éventrés et de graines répandues de tous les côtés.

Oiseau Gris avait découvert la réserve d'œufs conservés dans l'huile et le sable et en avait mangé plus de la moitié.

Mais le plus grand souci de Chagak était le fils de Kayugh. L'enfant tétait et dormait mais elle ne voyait aucun changement dans son état, ses bras et ses jambes restaient toujours aussi maigres. Ses cris n'étaient pas plus forts. Il ouvrait rarement les yeux et quand Chagak lui tendait un doigt, il ne s'y accrochait pas.

Le matin, dès qu'elle était levée pour vider les paniers de nuit et allumer les lampes, Kayugh venait près d'elle, les traits tirés, les yeux fatigués et rougis par l'insomnie. Elle soulevait son suk et lui montrait les bébés, l'un gras et dodu, l'autre maigre et famélique. Il secouait la tête et la tristesse de son regard torturait Chagak.

— Il tète bien, disait-elle.

Et la première fois qu'elle avait prononcé cette phrase, une lueur d'espoir avait brillé dans les yeux de Kayugh, mais maintenant chaque fois qu'elle lui montrait le bébé et faisait un commentaire, il ne répondait pas.

Chagak chantait en travaillant. Des chants sur la chasse pour faire de bons chasseurs et des prières à Aka. Elle fouilla même parmi les sculptures de Shuganan jusqu'à ce qu'elle ait trouvé un père portant son fils sur ses épaules et, avec la permission de Shuganan, elle l'attacha au côté gauche de son suk au-dessus du fils de Kayugh.

Elle avait travaillé sur la plage la plus grande partie de l'après-midi et avait attrapé deux oiseaux rapaces appelés jaegers qui étaient venus survoler les foyers de cuisson en quête de morceaux de carcasse de baleine. Elle avait lancé un panier sur les oiseaux puis leur avait tordu le cou avant de les mettre de côté pour les plumer plus tard.

En fin d'après-midi elle était retournée dans l'ulaq, espérant être seule, mais Coquille Bleue et Petit Canard étaient là, travaillant toutes les deux à des tapis d'herbe pour leur ulaq. Chagak avait couché Samig dans son berceau et avait bercé Amgigh pour continuer à l'allaiter, puis elle s'était assise pour aider les deux femmes. Mais même dans ce travail elle ne se sentait pas à sa place. Les deux autres parlaient de gens qu'elle ne connaissait pas, de plages qui ne lui étaient pas familières. Elle-même n'ouvrait la bouche que pour formuler des demandes nécessaires à son travail.

Finalement elle sortit de l'ulaq en emportant deux grands paniers et se dirigea vers les collines pour ramasser de la bruyère. Elle remplacerait l'herbe de l'ulaq par de la bruyère, espérant que cela rafraîchirait l'odeur de renfermé accentuée par la présence de trop nombreuses personnes.

Quand ses deux paniers furent pleins, elle commença à retourner vers l'ulaq, mais elle vit Kayugh venir au-devant d'elle. Pendant un instant elle ferma les yeux. Elle avait soif et elle avait espéré avoir le temps de remplir son outre à la source près de l'ulaq, un moment de répit pour s'asseoir et boire sans rien entendre en dehors du bruit du vent et de la mer, mais elle accueillit cet homme avec un sourire en se rappelant que la plupart des femmes seraient fières de pouvoir s'entretenir avec un aussi vaillant chasseur.

Elle posa ses sacs de bruyère par terre et souleva son suk. Le vent parut froid sur son ventre et elle frissonna. Kayugh se pencha sur son fils et le bébé lâcha le sein de Chagak. Tout d'abord, elle crut entendre le cri de Samig protestant contre le froid, mais elle vit la bouche d'Amgigh s'arrondir et entendit le rire de Kayugh, les deux sons se mêlant en une même note, rappelant un chant de chasseur.

Elle vit les larmes rouler sur les joues de Kayugh :

— Il crie ! fit-il sur le ton d'un père annonçant fièrement le premier exploit de son fils.

Oui, pensa Chagak en regardant l'enfant. Il avait vraiment l'air un peu plus fort, ses bras et ses jambes n'étaient plus aussi maigres et pour la première fois depuis qu'elle s'occupait de l'enfant, elle sentit naître l'espoir qu'il pourrait vivre... Cependant bien qu'elle éprouvât quelque chose qui ressemblait à de la joie, elle sentit aussi une crainte, si jamais l'enfant devait mourir, sa mort serait beaucoup plus difficile à accepter.

Mais elle s'efforça de sourire à Kayugh et, à sa surprise, il l'aida à baisser son suk, puis il ramassa les deux paniers de bruyère et ensemble ils retournèrent à l'ulaq.

Dans la soirée, le repas terminé, Chagak s'assit avec les femmes, un matelas tressé sur les genoux. Elle avait l'intention de finir les angles, mais elle était si fatiguée qu'elle avait de la difficulté à remuer les doigts. Le bruit des voix venait de toutes les directions et elle aurait souhaité que l'ulaq de Kayugh soit terminé pour être à nouveau seule avec Shuganan afin de s'occuper des deux enfants en toute tranquillité, les murs épais de l'ulaq estompant le bruit du vent et de la mer.

Les hommes étaient sortis de l'ulaq après le repas, mais ils seraient bientôt de retour et Chagak devrait offrir un petit surplus et de quoi se rafraîchir. Ce n'était pas une nuit où Chagak pourrait s'excuser pour se retirer et aller dormir de bonne heure. Elle regarda les bébés, tous deux dormaient.

Quand elle était dans l'ulaq, elle entourait les enfants d'une fourrure plus légère et relevait son suk. En réalité, Samig n'avait pas besoin d'être couvert, mais le fils de Kayugh ne dormait pas bien s'il n'était pas au chaud.

Petit Canard était assise à côté d'elle, la petite Baie Rouge sur ses genoux, Nez Crochu étant installée un peu plus loin. Soudain Premier Flocon glissa à l'intérieur de l'ulaq. Il vint se planter devant Nez Crochu et énonça en désignant Chagak du doigt :

— Ton mari, Shuganan, a dit qu'il nous raconterait des histoires, ce soir.

Chagak s'en réjouit. Il n'y aurait pas une longue soirée ennuyeuse, les hommes se plaignant des enfants réunis dans ce lieu si étroit, Chagak s'efforçant de faire plaisir à tout le monde tout en s'occupant des bébés. Il ne serait plus nécessaire de tenir un repas prêt pour le retour des hommes, il suffirait d'entretenir les lampes et ensuite il n'y aurait qu'à écouter le conteur.

Longues Dents arriva le premier et prit place entre Nez Crochu et Petit Canard. Il ébouriffa les cheveux de Premier Flocon. L'enfant saisit la main de Longues Dents et grogna comme une loutre. Longues Dents échangea un regard avec Nez Crochu et se mit à rire. En interceptant ce regard, Chagak eut l'impression d'être une intruse et baissa la tête, en feignant de s'intéresser à son jupon.

Shuganan et Oiseau Gris descendirent ensemble dans l'ulaq. Chagak avait espéré que Shuganan s'assiérait à côté d'elle, mais il s'installa près de Longues Dents et les deux hommes parlèrent de la construction du nouvel ulaq.

Kayugh arriva le dernier. Il prit place près de Chagak et la regarda soigner son fils. Sachant la gratitude qu'elle lirait sur son visage, Chagak n'osa pas lever les yeux.

Mais bientôt Baie Rouge réclama l'attention de son père et grimpa sur ses genoux. Chagak commença, alors, à se poser des questions à propos de cet homme qui s'intéressait à sa fille autant que la plupart des hommes à leurs fils. Un homme qui n'avait pu laisser mourir son nouveau-né privé de mère.

Assise sur ses talons, les genoux levés, un bébé dans chaque bras, Chagak cajola les enfants. Tous deux avaient beaucoup de cheveux, noirs et épais. Tandis qu'elle caressait la tête de Samig, il s'arrêta de téter pour la regarder un long moment. Amgigh ne s'arrêta pas mais s'accrocha plus fort à son sein.

— Ma petite-fille, porte-moi de l'eau, lui dit soudain Shuganan d'une voix forte qui couvrait celles de tous les autres.

Il changea de place et alla s'asseoir sur une pile de peaux de phoque à côté de Kayugh. Chagak se leva et ouvrit une outre d'eau fixée sur une poutre et la lui tendit. Il but longuement, mit l'outre par terre et posa ses mains noueuses sur ses genoux.

D'abord il s'adressa à Kayugh et parla comme si personne d'autre n'écoutait.

— Tu m'as demandé l'histoire de mon peuple, dit-il, et comment j'étais venu sur cette île. Je vais te le dire maintenant. Le temps est venu de se souvenir.

Chagak ferma les yeux. Elle pouvait se détendre. Personne ne s'inquiéterait si les lampes filaient et s'éteignaient.

Elle savait que Shuganan leur dirait en grande partie la vérité, mais aussi ce qui ne l'était pas. Ce serait l'histoire qu'il avait décidé de raconter aux Chasseurs de Baleines quand ils iraient les voir pour les prévenir. Elle savait qu'elle devait se rappeler ce qu'il disait — pour la protéger et se protéger lui-même et surtout préserver Samig. Mais elle devait aussi se pénétrer de l'histoire afin de s'en convaincre et ressentir la colère, la joie et l'émerveillement tandis que Shuganan s'exprimerait dans le silence de l'ulaq.

— Lorsque j'étais jeune, commença Shuganan, je faisais du troc pour mon peuple.

Il s'arrêta et Chagak comprit qu'il attendait que tout murmure ait cessé afin que tous écoutent ce qu'il avait à dire. Il reprit.

— J'ai ainsi voyagé jusqu'aux quatre coins du monde, là où des murs de glace marquent les frontières de la terre. J'ai voyagé loin dans la mer, jusqu'à des îles que peu d'hommes connaissent. J'ai connu le peuple des Morses qui chassent les ours bruns. Mais j'ai surtout connu une peuplade appelée les Petits Hommes. Ce sont des hommes de petites tailles, mais de fortes statures, connus pour leur habileté à la chasse et leur astuce à faire du troc.

« Au cours de la plupart de mes voyages, j'ai voyagé avec

les Petits Hommes. Nous faisions des échanges avec d'autres peuples, apportant de l'huile de phoque aux Chasseurs de Morses, et ramenions des peaux et de la viande de morses pour les échanger contre de l'huile de phoque chez les Chasseurs de Baleines.

« J'appris à parler la langue des Petits Hommes et j'ai même séjourné quelque temps dans leur village. Mais plus je vivais près d'eux et plus je me rendais compte que c'étaient des gens cupides. Ils ne faisaient pas de commerce pour se procurer de la nourriture ou des vêtements et pour en apporter aux autres. Ils cherchaient à s'approprier plus qu'ils n'avaient besoin. C'est cette cupidité qui attira les mauvais esprits sur eux.

« Guidé par le mal et non par le bien, un shaman vint chez eux. Il vit tout ce dont les Petits Hommes disposaient et décida de s'emparer de tout. Il leur dit qu'il allait affaiblir les autres peuples afin qu'ils puissent tout prendre sans faire de troc.

« Ils se rendirent dans les villages sous prétexte de faire des échanges et lors de la dernière nuit, pour célébrer leur entente, les Petits Hommes se levaient et égorgeaient tous les gens du village afin de prendre tout ce qu'ils possédaient.

« Finalement ils ne firent même plus semblant de chercher à faire du troc, mais débarquèrent dans les villages, la nuit, et massacrèrent les gens.

« Alors, comme maintenant, j'étais sculpteur, les Petits Hommes attribuaient une grande valeur à mes figurines. S'ils allaient attaquer un village de Morses, ils voulaient emporter des sculptures de morses afin de les placer avec leurs amulettes ; s'ils se rendaient chez les Chasseurs d'Ours, ils réclamaient des statuettes représentant des ours...

Shuganan baissa la tête et parla non avec l'autorité d'un conteur d'histoires, mais avec celle d'un homme relatant un rêve prémonitoire.

— Il y avait toujours eu quelque chose en moi, un esprit qui se cachait dans ma tête et mes mains, me poussant à sculpter.

Chagak se rendit compte que Shuganan s'écartait de l'histoire qu'ils étaient préalablement convenus de conter et elle ouvrit de grands yeux en observant le vieil homme. Elle espérait qu'il parlerait avec précaution du père de Samig.

— Ce mauvais shaman vit un grand pouvoir dans mes sculptures et tout d'abord je fus flatté de son attention. Mais plus tard je compris que mon travail était utilisé dans de mauvais desseins.

« Bien qu'ils aient essayé de me faire rester, je quittai les Petits Hommes. Je savais qu'ils me rechercheraient afin de m'obliger à retourner chez eux. Mais je voyageai de nombreux jours dans mon ikyak et arrivai sur cette île. J'y construisis mon ulaq et après un certain nombre d'années, je pris une femme chez les Chasseurs de Baleines. Nous eûmes un fils qui lui-même épousa une femme venant de chez les Premiers Hommes, originaire du sud de l'île d'Aka. Tous deux moururent et après de nombreuses années, ma femme mourut également, mais ils me laissèrent Traqueur de Phoques, mon petit-fils.

Bien qu'elle gardât les yeux fixés sur Shuganan, Chagak savait que les autres la regardaient. Elle sentait leurs pensées se concentrer sur elle et elle feignit de s'occuper des bébés.

L'huile des lampes avait baissé jusqu'au niveau des mèches qui donnaient peu de lumière mais, quand Chagak leva les yeux, elle vit briller le visage de Shuganan comme s'il était éclairé par de nombreuses lampes.

Puis elle entendit la loutre lui chuchoter : « Y a-t-il si longtemps que tu n'as pas entendu raconter une histoire ? Ne te rappelles-tu pas le pouvoir des pensées sur des gens partageant les mêmes idées, perdus dans le même rêve ? Comment as-tu pu oublier ce pouvoir ? »

Mais Chagak savait que Shuganan en était arrivé à cet endroit de l'histoire qu'elle ne devait pas manquer. La partie la concernant ainsi que Samig. Aussi chassa-t-elle de son esprit les chuchotements de la loutre et écouta Shuganan.

— Quand mon petit-fils fut assez âgé, il prit une femme qu'il alla chercher dans le village de sa mère.

Shuganan se tourna pour regarder Chagak.

— Aujourd'hui je peux légitimement considérer Chagak comme ma petite-fille. Mais un jour qu'il était parti à la chasse, Traqueur de Phoques ne revint pas. Chagak était sur le point de prendre le deuil et de se considérer comme veuve, mais le septième jour, Traqueur de Phoques revint. Notre joie de le revoir fut vite assombrie quand il nous apprit que le village de Chagak avait été anéanti et que toute sa famille avait été exterminée. Il avait passé trois jours à enterrer les morts et à faire des cérémonies mortuaires.

« Je savais que ce ne pouvait être que les Petits Hommes et plus tard au cours de l'été deux envoyés de chez les Petits Hommes vinrent sur notre plage. Nous en avons tué un mais l'autre tua Traqueur de Phoques et réussit à s'enfuir, laissant Chagak veuve avec un fils qui devait naître le printemps suivant.

« Avant de quitter le village, le Petit Homme nous déclara qu'il reviendrait avec son peuple pour nous tuer avant d'aller attaquer les Chasseurs de Baleines dans leur île plus à l'ouest.

« La mère de Chagak et ma femme appartenaient toutes les deux au peuple des Chasseurs de Baleines. Aussi Chagak et moi avons-nous décidé de faire le voyage au printemps pour aller prévenir les Chasseurs de Baleines et nous comptons partir bientôt.

« Nous ne vous demandons pas de venir avec nous. Ce n'est pas votre peuple qui a été anéanti et vous ne devez aucune allégeance aux Chasseurs de Baleines. Mais nous devons partir.

Chagak était assise, immobile dans la tranquillité de l'ulaq. Elle sentait la surprise des autres à la fin abrupte du récit. D'habitude les histoires se poursuivaient jusqu'à très avant dans la nuit, l'une offrant une suite logique à une autre.

Croyaient-ils Shuganan ? Il y avait peu de mensonges. Il avait omis de préciser qu'il était lui-même un Petit Homme, et avait affirmé que Traqueur de Phoques était son petit-fils, en ajoutant ce qu'elle souhaitait tant n'être pas un mensonge : que Traqueur de Phoques était le père de Samig.

En fait, en entendant Shuganan prononcer ces paroles, ce fut comme si elles étaient vraies, comme si sa façon de raconter l'histoire l'authentifiait et faisait de Samig le fils de Traqueur de Phoques. Elle serra son fils contre elle. Et s'ils devinaient la vérité ? se demanda-t-elle. Et s'ils découvraient la vérité au sujet d'Homme-Qui-Tue ? Ils ne laisseraient pas Samig en vie. Il serait considéré comme un Petit Homme, un ennemi.

Elle serra Samig un peu plus fort et cette fois il se mit à pleurer en poussant un cri aigu qui résonna dans l'ulaq silencieux. Puis le fils de Kayugh se mit également à pleurer. Et Chagak eut l'impression que les deux bébés avaient entendu parler des esprits et qu'ils pleuraient pour des chagrins que Shuganan et Chagak ne voyaient pas.

La jeune femme sortit du cercle et entra dans sa chambre. Elle tira le rideau derrière elle et souhaita pouvoir rester dans l'ulaq pour toujours, à l'abri avec les deux enfants dans ses bras.

35

Assise sur le sol nu du nouvel ulaq, Chagak triait un sac de bruyère sèche. Elle coupait toutes les tiges abîmées ou effilées qui pourriraient facilement. Le reste serait répandu sur le sol de l'ulaq et recouvert par des tapis d'herbes tressés.

Nez Crochu et Petit Canard travaillaient près d'elle et terminaient les nattes. Le nouvel ulaq était plus grand que celui de Shuganan. Même une fois les chambres séparées par les rideaux tirés, il y avait encore assez de place pour de nombreuses personnes, leur permettant de travailler ensemble dans la salle commune.

Nez Crochu désigna la chambre la plus grande, au fond de l'ulaq :

— Longues Dents va dormir là, affirma-t-elle.

Chagak fronça les sourcils :

— Je croyais que Kayugh était le chef, s'étonna-t-elle.

— Shuganan ne t'a pas dit? répliqua Nez Crochu, Kayugh et Baie Rouge resteront dans l'ulaq de Shuganan. Kayugh préfère être près de son fils et voir comment tu le soignes.

L'estomac de Chagak se serra. Shuganan et elle ne resteraient pas seuls comme elle l'avait espéré. Mais elle essaya de cacher sa déception. Il était naturel que Kayugh souhaitât être près de son fils, se dit-elle et qu'il ait préféré rester dans l'ulaq de Shuganan, mais dans ce cas, l'ulaq appartiendrait-il toujours à Shuganan? Ne serait-il pas humilié de n'être plus le maître chez lui ? Peut-être devrait-elle proposer de venir habiter dans ce nouvel ulaq afin de ramener Kayugh parmi les siens ? Mais, alors, qui s'occuperait de Shuganan ?

— Ton mari est mort, reprit Nez Crochu.

Ces mots firent sursauter Chagak et elle resta immobile, la bouche ouverte, sans répondre. Nez Crochu n'attendait pas de réponse et poursuivit :

— Peut-être que Kayugh désire t'épouser.

Chagak se sentit rougir. Elle essaya d'écouter tandis que Nez Crochu lui parlait de l'habileté de Kayugh à la chasse, mais la crainte paralysa les mains de Chagak et précipita sa respiration.

Elle savait que sa mère avait été une épouse heureuse et Nez Crochu quand elle parlait du temps passé derrière les rideaux tirés avait les yeux brillants et des rires étouffés, sans la moindre frayeur, mais Chagak avait vécu une expérience traumatisante et n'avait pas envie de recommencer. Elle avait constaté la fréquence des visites de Longues Dents sur la couche de ses femmes, au cours des quelques jours passés dans l'ulaq de Shuganan et elle frissonnait, étendue sur son matelas d'herbe au souvenir de ce qu'avait fait Homme-Qui-Tue. « Tous les hommes ne sont pas cruels », lui chuchotait la loutre, nuit après nuit, mais Chagak ne souhaitait pas redevenir une épouse.

Kayugh aiguisa son harpon avec un morceau de lave. C'était le premier soir depuis l'installation de Longues Dents et d'Oiseau Gris dans leur ulaq et Kayugh appréciait le calme de l'ulaq de Shuganan.

Ce dernier était assis près d'une lampe à huile, penché sur un morceau d'ivoire qu'il sculptait. Il remuait les yeux et la bouche en travaillant comme s'il s'adressait silencieusement à la sculpture qu'il était en train de créer.

Chagak terminait un chigadax pour Shuganan, taillé dans la peau de la langue de baleine au lieu de morceaux d'intestin de phoque et il n'avait fallu que quelques soirées pour le coudre. Baie Rouge avait posé la tête sur les genoux de Chagak et les deux bébés étaient suspendus chacun à un de ses seins. Elle était si petite que Kayugh la distinguait à peine au milieu des enfants.

Il faudrait que tout reste ainsi, pensa-t-il. En paix, dans la tranquillité. Il avait parlé plusieurs fois à Shuganan du projet de voyage chez les Chasseurs de Baleines. Kayugh aurait voulu que Chagak reste là, mais Shuganan avait refusé.

— Que connaissent les femmes aux batailles ? avait demandé Kayugh.

Et Shuganan avait répondu :

— Tu dis que tu décideras peut-être de venir avec nous. Dans ce cas, j'en serais heureux. Mais que connais-tu toi-même des batailles ? T'es-tu jamais battu avec un autre homme ?

— Non, avait concédé Kayugh, mais je sais me servir d'une lance. J'ai combattu des phoques et des lions de mer. Les hommes ne doivent pas être très différents.

— Les hommes pensent et ils haïssent, dit Shuganan. Les animaux se battent seulement pour vivre, peut-être parfois pour protéger leurs jeunes. Les hommes se battent avec la haine au cœur pour le pouvoir ou pour s'approprier des biens. C'est une différente sorte de combat qui éveille parfois de mauvais esprits.

Kayugh tripota son amulette. Le calme de l'ulaq était si loin de toute idée de combat. Il regarda Chagak soigner les bébés. Son fils était toujours frêle comparé à Samig mais sa maigreur ne faisait plus craindre pour sa vie.

— Je ne veux pas que Chagak aille chez les Chasseurs de Baleines, dit soudain Kayugh d'une voix qui résonna dans l'ulaq.

— Que vaut-il mieux ? demanda calmement Shuganan, l'emmener ou la laisser ici ? Les Petits Hommes connaissent cette plage. Ils sont au courant de mes sculptures. Ils ont envoyé deux éclaireurs ici, Kayugh. L'un devait rester en prenant Chagak pour femme ou pour passer l'hiver. Nous l'avons tué, mais l'autre est reparti chez son peuple. Il reviendra. Voudrais-tu que Chagak reste pour lui dire que son grand-père a tué un de leurs chasseurs ? De plus, il y a

Oiseau Gris. Si nous laissons les femmes, il voudra rester. Et j'ai vu la façon dont il regarde Chagak.

Kayugh réfléchit en silence.

— Tu as raison, dit-il finalement. Mais si nous devons partir il ne faut pas tarder. Qu'arriverait-il si les Petits Hommes venaient pendant que nous sommes là ?

— Ce sont d'abord des chasseurs, assura Shuganan, et des guerriers ensuite.

Il tournait entre ses mains le morceau d'ivoire qu'il sculptait, son couteau creusant d'une manière précise jusqu'à ce que Kayugh distingue les yeux et le nez d'un phoque qui venait de naître sous ses doigts agiles.

Kayugh acquiesça mais il était quand même mal à l'aise. Il n'était pas bon d'emmener Chagak avec eux. Et que penseraient les Chasseurs de Baleines de Chagak, l'une des leurs, avec un fils et pas de mari ?

Chagak creusait des trous avec son poinçon, traçant une ligne nette pour planter l'aiguille qui formerait les premiers points de la couture imperméable, mais de temps en temps, elle levait la tête pour regarder Kayugh et Shuganan.

Comme toujours quand il sculptait, celui-ci prêtait peu d'attention à ce qui se passait autour de lui, à ce que disaient les autres et à l'activité de l'ulaq. C'était peut-être la raison pour laquelle lui et sa femme n'avaient pas eu d'enfants, pensa Chagak. Peut-être accordait-il trop d'attention à sa sculpture et ne restait-il rien pour sa femme, rien pour commencer l'âme d'un enfant.

Chagak regarda Kayugh et détourna vivement les yeux. Elle était préoccupée que cet homme soit si souvent dans ses pensées et une fois, au cours des dernières nuits, il était même venu dans ses rêves. Il s'était allongé près d'elle et lui avait caressé le visage jusqu'à ce qu'elle se réveillât toute tremblante.

Pour se réconforter, elle avait pris le fils de Kayugh plus près d'elle et réveillé Samig, endormi dans son berceau au-dessus de sa tête. Puis elle avait bercé doucement les deux enfants, heureuse de sentir la force de Samig et la douceur d'Amgigh. Elle avait fait courir son doigt sur le bras de Samig, et sourit en le voyant attraper son doigt dans sa petite main, puis elle avait fait la même chose avec le fils de Kayugh. Elle n'attendait pas de réaction, le bébé bougeait rarement ses mains de son sein. Mais quand elle lui caressa le bras, lui aussi saisit son doigt et s'y accrocha.

Elle avait baissé les yeux sur la tête d'Amgigh, avec un sentiment de joie. Elle avait souhaité le voir vivre pour le bonheur de Kayugh. Cet homme avait assez souffert, sans devoir encore perdre un fils. Maintenant elle savait qu'elle voulait aussi voir vivre l'enfant pour elle. Auparavant il y avait eu une sorte de distance, quelque chose que Chagak avait mis entre elle et l'enfant. Une protection. Il était encore trop tôt depuis la disparition de Pup. Elle ne pouvait supporter l'idée d'espérer, de prier et de se dire que l'enfant allait mieux alors qu'il s'approchait plus près de la mort. L'espoir n'apportant que davantage de souffrance.

Mais tout en le combattant son intérêt avait grandi, s'était glissé dans son âme, alors qu'elle était occupée à des tâches matérielles et maintenant elle soignait l'enfant non seulement pour Kayugh, mais pour elle.

Tout en cousant, Chagak songea à Samig et Amgigh grandissant ensemble, apprenant à utiliser un ikyak, à chasser. Puis soudain, comme si l'idée ne venait pas d'elle mais lui était soufflée par quelqu'un d'autre, elle se dit qu'il vaudrait mieux que Samig ait un père.

Non, il avait Shuganan, se dit-elle. Mais les propres paroles de Shuganan lui revinrent en mémoire : « Je suis vieux. »

Chagak secoua la tête et enfonça son aiguille dans le trou. Je n'ai pas besoin d'un mari, pensa-t-elle et en poussant son aiguille elle enfonça les mots de Shuganan hors de ses pensées.

Il était tôt le matin et Chagak venait juste de rincer les paniers de nuit. Elle se tenait en haut de l'ulaq et regardait le cercle rouge du soleil se glisser sous les nuages qui recouvraient le ciel. Pour la première fois depuis que Kayugh lui avait apporté son fils, elle avait laissé les deux bébés dans l'ulaq. Amgigh dans les bras de son père, Samig dans son berceau.

Soudain sous la caresse du vent et la clarté d'un jour nouveau, elle se sentit jeune, comme si, en fermant les yeux et donnant assez de forces à ses pensées, elle pouvait se retrouver dans son propre village, dans l'ulaq de son père, attendant l'arrivée de l'ikyak de Traqueur de Phoques au milieu des vagues. Mais elle entendit les pas lents de Shuganan montant la rejoindre et elle sentit ses seins lourds de lait et le pesant chagrin qu'elle portait toujours en elle depuis la disparition de son peuple.

— Il t'a demandée pour femme, dit Shuganan qui parla avant même de sortir de l'ulaq.

Pendant un moment Chagak crut avoir mal entendu et se pencha sur le vieil homme comme pour mieux l'entendre.

— Kayugh te désire pour femme, répéta Shuganan. Il ne veut pas que tu ailles chez les Chasseurs de Baleines sans un mari.

Pendant un long moment, Chagak ne répondit pas et garda les yeux sur la mer trouvant ainsi un moyen de s'évader au milieu des flots. Mais finalement elle se retourna.

— Nous devrions partir maintenant, dit-elle, nous trouverons une autre île. Nous recommencerons. Nous pourrons revenir ici faire du troc...

La colère qui brilla dans les yeux de Shuganan l'empêcha de poursuivre.

— Et que feras-tu avec Amgigh ? demanda-t-il. Le laisseras-tu ici, privé de lait, juste au moment où il commence à devenir fort ? Ou bien l'emporteras-tu avec toi, laissant Kayugh sans la joie d'avoir un fils ?

Shuganan releva les manches de son parka sur ses poignets et tendit les mains vers elle, ses doigts déformés, les mains tremblantes.

— Je suis vieux, Chagak, soupira-t-il. Comment pourrais-je tenir une lance ? Comment pourrais-je tirer avec un arc ? Je ne peux veiller sur toi et Samig. Ne pouvez-vous être mari et femme ? Chasseur et mère ?

La gorge serrée, Chagak répondit :

— Je ne veux pas être une épouse.

— Chagak, reprit Shuganan d'une voix ferme mais calme, ce n'est pas quelque chose que tu peux choisir. Tu dois avoir un mari. Kayugh est un brave homme. Si tu ne choisis pas Kayugh, peut-être qu'un homme faible comme Oiseau Gris te prendra de force et alors tu n'auras plus le choix.

— Je suis assez forte pour tuer Oiseau Gris et je suis assez forte pour rester seule.

Shuganan se laissa tomber sur le toit de l'ulaq.

— Oui, dit-il enfin, tu es assez forte pour rester seule.

Il garda longtemps le silence et Chagak se prit à espérer qu'il était d'accord avec elle, mais il reprit :

— Pour toi il sera peut-être plus nécessaire qu'à quiconque d'être forte pour appartenir à quelqu'un.

36

— Un fils ! s'exclama Oiseau Gris à Coquille Bleue au moment où elle entrait dans l'abri aménagé pour ses couches.

Se rappelant ses propres douleurs au cours de la naissance de Samig, Chagak fut écœurée par cet homme. Ne pensait-il pas à la souffrance de son épouse ou à la frayeur que ressentait toute femme quand elle mettait un enfant au monde ? Elle faillit ouvrir la bouche pour protester mais rencontra le regard de Shuganan, elle y lut un avertissement et se tut.

— Viens avec moi, Oiseau Gris, dit Kayugh. Nous allons chercher du bois sec afin de construire un ikyak pour ton nouveau fils.

Oiseau Gris regarda l'abri hâtivement dressé pour l'accouchement et hésita. Nez Crochu haussa les épaules :

— C'est son premier-né. Ce sera long.

Oiseau Gris partit avec Kayugh, suivi plus lentement par Shuganan et Chagak remarqua que Kayugh ralentissait pour attendre le vieil homme.

La jeune femme continua son travail. Avec Nez Crochu, elle préparait des peaux de lion de mer pour doubler un ikyak. Les peaux avaient été lavées, grattées, séchées. Puis elles avaient été étirées pour les assouplir. Maintenant les deux femmes allaient les couper en se servant d'une vieille doublure comme modèle.

Baie Rouge jouait près de là. Enveloppés contre le froid, Samig et Amgigh dormaient dans leurs berceaux sur le côté de l'ulaq. Kayugh avait dit à Chagak qu'au cours de l'hiver il commencerait à faire pratiquer de l'exercice aux deux petits garçons, en étirant leurs bras et leurs jambes afin qu'ils deviennent tous les deux des chasseurs agiles.

Si jeunes, pensa Chagak, et l'on songe déjà à en faire des hommes. Et, bien qu'elle fût fière d'avoir donné naissance à un fils, elle éprouva un grand désir d'avoir une fille.

Nez Crochu s'interrompit dans son travail et s'accroupit devant les bébés. Chacun d'eux avait son berceau maintenant. Shuganan en avait construit un comme présent au fils de Kayugh. L'armature rectangulaire en bois sec soutenait des bandes de peaux de phoque qui se balançaient au rythme des mouvements des bébés.

— Deux beaux garçons ! s'extasia Nez Crochu.

La première chose que Chagak avait remarquée en rencontrant Nez Crochu était sa laideur, ce gros nez, ces petits yeux rapprochés, mais à présent elle ne vit que la bonté se reflétant sur ce visage souriant, le rire qui attirait les enfants.

— Et maintenant ton fils Premier Flocon est presque un homme.

— Oui, dit Nez Crochu, Longues Dents l'entraîne déjà dans son ikyak. Bientôt il sera un chasseur.

Nez Crochu sourit, mais Chagak sentit son chagrin. Quelle femme pouvait trouver facile de voir son fils devenir un homme ?

Nez Crochu prit une peau dans la pile et posa le modèle dessus.

— J'ai eu quatre autres enfants, dit-elle en sortant son couteau. Nos trois premiers étaient des filles et nous n'avions pas de maris possibles pour elles, aussi...

Elle haussa les épaules et ajouta à voix plus basse :

— J'ai versé beaucoup de larmes bien que Longues Dents ne les ait pas vues. Puis Longues Dents a pris Petit Canard comme seconde épouse, espérant un fils. Mais c'est moi qui lui ai donné ce fils alors qu'elle ne lui a donné aucun enfant depuis ces huit années qu'elle est sa femme.

Pauvre Petit Canard, pensa Chagak. Il n'était pas étonnant qu'elle fût si tranquille, silencieuse et timide. Pourtant elle avait de la chance que Nez Crochu fût la première femme de Longues Dents, car elle la traitait comme une jeune sœur.

— C'était un bel enfant, reprit Nez Crochu, après sa naissance, Longues Dents a donné une grande fête au village et pendant le dîner nous avons entendu une sorte de grondement. Personne n'y a prêté attention ou bien on a pensé que c'était un esprit en colère dans la montagne. Mais cette nuit-là, les vagues sont arrivées inondant tout le village, saccageant tout sur leur passage. L'eau arracha les murs de nos ulas et les entraînèrent dans la mer. Mon fils était dans son berceau et les vagues l'emportèrent loin de moi.

La voix de Nez Crochu se brisa et Chagak ne trouva pas de mots pour la consoler. Elle tira une autre peau de la pile, offrant à Nez Crochu une excuse pour cesser de parler si elle le souhaitait, mais après un moment de silence, celle-ci reprit :

— J'en rêve encore. Je veux attraper ce berceau, et mon fils s'éloigne pour toujours.

— Je regrette, murmura Chagak.

— Ce fut un moment terrible. Cependant les parents de Premier Flocon ont été tués et j'ai adopté cet enfant comme fils. Nous avons reconstruit notre ulaq. Au cours des années suivantes il y eut encore d'autres vagues, mais plus aussi fortes. Elles ne prirent aucune vie. Puis l'année dernière quand la neige se changea en pluie et que nous savions que les phoques à fourrure n'allaient pas tarder à venir, le grognement recommença. Kayugh conduisit beaucoup d'entre nous dans la montagne où nous étions à l'abri. Tout le monde n'a pas voulu venir et quand nous sommes revenus dans notre village, beaucoup étaient morts. Alors nous avons suivi Kayugh et nous sommes venus ici.

Un cri dans l'abri interrompit Nez Crochu et Petit Canard appela :

— Nez Crochu, Nez Crochu, le bébé va arriver!

Nez Crochu posa les peaux de lion de mer et entra sous l'abri. Chagak se sentit soudain très seule et aurait aimé être appelée, elle aussi.

Quelqu'un doit rester avec les enfants, se dit-elle et, elle sourit de sa propre folie. Il y avait encore des moments où elle souhaitait que les autres ne soient jamais venus sur cette plage, alors pourquoi désirait-elle faire partie de la communauté ?

Mais Coquille Bleue poussa un cri déchirant et Nez Crochu appela :

— Chagak, viens vite, nous avons besoin de toi !

Chagak courut sous la tente dressée de façon précaire. A l'intérieur, Coquille Bleue était étendue sur le dos, les genoux relevés, Petit Canard lui tenait les mains et Nez Crochu était agenouillée devant elle.

Pourquoi Coquille Bleue était-elle allongée ? se demanda Chagak, elle aurait dû s'accroupir afin que le bébé sorte plus vite. Coquille Bleue fit un nouvel effort et un petit derrière rond pointa entre ses jambes et disparut.

— Où est la tête ? demanda Chagak.

— Le bébé est retourné, expliqua Nez Crochu, il se présente à l'envers. Viens, prends les mains de Coquille Bleue.

Se plaçant en face de Nez Crochu et de Petit Canard, Chagak s'agenouilla à la tête de la jeune mère. Elle serra ses mains dans les siennes tandis que Nez Crochu glissait ses doigts dans le canal vaginal.

— Essaie de ne pas pousser, dit-elle. Attends... Attends... Attends encore un peu... Vas-y !

Coquille Bleue s'agrippa aux mains de Chagak et poussa, puis elle cria et le bébé se trouva entre les mains de Nez Crochu. C'était une fille.

L'enfant émit un petit vagissement et Coquille Bleue essaya de se redresser. Nez Crochu la poussa en arrière en disant :

— Attends !

Et elle pesa sur le ventre de la jeune femme jusqu'à ce que le placenta soit sorti. Alors seulement elle tendit le bébé à sa mère et Chagak frissonna dans le silence qui s'était établi sous la tente.

Coquille Bleue serra son bébé contre elle et ferma les yeux. Des larmes coulèrent sous ses paupières closes et elle chuchota :

— Oiseau Gris va vouloir que je la supprime.

Chagak était assise à l'entrée de l'ulaq de Shuganan occupée à gratter une peau de phoque. Samig et Amgigh tétaient sous son suk et Baie Rouge jouait avec des pierres de couleur sur l'herbe en haut des dunes.

Chagak pensait à Coquille Bleue et à son bébé et serra son fils et Amgigh dans ses bras. Kayugh n'avait pas obligé sa femme à tuer Baie Rouge, mais peut-être que celle-ci avait été promise en mariage avant même sa naissance.

Un ressentiment lui serra la gorge au point de lui donner des difficultés pour respirer. Si Oiseau Gris avait souffert autant que Coquille Bleue pour mettre le bébé au monde aurait-il été aussi désireux de tuer l'enfant ? Un homme savait-il jamais ce qu'une femme endurait pour la naissance d'un bébé ? Puis elle pensa à Shuganan. Il était avec elle quand Samig était né et il avait veillé sur elle. Une autre pensée lui vint : Est-ce que je connais les efforts que doit fournir un homme pour apporter de l'huile de phoque ? Est-ce que je comprends les dangers de conduire un ikyak dans une mer démontée ? Elle hocha la tête, ferma les yeux et berça les enfants.

Elle s'efforça de dominer sa rancœur, de rassembler ses pensées qui flottaient sur son chagrin comme le varech sur la mer. Elle ne parvenait pas à oublier les larmes de Coquille Bleue.

« J'ai eu ma part de malheur », murmura-t-elle avec amertume en s'adressant à Aka avec défi, mais soudain d'autres voix s'élevèrent avec des accents de colère et elle vit Kayugh et Oiseau Gris sortir du nouvel ulaq.

Kayugh arpenta la plage à longues enjambées, se pencha, saisit sa fille dans ses bras et la tint contre sa poitrine. Baie Rouge s'accrocha à lui, son petit visage se détacha tout pâle contre son parka et elle leva les yeux en entendant son père s'adresser à Oiseau Gris :

— Nous essayons de reconstituer un nouveau village. Nous avons trouvé un bon endroit. Nous avons trouvé ici de la sagesse et la vie pour mon fils. Et tu voudrais construire cet endroit sans femme?

Chagak ne pouvait quitter le visage de Kayugh des yeux et se préparait à saisir Baie Rouge si Oiseau Gris l'attaquait.

— Qui portera tes petits-enfants? Ça, dit-il en désignant un rocher, ou ça, ajouta-t-il en montrant un buisson de bruyère.

Kayugh saisit Baie Rouge par la taille et la tendit à Oiseau Gris.

« Ne pleure pas », supplia silencieusement Chagak en regardant l'enfant, « je t'en prie, ne pleure pas. »

Mais Baie Rouge se tint très droite, les yeux brillants entre Oiseau Gris et son père.

— Elle m'apporte de la joie, déclara Kayugh, puis il ajouta à voix si basse que Chagak eut des difficultés à l'entendre : et je tuerai tout homme qui essaierait de lui faire du mal.

Avec douceur, il posa l'enfant par terre. Baie Rouge regarda son père pendant un moment, puis Chagak lui tendit les bras et elle courut s'y réfugier. Oiseau Gris parla enfin :

— Si la fille de Coquille Bleue vit, je devrai attendre trois ou peut-être quatre ans avant qu'elle ne me donne un fils. Je serai peut-être mort d'ici là.

Chagak regarda Kayugh. Les paroles d'Oiseau Gris allaient-elles ébranler sa détermination? Kayugh ne répondit pas et Oiseau Gris poursuivit avec de la colère dans sa voix :

— Tout homme a le droit de diriger sa famille comme il l'entend.

Kayugh serra les mâchoires et Chagak recula en serrant Baie Rouge contre elle.

— Chagak?

Elle sursauta et se redressa lentement, son regard fouillant le visage de Kayugh.

— Amène-nous mon fils.

Elle ne voulait pas obéir. Amgigh était trop petit pour être pris en otage entre les deux hommes. Elle hésita et Kayugh répéta son appel avec force. Chagak sortit l'enfant de son suk et l'enveloppa rapidement dans une peau de phoque qu'elle était en train de gratter. Puis elle tendit le bébé à son père. Celui-ci présenta l'enfant à Oiseau Gris en écartant la couverture afin que ce dernier puisse voir ses jambes et ses bras.

— Je réclame la fille de Coquille Bleue comme épouse pour mon fils, déclara Kayugh, puis il se retourna et présenta le bébé à Tugix et répéta : je réclame la fille de Coquille Bleue comme épouse pour mon fils.

Oiseau Gris serra les dents et s'éloigna pour entrer sous la tente. Chagak crut que Kayugh allait courir après lui, mais il resta où il était en tenant le bébé qui pleurait maintenant sous le vent froid. Oiseau Gris revint presque aussitôt. Il tenait le bébé de Coquille Bleue, enveloppé dans une couverture d'herbe. Il découvrit la petite fille et sous le froid elle se mit à pleurer.

— Enveloppe-la, dit Kayugh. Elle sera la femme d'Amgigh.

Oiseau Gris recouvrit le bébé et la rabattit trop rapidement contre son épaule. La petite tête se balança contre sa poitrine.

— Si tu la tues, tu auras tué également mes petits-fils, déclara Kayugh en fixant Oiseau Gris jusqu'à ce que l'homme soit retourné sous la tente.

Alors il rendit son fils à Chagak, caressa la tête de Baie Rouge et s'éloigna sur la plage.

37

Shuganan ignorait comment il le savait. Peut-être était-ce la sagesse de son grand âge. Peut-être les voix de ses sculptures parlaient-elles à son âme, comme elles le faisaient souvent dans son sommeil. Peut-être cela venait-il de Tugix ou de quelque autre grand esprit, mais que ce fût la sagesse ou les esprits, Shuganan savait.

Il avait commencé à graver le phoque bien des jours plus tôt. Il avait utilisé une défense de morse, vieille et jaunie, au grain fin, devenue fragile avec le temps. Il l'avait fait tremper longtemps dans l'huile pour l'adoucir afin que son couteau puisse creuser et retirer tout ce qui était inutile et révéler l'esprit qui était à l'intérieur.

Il aiguisa la pointe de la défense jusqu'à ce qu'elle soit aussi fine que le bout d'un harpon. C'était le nez du phoque. Puis le corps s'incurva et s'élargit pour former les ailerons. Shuganan adoucit l'extrémité de la défense avec un rebord qui s'ajustait parfaitement au creux de sa main.

Quand il eut terminé le phoque, il demanda à Chagak une peau tannée et de la bruyère. Elle fut surprise de le voir sortir Samig des peaux qui l'enveloppaient et en utilisant un fil mesurer les bras et les jambes de l'enfant et la longueur de sa tête à ses petits orteils ronds. Mais elle ne posa pas de questions.

Shuganan utilisa un couteau de femme pour découper le dessin d'un corps de bébé dans une peau de phoque. Il utilisa la première forme comme modèle pour une seconde et se mit à coudre les deux ensemble, puis il les retourna et remplit l'espace vide avec de la bruyère.

Sur un morceau de bois sec, blanchi par le soleil et l'eau de mer, il grava un masque, avec le nez, la bouche et des yeux fermés. Puis, après avoir creusé des trous de chaque côté du masque il l'attacha au corps du bébé en peau de phoque.

Et un soir, alors que Chagak était occupée à préparer le repas, Shuganan lui demanda à tenir Samig. Il n'avait senti aucune menace à sa virilité dans ce geste, Kayugh était assis près de la lampe à huile, avec son fils dans ses bras. Et pendant que personne ne regardait, Shuganan avait coupé une mèche des cheveux de Samig. Peut-être y avait-il réellement un certain pouvoir dans la chevelure, une force qui obligerait un homme à voir ce qu'il pensait voir au lieu de ce qui s'y trouvait réellement.

Cette nuit-là, Shuganan colla cette mèche de cheveux sur la tête du bébé en peau de phoque.

Et puis, dans le petit matin, avant que les femmes soient levées pour vider les paniers de la nuit, Shuganan enveloppa son bébé dans une des peaux de phoque qu'Homme-Qui-Tue avait données pour le prix de Chagak.

Il attendit sur la plage, tenant le bébé dans son parka, le morceau de défense dans sa manche. Il attendit de voir les femmes sortir de l'ulaq de Longues Dents, puis il retourna à son ulaq en prétendant qu'il n'était sorti que pour voir s'il y avait des signes de phoque.

Il retourna sur la plage le lendemain et le matin suivant. Le quatrième jour, poussé par un esprit, il se réveilla dans la nuit et se rendit encore sur la plage avec son bébé en peau et le phoque en ivoire.

Il attendit durant la plus grande partie de la nuit, surveillant la mer, écoutant le murmure des vagues, guettant un bruit qui ne serait pas celui d'un animal mais celui d'un homme.

Quand le ciel commença à s'éclaircir il fut certain d'entendre un bruissement, quelque chose qui gardait son propre rythme et ne venait pas de la mer.

Shuganan fit glisser le phoque en ivoire dans sa main et sentit l'extrémité de la défense, aussi pointue qu'un couteau, il caressa le manche qu'il avait taillé pour s'adapter au creux de sa main afin d'augmenter la force du coup. Puis il glissa la main à l'intérieur de sa manche et enveloppa le bébé en peau de son bras, comme s'il était une mère portant un fils à son père.

Il vit l'ikyak et le chasseur assis à l'intérieur et sourit. Oui. C'était bien Voit-Loin.

Il regarda l'homme guider son ikyak à travers les rochers en direction de la plage et le vit sauter de l'embarcation pour la tirer sur le rivage.

Voit-Loin sourit à Shuganan mais ne le salua pas. Shuganan n'eut donc pas à lui répondre et se contenta de dire :

— Homme-Qui-Tue m'a dit que tu allais venir. Je t'attends depuis quatre jours.

— Je suis venu apprendre à Homme-Qui-Tue à se battre de nouveau, dit Voit-Loin en riant. Il a vécu trop facilement tout l'hiver. Il doit maintenant se préparer à combattre les Chasseurs de Baleines. Nous allons partir bientôt.

Voit-Loin examina la plage :

— Mais où est-il ?

Shuganan s'était assuré qu'aucun ikyak ne fût en vue et savait que Voit-Loin n'avait devant lui que les galets et les rochers de la plage.

— Il est dans l'ulaq. Sa femme est avec lui. Elle a été une bonne épouse et lui a donné un fils.

— Un fils ! s'exclama Voit-Loin. Eh bien, maintenant qu'elle lui a donné ce qu'il voulait, il n'aura peut-être pas autant de répugnance à partager sa femme avec moi.

— Je t'ai apporté le bébé afin que tu le voies, dit Shuganan en gardant les yeux fixés sur le visage de Voit-Loin, espérant détecter le moment où le premier doute naîtrait dans son esprit, espérant agir avant que Voit-Loin comprenne la vérité.

— Ainsi il te confie une tâche de femme, dit Voit-Loin en éclatant de rire.

— Je ne peux plus chasser, reconnut Shuganan en pliant davantage son dos et en montrant son bras gauche déformé.

— Tu vas me montrer son fils ? demanda Voit-Loin, en désignant la grosseur sous le parka de Shuganan.

— Il y a trop de vent ici. Mieux vaut nous tenir près de la falaise nous y serons à l'abri.

Mais dès qu'il eut parlé, Shuganan vit le doute dans les yeux de Voit-Loin, nota le rapide coup d'œil en direction du haut de la falaise, aussi ajouta-t-il :

— Mais le fils d'Homme-Qui-Tue est fort, un peu de vent ne lui fera pas grand mal.

Le doute disparut. Shuganan introduisit sa main à l'intérieur de son parka, en tira le bébé en peau de phoque et le tint contre sa poitrine.

Voit-Loin sourit et se pencha pour voir l'enfant. Shuganan fit glisser la défense de morse gravée le long de son bras jusqu'à ce qu'il sentît la pointe dans la paume de sa main. Il sortit alors le bébé pour le montrer à Voit-Loin et feignit de trébucher. Il lut la surprise dans les yeux de Voit-Loin et vit le rapide mouvement de l'homme pour saisir le bébé. Dès que celui-ci posa la main sur la peau de phoque gonflée, Shuganan fit glisser la défense de morse dans sa propre main.

Au cours de sa vie, Shuganan avait tué beaucoup de phoques et de lions de mer. Il connaissait la place exacte du cœur, l'endroit précis abrité par les côtes, aussi savait-il la meilleure façon de tuer un homme. Le coup devait être porté sur le côté non protégé, au-dessus de l'estomac. Il frappa avec l'extrémité pointue de son arme et l'enfonça aussi profondément qu'il le put dans le cœur de Voit-Loin. Le coup porta au moment où l'homme disait :

— Mais ce n'est pas un bébé....

Et, bien que les mots aient commencé d'une voix claire et forte ils s'achevèrent dans un balbutiement.

Voit-Loin tomba sur les genoux, le bébé en peau de phoque encore dans les bras. Shuganan posa sa main sur la poitrine de l'homme. Le cœur s'était arrêté mais il vit encore la conscience au fond des yeux. Shuganan sortit le couteau de chasse que l'homme portait dans un étui à son bras gauche et saisissant Voit-Loin par les cheveux, il lui trancha la gorge.

Un sifflement sortit de la trachée artère de l'homme et des glaires se répandirent autour de son cou, mais Shuganan continua à couper les tendons et les muscles, puis il renversa la tête en arrière, la maintenant en place jusqu'à ce que les petits os de la nuque aient été sectionnés. La tête fut brusquement détachée et l'esprit ne brilla plus dans les yeux.

Shuganan abandonna le corps sur la plage. Il souhaitait que les vagues surgissent brusquement et entraînent le cadavre avant que les femmes ne le voient, mais le courant était trop faible. Alors, Shuganan arracha le bébé en peau de phoque des bras de Voit-Loin. Il le plaça dans l'ikyak abandonné et retourna à l'ulaq. Il allait réveiller Kayugh et lui demander de l'aider à mettre le corps de Voit-Loin dans l'ikyak. Ensemble, ils pourraient découper le corps et séparer les membres afin de rendre l'esprit impuissant. Ensuite Kayugh pourrait pousser l'ikyak au-delà des falaises où les courants l'entraîneraient vers la pleine mer.

Les esprits verraient le bébé en peau de phoque, la touffe de cheveux de Samig sur sa tête et ils sauraient que les cheveux de Samig avaient fait croire à Voit-Loin, durant un bref instant, qu'il s'agissait d'un véritable bébé, permettant à Shuganan de le frapper. Les esprits comprendraient le pouvoir d'un homme qui n'était pas encore un homme et honoreraient Samig, l'enfant qui devait venger le massacre du peuple de sa mère.

Shuganan se retourna pour regarder le corps étendu sur la plage. Voit-Loin aurait dû chasser les phoques et les lions de mer. Il aurait dû vivre dans son ulaq et se réveiller au bruit de sa femme préparant le repas du matin. Il aurait dû réparer ses armes à la lumière des lampes à huile, pendant que son épouse travaillait, il aurait dû regarder les ombres sur son visage et surveiller son ventre qui s'arrondissait au fil des mois avec le fils qu'il avait conçu. Voilà ce que Voit-Loin aurait dû faire.

Au lieu de cela, il avait choisi de tuer des hommes. Comment cette façon de vivre pouvait-elle se comparer avec la joie de vivre avec sa famille ? Et c'est pourquoi, pensa encore Shuganan, moi qui suis vieux, suis encore en vie, alors que lui qui est jeune est déjà mort.

Kayugh entendit Shuganan marcher dans la pièce principale et il se demanda pourquoi il était déjà réveillé. Il était trop tôt pour que Chagak fût déjà levée. Puis il entendit Shuganan l'appeler. Il entendit aussi un cri de bébé, mais Chagak calma l'enfant et le silence retomba.

Kayugh se glissa hors de sa couche et vit avec surprise que les mains de Shuganan étaient couvertes de sang. Il ouvrit la bouche pour parler, mais le vieil homme secoua la tête et l'invita à le suivre en dehors de l'ulaq.

— Un phoque ? demanda Kayugh dès qu'ils furent sur le toit.

Il regarda vers la plage, mais dans la lumière incertaine du jour naissant, avec le ciel couvert de nuages, il ne pouvait distinguer s'il y avait un animal sur la plage.

— Non, dit Shuganan. Appelle Longues Dents et Oiseau Gris, nous devons parler.

En voyant l'intensité du regard qui se posait sur lui, Kayugh obéit sans poser de question. Il se rendit à l'ulaq voisin et appela les hommes. Eux aussi sortirent en enfilant leurs parkas. Longues Dents grommelait mais faisait aussi des plaisanteries. Lorsque Kayugh désigna Shuganan, Longues Dents s'arrêta de parler, rendu soudain silencieux à la vue des mains ensanglantées du vieil homme.

— Un phoque ? demanda Oiseau Gris.

Sans répondre, Shuganan les conduisit vers le rivage. Dès que Kayugh distingua le monticule à côté de l'ikyak, il ne pensa pas tout de suite que ce pût être un homme, puis il vit le parka et les bottes en peau de phoque et la tête tranchée, quelques pas plus loin.

— Est-ce toi qui a fait cela ? demanda-t-il à Shuganan.

— C'est un Petit Homme, répondit celui-ci, un des barbares qui ont tué le mari de Chagak.

Bien que Shuganan s'exprimât avec de la haine et de la

colère dans la voix, il y avait quelque chose dans ses paroles qui toucha l'esprit de Kayugh, quelque chose qui lui murmurait : « Ce vieil homme dit vrai et faux à la fois. Il a une raison pour tuer cet homme, mais peut-être pas celle qu'il donne. »

Shuganan s'accroupit sur ses talons près du corps et se mit à parler, mais le bruit des vagues sur les rochers couvrait ses paroles et Kayugh dut s'accroupir à son tour, aussitôt imité par Longues Dents et Oiseau Gris.

— Je vous ai dit que Chagak et moi allions conduire Samig chez les Chasseurs de Baleines. Nous connaissions le projet des Petits Hommes d'attaquer leur village. Ma femme faisait partie des Chasseurs de Baleines. Je ne peux laisser son peuple mourir.

« Il y a longtemps que nous avons pris cette décision, avant même la naissance du bébé de Chagak. Maintenant que Coquille Bleue peut s'occuper du fils de Kayugh, nous pouvons partir. Nous le ferons dès aujourd'hui. Cet homme que j'ai tué était un éclaireur. Les marques jaunes sur son ikyak parlent à ceux qui savent. Les autres, les guerriers, viendront bientôt. Pas sur cette plage. Ce n'est qu'une étape, un endroit où l'un des leurs est resté pour l'hiver.

« Nous ne vous demandons pas de nous accompagner. Vous n'avez aucune raison de tuer les Petits Hommes. Cette plage vous appartient désormais. Nous reviendrons peut-être. Ou peut-être pas. Si je suis tué et que Chagak ne l'est pas, un des chasseurs de Baleines la prendra certainement pour femme et elle ne reviendra pas. Et si nous sommes tués tous les deux, nous irons rejoindre notre peuple dans les Lumières Dansantes.

Kayugh surveillait le vieil homme tandis qu'il parlait. Si Chagak avait eu un mari, où était son ikyak ? Où étaient ses armes ? Shuganan ne possédait que ses propres armes et celles du Petit Homme tué l'été précédent. Mais pourquoi Shuganan mentirait-il ?

Il attendit, espérant qu'Oiseau Gris dans son ignorance ou Longues Dents dans sa sagesse poserait une question. Mais ils ne dirent rien. Alors Kayugh réfléchit à la décision qu'il devait prendre. Devait-il partir avec Shuganan ou rester sur cette plage ?

A la mention du mari de Chagak, il avait senti son estomac se serrer. S'il partait, il pourrait peut-être empêcher Chagak d'épouser un Chasseur de Baleines. Mais s'il disait à Shuganan qu'il allait l'accompagner, Longues Dents viendrait aussi et alors qui s'occuperait des femmes ?

D'un autre côté, accompagner Shuganan chez les Chasseurs de Baleines, c'était s'engager à tuer des hommes. Comment un homme pouvait-il chasser d'autres hommes ?

« Je serais comme un enfant lors de sa première chasse, pensa-t-il. Je saurais peu de choses et gênerais les autres par mon ignorance. »

« Et que ressent un esprit en tuant un homme ? Deviendrais-je aussi mauvais que les Petits Hommes ? »

« Mais les hommes qui tuent d'autres hommes doivent être tués. Comment le mal pourrait-il être arrêté autrement ? Les hommes qui tuent des hommes écouteraient-ils la voix de la raison ? Des mots pourraient-ils les arrêter ? Devait-on leur proposer des échanges ? Mais pourquoi accepteraient-ils des échanges alors qu'en tuant ils pouvaient tout avoir pour rien ? »

Kayugh regarda Shuganan. Le vieil homme était assis, tête baissée, ses mains maculées de sang entre ses genoux. Ses os, sous sa peau ridée, étaient fragiles et il vit que la mort était chose facile pour Shuganan, son esprit était déjà près de ceux qui l'appelaient dans les Lumières Dansantes. Ses jeunes années étaient loin et il était presque arrivé à la fin de ses vieilles années, celles où l'âme relâche ce qu'elle a attrapé, quand les fils qui retiennent en vie se sont brisés, un par un. Et maintenant il n'y avait plus que Chagak qui le retenait. Chagak, sans mari.

Et Kayugh la vit avec un mari Chasseur de Baleines, un homme qui la prendrait seulement pour le travail qu'elle ferait et les fils qu'elle lui donnerait. Et si un Petit Homme la prenait pour femme ? Comment pourrait-elle servir quelqu'un qui apprendrait à Samig à tuer des hommes ?

Il vit le couteau de Shuganan toujours planté dans le

corps du Petit Homme et ne fut pas surpris en constatant que le manche portait l'image du phoque que Shuganan avait passé de nombreuses soirées à graver. Kayugh planta son propre couteau dans le corps, retira celui de Shuganan et le lui tendit.

— Je viendrai avec toi, dit-il.

Et aussitôt Longues Dents plongea, lui aussi, son couteau dans le corps de l'homme et retira celui de Kayugh en disant :

— Je viendrai aussi.

Alors Oiseau Gris haussa les épaules.

— Nous ne pouvons laisser les femmes, grogna-t-il.

— Mes femmes viendront avec moi, coupa Longues Dents.

A nouveau Oiseau Gris haussa les épaules, mais il plongea également son couteau dans le corps et retira celui de Longues Dents et le lui tendit en disant :

— Je viens, moi aussi, avec ma femme.

38

Quelle différence cela fera-t-il ? pensa Chagak en enfonçant sa pagaie dans l'eau.

Pourquoi se soucierait-elle de vivre ou de mourir ? Pourquoi aurait-elle peur de la mort ? Si, en combattant les Petits Hommes, elle était tuée, alors elle retrouverait son peuple. Et Traqueur de Phoques.

Mais la pensée de la mort la mettait mal à l'aise. Qui savait vraiment ce qui arrivait après la mort ? Peut-être y avait-il de mauvais esprits contre lesquels elle n'aurait aucune protection. Et comment trouverait-elle son chemin vers les Lumières Dansantes ? Voyager vers le nord serait-il suffisant ?

Chagak et Nez Crochu pagayaient dans le même ik. Chagak était assise à l'avant, Nez Crochu tenant la position plus difficile de pagayer à l'arrière. Petit Canard et Coquille Bleue étaient assises au centre de l'embarcation avec Baie Rouge, Premier Flocon et les bébés.

Mince et pâle, Coquille Bleue se montrait douce avec sa petite fille, mais la regardait rarement, même quand elle l'allaitait. Depuis la naissance de l'enfant, Chagak avait remarqué qu'elle portait souvent des meurtrissures sur la poitrine et le ventre.

Oiseau Gris... songea Chagak en se félicitant de n'avoir pas de mari.

Des mouettes volaient en cercle, criant et plongeant à

l'occasion près de l'ik et à deux reprises, des loutres vinrent nager autour de l'embarcation qui s'était approchée des lits de varech. Elles étaient si comiques quand elles se tenaient sur le dos, le ventre en l'air que les femmes ne purent s'empêcher de rire, même Coquille Bleue.

La brume commença à se lever au-dessus des plages, effaçant toute vue de la terre. Chagak s'efforça désespérément de tout se rappeler, la mer, les oiseaux, les loutres, car elle redoutait de ne jamais les revoir.

Puis, tout en pagayant elle se mit à fredonner une chanson que sa grand-mère lui avait apprise, une simple comptine, racontant le tissage d'un panier et en chantant elle se souvint de son peuple. De la vengeance qu'elle tirerait de leurs morts. Mais quand elle essaya de se représenter le visage de Traqueur de Phoques, elle vit celui de Kayugh à sa place. Au lieu de Pup, elle vit Samig et Amgigh, les deux enfants grandissant ensemble l'un grand avec de longs bras comme Kayugh capable d'envoyer sa lance très loin, l'autre petit et trapu doué de la force nécessaire pour les longues chasses dans un ikyak. Et les images qu'elle voyait lui disaient de rester en ce monde.

Aussi Chagak se dit qu'il était important de combattre les Petits Hommes. L'esprit de son peuple ne serait pas en repos avant qu'elle n'ait tenté de venger ses morts. « Je suis la seule qui reste pour le faire », pensa-t-elle, « comme j'ai été la seule à les enterrer. »

Puis Chagak entendit l'esprit de la loutre lui parler de sa voix tranquille : « C'est ton devoir d'être une femme, de perpétrer le sang de ton village. De porter des enfants, de faire des fils qui chasseront et des filles qui porteront d'autres fils afin que les anciennes coutumes ne soient pas oubliées. »

« Non, murmura Chagak, je ne peux rien leur apporter de plus. Je ne peux être à la fois une femme et une guerrière. S'ils avaient besoin des deux, ils auraient dû laisser Traqueur de Phoques en vie. Alors Samig aurait eu son sang et non celui d'Homme-Qui-Tue. »

« Ce n'est peut-être pas le sang d'Homme-Qui-Tue qui est important, répondit la loutre. Peut-être qu'à travers

Samig, ce qui est bon chez les Petits Hommes se perpétuera, leur force, leur intrépidité, peut-être même le don de Shuganan pour découvrir les animaux cachés dans les os et l'ivoire... »

Chagak ne répondit pas mais la loutre poursuivit :

« Et tu en emmènes d'autres avec toi, des hommes qui n'ont pas de désir de vengeance. »

« C'est leur choix », pensa Chagak. « S'ils ne tuent pas les Petits Hommes, eux-mêmes seront tués, comme mon peuple l'a été. »

« Est-ce pour cela que Kayugh vient avec toi ? N'a-t-il pas d'autres raisons ? » demanda la loutre.

Mais Chagak enfonça sa pagaie plus profondément dans l'eau jusqu'à ce que l'effort étouffe la voix de la loutre et quand ses épaules commencèrent à lui faire mal, Chagak fut heureuse de ressentir cette douleur. Ainsi elle pourrait penser à dormir au lieu de songer à vivre ou à mourir.

Ils passèrent la nuit sur une petite plage, un endroit où Chagak se souvenait s'être arrêtée l'été précédent avant d'avoir trouvé l'île de Shuganan. Et avec le souvenir revint le chagrin de ce qu'elle avait perdu, si tenace, si profond qu'elle en eut le souffle coupé. Elle n'écouta plus quand elle crut entendre les chuchotements de la voix de la loutre de mer et resta près des autres femmes en essayant de se joindre à leur conversation. Mais celles-ci parlaient des Chasseurs de Baleines et Chagak sentait la terreur dans leurs voix et bien que personne n'y fît allusion, elle sentit que toutes pensaient devoir faire face à ce danger par sa faute.

Finalement, elle vint s'installer près du feu sur la plage et se mit à changer les enfants. En levant les yeux, elle vit Kayugh marcher vers elle. Il s'accroupit à ses côtés et remua le feu avec un long bâton de bois mort.

D'abord, il ne dit rien et se contenta de hocher la tête quand elle lui présenta son fils. Puis il déclara :

— Je ne sais pas si Shuganan te l'a dit, mais je lui ai parlé de mon désir d'avoir une épouse.

Chagak ne le regarda pas et bien qu'elle ouvrît la bouche pour parler, les rapides battements de son cœur l'empêchèrent de proférer un seul mot.

— Si nous sommes encore en vie après cette aventure, poursuivit-il, je serais heureux que tu acceptes d'être ma femme. Shuganan m'a donné son consentement.

Il attendit un moment et se leva et finalement Chagak répondit :

— Je sais que tu seras un bon mari pour n'importe quelle femme, mais je pleure encore la mort de mon mari.

— Les Chasseurs de Phoques vont vouloir t'épouser. N'en choisis pas un en dehors de moi.

— Je ne le ferai pas, répondit Chagak.

Alors Kayugh se leva et Chagak sentit un poids sur son cou. Elle regarda et vit qu'il avait glissé un collier en griffes d'ours au-dessus de sa tête, un cadeau prisé et rare, qui devait avoir nécessité beaucoup d'échanges entre tribus, jusqu'à l'est où l'on chassait les ours bruns. Elle souleva le collier et le tint entre ses mains. Chaque griffe jaune avait été polie et entre elles se trouvaient des coquillages. C'était un cadeau qu'une femme pouvait espérer recevoir après avoir donné de nombreux fils à son mari.

— Merci d'avoir sauvé mon fils.

Et pendant un instant il pressa son épaule de sa main avant de se lever et de s'éloigner vers la plage pour rejoindre les autres hommes.

Ils arrivèrent devant la baie des Chasseurs de Baleines le jour suivant. Comme sa mère la lui avait décrite, c'était une grande plage de sable avec, au centre, une large mare où même maintenant des canards s'ébattaient.

Il y avait des femmes sur la plage et des ikyans sur des râteliers près de la mare. Des enfants jouaient sur la plage. Des casiers de nourriture étaient rangés le long du rivage et l'on voyait de la viande suspendue pour la faire sécher. Chagak appela Nez Crochu :

— Ils ont déjà attrapé une baleine.

« J'aurais dû venir ici dès que mon village a été anéanti », pensa Chagak et elle enfonça sa pagaie entre deux rochers pour faire tourner l'ik vers le rivage. Alors la loutre de mer murmura à son oreille : « Tu sais fort bien que tu ne le pouvais pas. Pup était mourant. De plus, si tu étais venue ici d'abord, Amgigh serait-il vivant ? Aurais-tu eu Samig ? Et aurais-tu pu offrir ce que tu apportes aujourd'hui ? La sagesse de Shuganan, la force de Kayugh, un petit-fils à ton grand-père ? »

Le plan de Shuganan ne marcherait peut-être pas, pensa Chagak, mais elle repoussa cette pensée. Pourquoi entretenir des doutes ? Pourquoi renforcer la cause des Petits Hommes avec ses questions ?

Cinq ulas étaient dressés sur une des extrémités élevées de la plage à un endroit où les vagues ne pouvaient les atteindre, mais un homme assis sur le toit d'un ulaq surveillait la mer.

Un petit groupe de femmes se trouvant sur la plage avaient couru vers l'ulaq central quand Kayugh et les autres commencèrent à tirer leurs ikyan sur le rivage.

— L'ulaq central appartient à mon grand-père, Nombreuses Baleines, dit Chagak... s'il est toujours en vie.

— Y a-t-il longtemps que tu n'es pas venue ? demanda Coquille Bleue.

— Je ne suis jamais venue ici, répondit Chagak. Mais ma mère parlait souvent de ce village et mon père y venait tous les étés.

Kayugh s'approcha de leur ik et Chagak laissa tomber sa pagaie au fond de l'embarcation et retroussa son suk pour descendre.

— Reste là, dit Kayugh, tu dois t'occuper des enfants, je vais te tirer.

Mais Chagak sauta dans l'eau glacée en serrant les dents pour les empêcher de claquer. Elle saisit le bord de l'ik et tira avec l'aide de Kayugh.

— Il faut que je voie mon grand-père la première, plaida-t-elle. Il a dû entendre parler de l'extermination de mon village. Il me croit peut-être morte. Il se peut qu'il refuse de me croire et n'écoute pas notre plan pour protéger le village.

Kayugh haussa les épaules, mais Chagak vit qu'il était irrité. Était-il aussi important qu'il tire son embarcation à terre et garde son suk au sec ? Mais quelque chose au fond d'elle-même lui fit regretter de ne pas avoir agi comme il le souhaitait. Et quand ils eurent amené l'ik à terre, elle redressa son suk, essuya l'eau au bas de l'ourlet et ajusta le collier de griffes d'ours autour de son cou.

En regardant ce collier elle voulut dire à Kayugh combien elle le trouvait beau, mais quand elle releva la tête, il avait disparu pour aller aider Longues Dents et Oiseau Gris à tirer leurs ikyan sur la plage.

« Du moins les Chasseurs de Baleines penseront que tu as un mari », chuchota la loutre de mer. « Quelle femme non mariée aurait un aussi beau collier ? »

Mais ces paroles ne lui apportèrent aucun réconfort. Pour la première fois, Chagak pensa qu'elle allait se trouver au milieu de beaucoup d'hommes, la petite-fille non mariée de leur chef. Un frisson de crainte la secoua.

« Qu'y aurait-il de mal à épouser un homme de la tribu de ta mère ? » demanda la loutre.

« Je ne veux pas d'un mari. »

« Qu'y aurait-il de mal à avoir Kayugh pour mari ? » insista la loutre.

A haute voix, Chagak répondit :

— Ne me parle pas de mari.

Puis elle se retourna et vit Nez Crochu derrière elle. Chagak rougit, mais Nez Crochu se contenta de sourire :

— Shuganan nous appelle, dit-elle, et elle désigna les autres groupes à côté des ikyan.

Quelques Chasseurs de Baleines conversaient avec eux. Chagak reconnut l'un d'eux appelé Roc Dur. Il n'était pas beaucoup plus âgé qu'elle et se montrait fort et volontaire. C'était un bon chasseur. Il était venu plusieurs fois chez son peuple en compagnie de son grand-père.

— Roc Dur, appela Chagak, ignorant les regards étonnés de Longues Dents et d'Oiseau Gris.

Mais qui connaissait ces gens ? Eux ou elle ? Devait-elle

attendre sans donner signe de vie? N'était-elle pas la petite-fille de leur chef et ne devait-elle pas être la première à recevoir leurs salutations?

— Je suis Chagak, dit-elle.

Roc Dur se retourna en même temps que les autres. Il saisit son amulette et la brandit dans sa direction.

— Chagak? s'écria-t-il avec surprise.

— Je suis venue avec des amis.

— Nous avons vu ton village. Nous pensions que vous étiez tous morts.

— J'étais allée dans les collines ramasser de la bruyère quand le village a été détruit, expliqua Chagak. Je suis seule à avoir survécu. Je suis venue voir mon grand-père et apporter un message à ce village.

Pendant un moment Roc Dur la dévisagea, puis il dit quelques mots à un homme qui se trouvait près de lui. Celui-ci courut vers l'ulaq de son grand-père et Chagak attendit, espérant que son grand-père viendrait l'accueillir sur la plage, mais l'homme revint seul.

— Tu dois te rendre à l'ulaq de ton grand-père, dit-il à Chagak. Les autres resteront ici et attendront. Nous allons leur porter de l'eau et de la nourriture.

Avant même l'arrivée de Kayugh et de ses amis, Chagak et Shuganan avaient préparé ce qu'ils devaient dire. Maintenant Chagak se demandait si elle avait bien appris la leçon. Shuganan ne serait pas là pour rectifier ou couvrir ses erreurs.

Mais Shuganan lui sourit et elle se sentit réconfortée. Elle serra les bébés qu'elle portait sous son suk et suivit Roc Dur.

L'ulaq était plus haut et plus grand que les ulas de son peuple. Au lieu des lampes à huile en craie, il y avait des lampes taillées dans le roc, certaines arrivant jusqu'à la taille de Chagak et chacune ayant un creux au sommet contenant l'huile et une mèche en mousse sèche.

Nombreuses Baleines, le grand-père de Chagak, était

assis sur un matelas au centre de l'ulaq. Il portait un parka en peau de loutre ornée de fourrure et de plumes à chaque couture. Il portait aussi un chapeau de baleinier. De forme conique, le sommet pointu s'étendait sur les côtés pour empêcher la pluie et les éclaboussures de la mer de se glisser dans l'encolure de son parka.

Lorsque Chagak était enfant, elle avait été fascinée par ce chapeau et il lui arrivait de mettre un panier à l'envers sur sa tête en prétendant qu'elle portait un chapeau de baleinier.

Mais sa mère lui avait expliqué que les femmes ne chassaient pas les baleines. En revanche, elles fabriquaient les chapeaux et sa mère lui avait promis qu'un jour elle lui apprendrait à en confectionner un en glissant de minces feuilles de bois taillées autour d'une bûche ayant séjourné dans l'eau pour lui garder cette forme incurvée qu'il fallait conserver. Ensuite on devait huiler le bois pour l'assouplir et le faire briller avant de lui donner sa forme.

Le chapeau de Nombreuses Baleines avec de longues moustaches de lion de mer à l'arrière et des plumes et des coquillages cousus sur le bord indiquait qu'il était un chef.

Épouse Dodue était assise à côté de lui. Ce n'était pas la véritable grand-mère de Chagak, mais une seconde femme, épousée après la mort de la grand-mère de Chagak. C'était une petite femme, très grasse, au visage rond, portant ses cheveux tirés en arrière et retenus par une queue de loutre à la nuque.

Nombreuses Baleines tenait son amulette entre ses deux mains et quand Chagak s'avança vers lui, il la leva en disant :

— J'ai vu ton village. Comment es-tu encore en vie ?

Les épaules carrées du vieil homme, sa voix chantante rappelèrent sa mère à Chagak. Toute appréhension qu'elle avait pu ressentir, la crainte qu'il ne la reconnût pas, s'évanouirent comme si l'esprit de sa mère était près d'elle et elle répondit avec confiance :

— J'étais allée dans les collines ramasser de la bruyère. J'y suis restée jusqu'à la tombée de la nuit et quand je suis revenue, les ulas étaient en feu.

Nombreuses Baleines invita Chagak à s'asseoir sur le

tapis placé devant lui. Elle s'installa en croisant les jambes à la manière de son grand-père et jeta un rapide coup d'œil à l'intérieur de son suk en réajustant le porte-bébé de Samig. Elle remarqua l'intérêt de son grand-père mais ne dit rien au sujet des enfants.

— Et de tout ton peuple, toi seule a survécu ? demanda-t-il.

— Non. Mon frère Pup a vécu quelque temps. J'ai enterré les morts. J'ai fait des cérémonies et j'ai fermé les ulas. Cela m'a pris beaucoup de jours. Puis j'ai rassemblé des vivres, j'ai pris un ik et je suis partie avec Pup pour venir à ton village, mais je me suis d'abord arrêtée dans l'île de Shuganan.

— Shuganan ? demanda Épouse Dodue, qui est-ce ?

Mais Nombreuses Baleines coupa :

— Je connais Shuganan. Il y a de nombreuses années il a épousé une femme de notre village. Il vit sur une petite île à une journée de voyage d'ici. Il ne fait de mal à personne, mais les hommes qui s'arrêtent sur sa plage disent qu'il possède un don magique. Il grave et sculpte des pierres et de l'ivoire et en fait des animaux. On dit que ses sculptures ont un grand pouvoir.

Chagak fit glisser de son cou la figurine représentant un homme, une femme et un bébé et la tendit à Épouse Dodue.

— Cette gravure a le pouvoir de donner des fils, affirma-t-elle en relevant son suk et elle retint un sourire en voyant Épouse Dodue, puis Nombreuses Baleines ouvrir la bouche de surprise.

Tous deux regardaient les deux bébés suspendus sous le suk de Chagak.

— Des fils, dit-elle en recouvrant les enfants. Shuganan est un saint homme. Il n'a pu sauver Pup, mais pour la perte de mon frère, j'ai eu deux fils.

— Shuganan est-il ton mari ? demanda finalement Nombreuses Baleines.

Se rappelant ce que Shuganan lui avait recommandé de dire, Chagak réfléchit un instant et rencontra le regard de son grand-père avant de reprendre :

— Le petit-fils de Shuganan était mon mari. C'était un

brave. Il rapportait de nombreux phoques de ses chasses. Son nom était Traqueur de Phoques. Il a été tué l'été dernier par un des hommes qui ont détruit mon village.

Nombreuses Baleines hocha la tête et parut sur le point de parler quand Épouse Dodue rendit la sculpture à Chagak en demandant :

— Tu dis que ton village a été anéanti, es-tu sûre qu'il l'a été par des hommes et non par des esprits ?

Cette question n'avait pas été prévue. Chagak croisa les mains en essayant d'imaginer ce que Shuganan aurait répondu.

— Autrefois Shuganan faisait du troc, commença-t-elle, et pendant quelque temps il a vécu avec un peuple appelé les Petits Hommes. Il m'a dit que ces hommes étaient forts et bons chasseurs, mais ils chassaient les hommes aussi bien que les animaux. Ils détruisaient les villages et tuaient les gens.

— Pourquoi feraient-ils une chose pareille ? demanda Nombreuses Baleines.

— Shuganan prétend qu'ils croient que pour chaque homme tué, le tueur voit sa force augmenter.

Nombreuses Baleines secoua la tête et les moustaches de lion de mer derrière son chapeau s'agitèrent tandis qu'il disait :

— Un chasseur peut gagner une certaine force en tuant un animal, s'il respecte les traditions et emploie les armes appropriées. Mais un homme... l'esprit d'un homme est trop puissant. Chercher à se l'approprier ne peut qu'apporter le malheur.

— Tu aurais dû venir nous voir plus tôt, dit Épouse Dodue en se penchant en avant de sorte que ses seins lourds pesaient sur ses gros genoux. Nous avons des chasseurs ici. Tu dis que ton mari est mort. Tu peux choisir un mari parmi nos meilleurs chasseurs.

Mais avant qu'elle ait pu répondre, Nombreuses Baleines demanda :

— Qui sont ces hommes et ces femmes qui sont venus avec toi ?

— Ils viennent d'une plage de l'est. Ils appartiennent à une des tribus des Premiers Hommes que mon père ne connaissait pas. Une vague a tué beaucoup de leurs hommes et détruit leur village, alors ils ont cherché un autre endroit pour s'y installer. Shuganan leur a demandé de rester sur son île. Ils ont construit un ulaq.

Chagak releva son suk et ajouta en désignant Samig :

— Cet enfant est mon fils, l'autre appartient à Kayugh, le chef de cette tribu. Sa mère est morte, alors je le nourris.

Épouse Dodue se pencha sur les bébés. Nombreuses Baleines la saisit par la main et la tira en arrière :

— Ainsi tu nous as amené notre petit-fils pour qu'il reste avec nous, dit-il.

Chagak baissa son suk, leva la tête et regarda son grand-père en face :

— Non, répondit-elle, Samig appartient aussi à Shuganan. Quand Samig sera plus grand, tu lui apprendras à chasser les baleines, mais pour l'instant il va rester avec moi et Shuganan.

« Je suis venue pour te prévenir du danger qui te menace. Deux des guerriers des Petits Hommes sont venus sur notre plage. Mon mari en a tué un, Shuganan a tué l'autre. Ces hommes étaient des éclaireurs envoyés pour surveiller ton village. Les autres viendront vous attaquer et vous tuer à moins que tu ne te défendes.

Nombreuses Baleines éclata de rire.

— Attaquer notre village ? Quel homme a le pouvoir de s'en prendre à un homme qui chasse la baleine ? Si un vieil homme comme Shuganan a pu tuer un des leurs, comment les Petits Hommes seraient-ils assez forts pour lutter contre mes chasseurs ?

— Je ne peux te dire d'où ils tirent leur force, mais je sais comment ils viennent et comment ils tuent. Nous sommes là pour te prévenir. Tiens-toi prêt.

A nouveau Nombreuses Baleines se mit à rire et Chagak se demanda comment sa mère, si frêle, si douce, pouvait être issue d'un peuple aussi arrogant, qui riait trop, qui se plaignait trop, qui faisait du bruit et discutait devant chaque tâche.

— Tu prendras le risque de perdre un petit-fils, face à ceux qui ont tué ta fille et ses enfants, avança-t-elle. On est plus fort en connaissant la situation. Quel mal y a-t-il à écouter? Si tu ne fais rien et que les Petits Hommes arrivent tu pourras tout perdre. Mais si tu te prépares à les recevoir et qu'ils ne viennent pas, tu auras seulement perdu un jour de chasse.

Pendant un long moment, Nombreuses Baleines ne lui répondit pas :

— Pour une enfant, tu es avisée, murmura-t-il enfin. Se tournant vers Épouse Dodue, il ajouta : Dis aux femmes de préparer une fête. Nous allons écouter Shuganan et lui souhaiter la bienvenue ainsi qu'à ceux qui l'accompagnent. Dis à Nombreux Bébés de faire un bracelet en coquillages pour ma petite-fille. Ce sera un cadeau et s'il est bien réussi, je donnerai à Nombreux Bébés deux peaux de loutre.

39

Les femmes des Chasseurs de Baleines préparaient la fête et les gens du village, hommes, femmes et même enfants s'entassaient dans l'ulaq de Nombreuses Baleines pour le repas.

Épouse Dodue déploya deux tapis au centre de l'ulaq et les femmes les couvrirent de tranches de viande de baleine séchée, de poissons secs, de harengs frais frits et de piles de petits coquillages; des racines bulbeuses dont l'amertume masquerait le goût de suif de la viande étaient entassées dans des coupelles en bois.

Chagak s'était vu attribuer une place d'honneur parmi les femmes. Personne ne lui permettait de se déranger pour porter les plats aux hommes ou d'aider à entretenir les lampes. Elle tenait les bébés enveloppés dans des peaux de phoque sur ses genoux et souriait en parlant peu quand les femmes des Chasseurs de Baleines se penchaient sur eux.

Ces femmes ne portaient que leurs tabliers dans l'ulaq bondé et Chagak elle-même, au bout d'un moment, retira son suk et s'assit dessus en remarquant que Nez Crochu avait fait la même chose.

Le tablier des femmes était court, s'arrêtant au-dessus de leurs genoux, découvrant les tatouages qui marquaient leurs jambes. La mère de Chagak lui avait expliqué que les tatouages étaient un signe de beauté et qu'elle avait elle-même supporté de longues heures douloureuses pendant que sa propre mère lui enfonçait une aiguille teintée de suie dans la peau de ses cuisses pour tracer des dessins de triangles et de carrés.

Mais à l'encontre de la mère de Chagak, la plupart de ces femmes étaient grosses et semblaient admirer la force chez elles autant que chez les hommes. A deux reprises Chagak remarqua que des hommes appelaient leurs femmes qui les ignoraient complètement. Une jeune femme se mit même à rire quand son mari l'appela et Épouse Dodue répondit à Nombreuses Baleines : « Va chercher toi-même ce que tu veux, je dois manger moi aussi. »

Surprise au début, Chagak finit par en rire et de si bon cœur qu'elle dut cacher son visage, mais quand elle releva la tête, elle vit Kayugh qui la regardait d'un air froid. Puis un homme qui était assis à côté de lui demanda quelque chose à sa femme. Elle le servit. Il fit une réflexion et d'un geste rapide, sa femme renversa sur ses yeux le chapeau qu'il portait sur la tête.

Alors Kayugh se mit également à rire. Il regarda Chagak et son rire parut être communicatif et lui apporter une certaine joie. Intriguée par ce sentiment, Chagak se détourna en feignant de s'occuper des enfants.

Puis Nombreuses Baleines se leva et réclama un silence qu'il eut quelque peine à obtenir :

— Des feux ont été allumés sur la plage, déclara-t-il, et si vous le désirez vous pouvez aller danser.

Les hommes commencèrent à quitter l'ulaq et Chagak remarqua que beaucoup se tournaient vers elle avant de sortir.

« Ils voudraient que j'aille dormir avec eux », pensa-t-elle. Ils allaient demander la permission à Shuganan et elle chercha celui-ci des yeux dans la foule espérant pouvoir lui expliquer qu'elle ne voulait recevoir personne sur sa couche. Mais quand elle finit par l'apercevoir, il était sur le point de sortir de l'ulaq et d'autres hommes se trouvaient encore derrière lui.

Puis Nombreux Bébés s'approcha de Chagak et lui enfila un long collier en coquillages au-dessus de la tête.

— De la part de ton grand-père, dit-elle.

Puis elle appela Coquille Bleue et dirigea les deux jeunes femmes derrière un rideau à l'extrémité de l'ulaq.

— Laissez les enfants ici, dit-elle en montrant un large berceau garni de fourrure, ils y tiendront tous les trois. L'une d'entre vous pourra revenir de temps en temps pour s'assurer qu'ils ne pleurent pas.

Coquille Bleue regarda Chagak avant de déposer sa fille dans le berceau.

— Un joli bébé, remarqua Nombreux Bébés, un fils ou une fille?

— Une fille, répondit doucement Coquille Bleue.

— Les maris préfèrent les fils, dit Nombreux Bébés.

— Cette adorable petite fille est promise à Amgigh, dit Chagak, en posant l'enfant à côté du bébé de Coquille Bleue, aussi est-elle aussi ma fille maintenant.

Nombreux Bébés n'ajouta rien et en posant Samig dans le berceau, Chagak sourit à Coquille Bleue, mais soudain elle se rendit compte qu'elle venait de revendiquer Amgigh comme son fils et elle fut heureuse que Shuganan ne l'ait pas entendue.

Sur la plage les hommes et les femmes avaient formé deux cercles autour du feu, les hommes étant assis au centre du cercle, les femmes à l'extérieur.

Nez Crochu et Petit Canard étaient assises sur un rocher plat et regardaient. Chagak et Coquille Bleue vinrent s'installer à côté d'elles. Chagak enfonça ses mains à l'intérieur des manches de son suk et rentra son menton profondément dans l'encolure.

Les hommes Chasseurs de Baleines ne portaient que leurs tabliers et dansaient en exécutant un lent pas de côté, mais Kayugh, Longues Dents et Oiseau Gris sautèrent dans le cercle en remuant leurs bras et leurs jambes avec une brusquerie qui faisait penser à une flamme s'élevant d'un feu de bois sec. Chacun des hommes émettait un bruit avec sa bouche en tenant les lèvres fermées et en murmurant les mots au fond de la gorge et parmi eux le vieux Shuganan soutenait le rythme de leurs pieds avec des coups de bâton.

Les femmes Chasseurs de Baleines restaient sur place dans le cercle des femmes, traînant les pieds et se balançant au rythme de la danse. Coquille Bleue et Petit Canard se joignirent à elles, alors Nez Crochu poussa Chagak sur ses pieds et elles aussi entrèrent dans le cercle.

Pendant un moment Chagak se contenta de regarder, mais le martèlement des bâtons parut bientôt suivre les battements de son cœur et elle se mit à se balancer. En fermant les yeux, le rythme de la danse sembla pénétrer jusqu'à ses os, assouplissant ses muscles et réchauffant sa peau. Mais quand elle ouvrit les yeux, elle vit que Kayugh s'était arrêté de danser et la regardait. Son regard s'accrocha au sien et pendant un instant elle sentit l'intensité du désir de Kayugh l'envelopper et elle quitta le cercle des femmes pour retourner s'asseoir sur le rocher en relevant ses genoux sous son suk.

Kayugh se remit à danser, mais chaque fois que Chagak levait les yeux, elle rencontrait son regard. Elle remarqua que de nombreux hommes parmi les Chasseurs de Baleines la regardaient aussi, ainsi qu'Oiseau Gris, plissant les yeux, glissant le bout de la langue sur ses lèvres retroussées.

Lorsque Nez Crochu revint s'asseoir à côté d'elle, Chagak lui glissa à l'oreille :

— J'ai trop de lait. Je vais retourner dans l'ulaq de mon grand-père. Dis à Coquille Bleue que si elle préfère rester danser je m'occuperai de sa fille.

Nez Crochu acquiesça, sans regarder Chagak, et quand celle-ci arriva près de l'ulaq, elle crut l'entendre l'appeler, mais elle ne se retourna pas.

Les murs épais de l'ulaq étouffaient la plus grande partie du bruit des chants et des danses. Seules deux lampes étaient allumées de chaque côté de la pièce principale et la lumière avait une douceur que ne possédait pas le feu de la plage. Chagak entra dans la pièce réservée aux enfants derrière le rideau où se trouvait le berceau. Elle le décrocha des chevrons où il était suspendu et le stabilisa sur le sol afin de ne pas réveiller les enfants.

Elle s'installa près d'eux. « Ce sont de beaux enfants », pensa-t-elle. Amgigh était encore un peu maigre, mais à côté du bébé de Coquille Bleue, il paraissait presque gros. Samig était le plus grand des trois et dans son sommeil il suçait son poing. Chagak prit Amgigh avec douceur afin de ne pas réveiller les deux autres.

— Tu as besoin de te restaurer, chuchota-t-elle en défaisant l'attache sur son épaule et en glissant le bébé sous son suk.

Il ne parut pas se réveiller avant qu'elle n'ait pressé le bout de son sein dans sa bouche. Il s'accrocha alors à elle et se mit à téter.

Après l'avoir allaité un moment, le lait se mit à couler de l'autre sein et Chagak prit le bébé de Coquille Bleue. C'était une jolie petite fille au visage rond et aux traits délicats. Oiseau Gris avait refusé de la réclamer aux esprits en lui donnant un nom, mais Coquille Bleue l'avait appelée Petite Chose, ce qui n'était pas un véritable nom mais il lui convenait d'une certaine façon et suffirait peut-être à la mettre à l'abri des esprits mauvais.

— Petite Chose, chuchota Chagak, ce lait n'est peut-être pas aussi bon que celui de ta mère, mais c'est mieux que rien.

Elle accrocha l'attache sur son autre épaule et serra l'enfant contre sa poitrine en la berçant.

Chagak somnolait, les bébés au chaud contre son ventre quand elle entendit du bruit dans l'ulaq. D'abord elle crut que c'était Coquille Bleue qui venait voir sa fille et elle détacha l'enfant pour la remettre dans son berceau à côté de Samig, mais des voix s'élevèrent et elle reconnut celles de Nombreuses Baleines et de Shuganan.

Elle couvrit Petite Chose avec les fourrures entourant le berceau et prit Samig dans ses bras. Il poussa un faible cri et se calma en trouvant son sein. Elle s'appuya de nouveau contre le mur et ferma les yeux, mais les voix des hommes l'empêchèrent de se rendormir.

— Ainsi, tu en es sûr? demanda Nombreuses Baleines.

— Il me l'a avoué avant que je ne le tue, affirma Shuganan.

Chagak comprit qu'il devait parler de Voit-Loin et elle songea au plan tortueux employé par Shuganan pour tuer Voit-Loin puis porta son regard sur son fils. « Samig est trop jeune », pensa-t-elle. « Que sait-il de la mort d'un homme ? » Et soudain elle souhaita que Samig reste un bébé toujours accroché à son sein. Comment pourrait-elle le protéger quand elle ne le porterait plus et ne le soutiendrait plus avec son lait ?

Mais les paroles de son grand-père vinrent interrompre ses pensées.

— Bientôt, alors ?

— Oui.

Pendant un long moment personne ne parla, puis Chagak entendit une autre voix, celle de Kayugh :

— Y a-t-il un endroit dans les collines où les femmes et les enfants pourront se cacher ? demanda-t-il.

— Oui, sans problème, répondit Nombreuses Baleines.

— Rien sur la plage, dit Shuganan.

Nouvelle pause.

— Ils viendront à la tombée de la nuit, lorsqu'il ne fait plus encore assez clair pour bien voir, reprit Shuganan. De cette façon, les chasseurs du village sont surpris et parfois, quand la bataille a commencé, ils tuent des hommes de leur propre village.

« Les Petits Hommes tuent tout le monde, y compris les enfants et les bébés. Ils mettent le feu aux toits des ulas et quand les gens essaient de sortir, ils les égorgent un par un.

— Il ne faut donc pas rester dans les ulas, décida Nombreuses Baleines. Mais s'ils arrivent ce soir, nous n'aurons pas le temps d'évacuer les femmes pour les mettre en sécurité.

— Ils ne viendront pas tant qu'il y aura des feux de camp sur la plage, car leur arrivée ne serait plus un secret.

— Alors je vais placer des veilleurs et nous entretiendrons les feux toute la nuit en poursuivant les danses jusqu'au matin.

— Il y a cinq grands ulas. Combien de chasseurs ?

— Dix-huit, répondit Nombreuses Baleines, plus trois

hommes âgés qui ont encore la force de se défendre et quatre adolescents dont un est mon fils. Ils resteront dans la cabane de veille sur la crête de la colline. Ils surveillent les baleines, mais ils sont assez grands pour se battre.

— Envoie les hommes âgés pour protéger les femmes dans les collines, dit Kayugh. Certains Petits Hommes chercheront peut-être les femmes. Trois hommes âgés et les femmes contre deux ou trois guerriers devraient suffire à les maîtriser. Laissons les jeunes à leur place de surveillance, ils en ont l'habitude et ils nous préviendront quand l'ennemi arrivera.

— Et le reste des hommes? demanda Nombreuses Baleines.

— Certains devront se cacher sur les hauteurs qui entourent le village. Dix de tes meilleurs chasseurs devront se cacher à l'intérieur des ulas. Quand Les Petits Hommes attendront sur le toit, ils sortiront avec leurs lances pour les surprendre et quand la bataille aura commencé, nos hommes descendront des collines pour attaquer.

— De combien d'hommes disposent les Petits Hommes? demanda le grand-père de Chagak.

— Quand je vivais avec eux, ils étaient une vingtaine, répondit Shuganan.

— Ils mettront donc quatre hommes sur chaque ulaq?

— Deux ou peut-être trois, répondit Shuganan, les autres attendront entre les ulas pour tuer ceux qui tenteraient de s'échapper.

— Par conséquent, si nous plaçons deux hommes dans chaque ulaq nous nous battrons à deux contre deux ou trois, au moins au début?

— Oui, dit Shuganan.

Il y eut un silence et Chagak pensa que les hommes n'avaient plus rien à se dire, chacun se contentant de ses propres pensées, mais soudain Kayugh reprit :

— Je serai parmi ceux qui attendront dans l'ulaq.

A ces mots, Chagak sentit son cœur battre plus vite comme si la loutre de mer s'était mise à pleurer. Il lui sembla brusquement sentir l'odeur de la fumée et entendre les cris des gens de son village et elle aurait souhaité que Kayugh fût un vieil homme, comme Shuganan et puisse venir avec les femmes et les enfants.

40

Les femmes et les enfants partirent pour les cavernes qui se trouvaient au centre de l'île au milieu des collines. A l'exception de Shuganan, les hommes âgés les accompagnèrent et les jeunes garçons s'installèrent comme guetteurs sur les hauteurs au-dessus du village.

Avant de partir les femmes avaient remplacé le chaume sur les toits par de l'herbe fraîche et avaient transporté des seaux d'eau pour humidifier l'herbe afin de l'empêcher de s'enflammer. Elles avaient aussi roulé les tapis et la bruyère qui recouvraient le sol de l'ulaq, ne laissant que de la terre battue. Elles placèrent également toutes les provisions dans les réserves et rangèrent les rideaux de sorte que si une torche était lancée à l'intérieur de l'ulaq, rien ne pourrait s'enflammer.

Les hommes élargirent les ouvertures des toits afin de pouvoir y placer un second tronc d'arbre entaillé. Deux hommes pourraient ainsi grimper sur le toit et émerger de l'ulaq en même temps. L'idée venait de Coquille Bleue. Couché dans une pièce voisine de la sienne, Kayugh l'avait entendue faire cette suggestion à Oiseau Gris qui en parla le lendemain aux hommes comme si l'idée venait de lui. Mais Kayugh ne dit rien quand Oiseau Gris s'en attribua le mérite. Ce dispositif permettrait de sauver des vies. C'était l'important.

Kayugh avait surveillé le départ des femmes sous la

conduite d'un vieil homme appelé Visage Pâle. La nuit précédente Kayugh avait passé son temps à confectionner une amulette pour son fils. A l'intérieur d'un petit sac en peau, il avait placé une de ses fléchettes pour tuer les oiseaux, un morceau d'os de la baleine échouée sur la plage de Shuganan et une mèche de ses propres cheveux. Puis il avait noué le sac à l'aide d'un morceau de barbiche et l'avait suspendu autour du cou du bébé.

Dans la soirée, la veille du départ, il avait demandé à Chagak de lui porter son fils. Et tout en le regardant d'un air interrogateur, Chagak n'avait pas posé de question en lui tendant l'enfant.

Il était sorti de l'ulaq avec Amgigh et s'était réfugié dans un endroit à l'abri du vent. Puis il lui parla de sa mère, de son grand-père et de son arrière-grand-père. Il lui parla de chasse et du jour où il prendrait femme — toutes ces choses qu'il lui aurait dites peu à peu au fil des années et pendant qu'il parlait Amgigh garda ses yeux sombres sur le visage de son père comme s'il voulait se souvenir de lui.

Avant de ramener le bébé, il ajouta encore :

— Amgigh, si je suis tué, Chagak sera ta mère. Elle choisira un mari et il sera ton père. Il faudra qu'ils soient fiers de toi.

Puis il conduisit Amgigh à l'intérieur de l'ulaq et demanda à tenir Samig. Malgré sa surprise, Chagak lui confia également l'enfant.

Kayugh sortit avec le bébé et lui parla, comme il l'avait fait à Amgigh, de chasse et de l'honneur d'un homme de choisir une femme et de construire un ikyak. Samig, lui aussi, parut écouter et comprendre ce que Kayugh lui disait.

Lorsqu'il eut ramené l'enfant et l'eut rendu à sa mère, Kayugh déclara :

— J'aurais été fier de le reconnaître pour mon fils, mais si je ne reviens pas, garde Amgigh comme ton fils, et choisis un mari qui sera un bon père pour les deux garçons.

Chagak ouvrit la bouche pour répondre. Kayugh attendit, espérant qu'elle lui offrirait une raison d'espérer que s'il revenait sain et sauf, elle deviendrait sa femme. Un tel espoir donnerait plus de force à ses bras et une véritable raison de se battre. Mais elle détourna les yeux et garda le silence.

Le lendemain matin, quand les femmes commencèrent à quitter le village, Chagak se tourna d'abord vers Shuganan et lui tendit une amulette, ressemblant à un étui de shaman, puis elle se tourna vers Kayugh et se pressa brièvement contre lui en lui glissant quelque chose dans la main et chuchota :

— Cela m'a donné de la force, un jour.

Puis elle courut rejoindre les autres femmes. Kayugh ouvrit la main et vit qu'elle lui avait donné une plume noire de canard sauvage et bien qu'il ignorât comment cette plume pouvait l'avoir aidée, il la glissa dans son amulette.

Plus tard, Shuganan lui raconta l'histoire des eiders et comment Chagak avait utilisé le bola. Il interrompit un instant son travail, consistant à ramener un des ikyan en haut de la colline, et songea à cette femme qui avait tout perdu et qui risquait de tout perdre à nouveau. Il se souvint combien de fois, après la mort de ses deux épouses, il avait envisagé la mort pour lui-même et pour son fils et il se demanda si Chagak avait éprouvé le même désespoir.

Il posa l'ikyak près des autres, cachés hors de vue. Ils en avaient laissé quelques-uns sur la plage, mais la plupart étaient sur les falaises. Quand les Petits Hommes arriveraient, ils verraient ceux qui étaient restés et penseraient qu'il y avait peu de chasseurs dans le village. Shuganan déclara que les guetteurs des Petits Hommes avaient probablement surveillé le village pendant quelques jours l'été précédent et savaient combien il y avait d'hommes dans les ulas, mais si les ikyan n'étaient pas là, ils en concluraient que les hommes étaient partis à la chasse.

Kayugh retourna sur la plage et aida Longues Dents à installer les seconds troncs d'arbre entaillés dans chaque ulaq. Les deux hommes utilisèrent des haches de pierre pour ajouter de solides poignées en bois.

— Quand crois-tu qu'ils vont venir? demanda Longues Dents à Kayugh.

Mais Oiseau Gris qui s'était joint à eux répondit à la question avant que Kayugh n'ait pu parler.

— Ils ne viendront pas. Qui s'attaquerait aux Chasseurs de Baleines ? Ils sont assez forts pour tuer des baleines, ils mangent de la viande de baleine depuis leur plus jeune âge. Qui peut résister à une telle force ?

Mécontent de cette réponse, Kayugh rétorqua :

— Shuganan a vécu chez les Petits Hommes, il sait ce qu'ils pensent et comment ils se battent. Nous l'ignorons.

Oiseau Gris haussa les épaules et cracha par terre :

— S'ils viennent je me battrai, mais je ne crois pas qu'ils viendront.

Kayugh vit Oiseau Gris serrer la mâchoire et sentit sa nervosité. Il parlait peut-être ainsi pour conjurer ses propres frayeurs. A quoi bon discuter avec lui ?

Kayugh termina le dernier échelon en haut du tronc d'arbre et attendit que Longues Dents ait fini le sien. Puis, sans parler, les deux hommes hissèrent le tronc sur leurs épaules et le portèrent dans l'ulaq de Nombreuses Baleines.

Lorsqu'elle était enfant, Chagak avait parfois souhaité être un garçon. Son père manifestait une fierté à l'égard de ses frères qu'il ne semblait pas éprouver pour elle. Mais quand elle était devenue femme, capable de porter des enfants, elle n'avait plus désiré être un homme.

Maintenant, en attendant avec les autres femmes, elle aurait souhaité à nouveau être un homme et aurait voulu se battre contre les Petits Hommes au lieu de rester assise, occupée à tisser en priant.

De temps en temps, Épouse Dodue qui s'était proclamée le chef des femmes Chasseurs de Baleines, envoyait une des grandes fillettes sur la crête où se trouvaient les garçons afin de surveiller l'arrivée des ikyan. Mais chaque fois, la jeune fille revenait en secouant la tête. On ne voyait personne. Seulement les hommes au village qui attendaient.

Deux jours s'écoulèrent lentement. Chagak écouta les femmes Chasseurs de Baleines raconter comment elles étaient venues dans ces cavernes au cours des étés précédents, pour d'autres raisons. Elles parlèrent des marais salants, à moins d'une matinée de marche de là et comment ils étaient remplis de nids de canards milouinans dont les œufs brun-vert étaient délicieux frits dans la graisse de baleine ou bouillis dans de l'eau de mer et l'on en trouvait parfois dix dans un seul nid. Près de ces mêmes marais poussaient d'épais buissons de canneberges dont une espèce donnait des baies acidulées plus grosses que des airelles dont on tirait un remède pour les yeux.

En écoutant, Chagak tressait un panier, mais ses doigts semblaient lents comme si l'attente la rendait maladroite. De plus, le panier était mal fait et les autres femmes la regardaient du coin de l'œil et elle avait honte de sa maladresse.

La caverne était grande et peu profonde. Elle coupait le côté de la crête de sorte que quelqu'un venant du village ne verrait que l'arête et non la caverne. Elle était assez creuse pour être un abri contre le vent, mais elle laissait passer de l'eau à travers le haut toit voûté et des plaques de calcaire s'étaient incrustées dans le sol, certaines assez pointues pour rendre la marche difficile.

Le premier jour, les femmes avaient aplati ces protubérances à grands coups de pierre. Coquille Bleue, Petit Canard et Chagak avaient choisi un endroit pour elles au fond de la caverne. A une certaine distance de la colline, Nez Crochu avait trouvé quelques buissons de bruyère rabougris et en utilisant les branches souples comme support elle avait placé des peaux de lions de mer au-dessus de l'endroit où elles dormaient afin de ne pas être mouillées par l'eau pendant la nuit. Shuganan avait donné à Chagak une de ses lampes de chasseur. La mèche n'était pas haute et la lampe contenait peu d'huile, mais c'était suffisant pour éclairer le coin où elle se tenait et donner un peu de chaleur.

Elles avaient disposé plusieurs couches de tapis d'herbe sur le sol et posé des peaux de phoque dessus, de sorte que leurs lits couvraient toute la partie qui leur était réservée. Chagak avait ri en disant qu'elle n'avait jamais travaillé au lit pour tisser ou broder.

Mais à la fin du deuxième jour, Chagak était surtout anxieuse de savoir comment se portaient les hommes. Elle aurait voulu voir Shuganan, Kayugh, Longues Dents et même Oiseau Gris. Et elle aurait surtout souhaité être un homme et pouvoir se battre à leurs côtés.

Le fils de Nombreuses Baleines vint, ainsi qu'on le lui avait demandé, en se glissant dans le village comme une ombre et rampa dans l'ulaq de son père. Shuganan, Nombreuses Baleines et Kayugh étaient assis près d'une lampe à huile. Chacun d'eux travaillait à ses armes et ils sursautèrent quand le jeune garçon parla :

— Ils arrivent, dit-il d'une voix non exempte de frayeur.

— Combien sont-ils ? demanda son père.

— Il y a vingt ikyan. Peut-être plus, répondit le garçon en se mordant les lèvres.

— Les hommes postés sur les crêtes le savent-ils ?

— Ceux de notre côté le savent.

— Et ceux qui sont dans les autres ulas ? demanda Shuganan.

— Non. Je suis venu vous avertir en premier.

— Comme tu le devais, dit Nombreuses Baleines.

— Mais il faut prévenir les autres.

Kayugh regarda le jeune garçon, il admira la fine peau de loutre de son parka, la lance neuve qu'il brandissait dans sa main. Il eut une brève pensée pour Amgigh et une soudaine frayeur l'étreignit. Peut-être ne verrait-il pas Amgigh à cet âge, celui où un garçon devient un homme.

— Va sur l'autre crête prévenir les hommes, dit-il, je me charge d'avertir ceux qui sont dans les ulas.

Ils sortirent ensemble et Shuganan appela Kayugh :

— Prends garde. Fais attention qu'ils ne te voient pas.

Le garçon s'éloigna et longea le haut du village et Kayugh rampa sur le toit du premier ulaq et se glissa à l'intérieur, donnant son nom avant d'entrer.

Quand tous les hommes du village furent prévenus, il revint à l'ulaq de Nombreuses Baleines. Il se pencha par l'ouverture et annonça qu'il allait rester sur le toit pour surveiller la plage.

Pendant un moment il ne se passa rien. Le brouillard s'était levé au-dessus de la mer, atténuant les formes des rochers et diminuant les dernières lumières du soleil. Des traînées de brume s'élevaient entre les ulas et montèrent jusqu'à Kayugh. Finalement il aperçut du mouvement sur la plage. Des hommes tiraient leurs ikyan sur le rivage.

Bien que le brouillard portât les sons, Kayugh n'entendit aucune voix et en regardant les hommes à travers la brume, il eut l'impression qu'ils marchaient plus lentement qu'ils ne l'auraient dû, sans un bruit, calmement, tranquillement, au point qu'il se demanda s'il ne rêvait pas.

Mais il se pencha sur le toit et appela les autres :

— Ils sont sur la plage.

Shuganan se mit péniblement debout et saisit son harpon.

Une fois de plus, Kayugh s'adressa au vieil homme :

— Nous avons besoin de toi afin de prier pour nous. Laisse-moi te conduire sur les falaises, tu pourras prier là-bas aussi bien qu'ici.

— Si je vais sur les falaises, répondit Shuganan en enveloppant ses doigts déformés autour du manche de son arme, je ne serai pas capable de redescendre avec les autres hommes pour combattre. Ici, je serai prêt à aider. Je suis vieux, mais je sais encore chasser.

— Sois prudent, grand-père, dit Kayugh en prononçant le mot comme un hommage, Chagak a besoin de toi.

Shuganan sourit.

— Non, c'est de toi qu'elle a besoin.

On aurait dit qu'ils attendaient depuis des jours, évitant toute conversation pour écouter l'approche des Petits Hommes. Mais ils n'entendaient rien et ils continuèrent à attendre. Kayugh se tenait sur le tronc d'arbre entaillé, surveillant ce qui se passait dehors à travers le trou du toit. Il avait décidé de ne pas porter son parka de crainte d'être gêné dans ses mouvements pendant le combat et il avait graissé sa poitrine et ses épaules pour se préserver du froid et rendre sa peau moins vulnérable lors d'une attaque.

Le vent était frais et Kayugh savait que la nuit apporterait bientôt les premières gelées qui frangeraient et fonceraient les buissons de roseaux poussant sur les collines.

Shuganan murmurait des prières. Il s'adressait à ses ancêtres, ceux qui étaient à l'origine des Petits Hommes, mais qui auraient trouvé déshonorant de tuer d'autres hommes. Il s'adressait à Tugix et aux esprits de la mer et du ciel.

Il leur demanda s'ils allaient laisser ces mauvais hommes massacrer tout le monde, s'ils ne s'arrêteraient jamais de tuer et en adressant sa supplique, Shuganan sentit monter sa colère. Pourquoi ces tueries continuaient-elles depuis si longtemps ? Les esprits n'avaient-ils aucun contrôle sur le choix fait par les hommes ?

Shuganan se tenait les yeux fermés, une amulette dans chaque main, quand Kayugh se laissa glisser doucement sur le sol.

— Ils s'approchent des ulas, souffla-t-il, dans le brouillard on dirait des fantômes.

— Ce ne sont pas des fantômes, répondit Shuganan. Ce sont des hommes ne possédant aucun pouvoir particulier, aucun don, ils n'ont que leur audace. Nous allons les maîtriser.

Kayugh redressa les épaules et leva la tête. Ses doigts saisirent la figurine en ivoire suspendue autour de son cou. Shuganan avait gravé une baleine pour chaque homme des ulas. Il avait fait ce travail rapidement, sans s'attarder aux détails, mais Kayugh portait celle que le vieil homme lui avait donnée avant de venir dans cette île et le dessin en était très délicat.

Ils attendirent. Kayugh en haut du tronc d'arbre, Nombreuses Baleines à ses côtés. Shuganan s'efforçait de distinguer des bruits ne venant pas du vent ou de la mer. Il n'entendit rien.

Rien. Mais soudain une torche fut jetée à travers le trou du toit. Elle était en flammes. Elle brûla sans causer de dommage sur le sol nu.

Kayugh se baissa afin de l'éteindre et l'empêcher de fumer, mais Shuganan lui saisit le bras.

— Non, dit-il. Laissons-les croire que les tapis ont pris feu et que nous ne savons pas qui a jeté cette torche.

Il tira un des rideaux du mur et le jeta au milieu de la pièce. Puis, se servant de la torche il alluma plusieurs lampes au milieu de l'ulaq.

— Si cela fume trop, nous l'éteindrons, dit-il, mais d'abord nous devons crier. Il sourit à Nombreuses Baleines : Feignons d'être des femmes.

Il haussa la voix dans un cri aigu aussitôt imité par Nombreuses Baleines et Kayugh. Entre les cris il fut certain d'entendre un rire venir du toit de l'ulaq.

Kayugh regarda par-dessus son épaule en direction de Nombreuses Baleines et quand celui-ci acquiesça, les deux hommes grimpèrent ensemble. Ils sortirent en se tournant le dos, leurs lances tendues au-dessus d'eux.

Alors qu'il était à moitié sorti, Kayugh vit deux hommes qui les attendaient, chacun d'un côté du toit. Ils tenaient une courte lance beaucoup plus maniable que les longues lances portées par Kayugh et Nombreuses Baleines. L'homme faisant face à ce dernier tenait son arme d'une main et une torche de l'autre. Du coin de l'œil, Kayugh vit l'homme feinter avec la torche avant de la jeter sur le toit de l'ulaq. Mais grâce à l'humidité répandue, elle pétilla et fuma mais ne s'enflamma pas.

Kayugh menaça l'autre homme de sa lance, le faisant reculer jusqu'à l'extrémité du toit où il allait devenir périlleux pour lui de se tenir. La longueur de l'arme la rendait plus difficile à contrôler, mais Kayugh se rendit compte que c'était précisément cette longueur qui empêchait le Petit Homme de s'approcher et d'user de sa propre lance.

L'homme leva son arme pour s'en servir comme d'un bâton, mais il découvrit ainsi une large partie de sa poitrine et Kayugh se précipita en avant pointant sa lance en direction du ventre de l'homme qui esquiva en faisant un pas de côté et Kayugh perdit l'équilibre. Il se retrouva devant la lance de son adversaire et sentit la pointe de l'arme glisser sur son bras gauche et l'entailler, faisant jaillir du sang.

Le Petit Homme frappa encore, piquant la pointe de son arme dans l'épaule de Kayugh, une douleur fulgurante le fit reculer et glisser sur la pente de l'ulaq.

Kayugh atterrit sur ses pieds et leva la lance de son bras valide. Si le Petit Homme continuait à se battre, il serait vulnérable avant d'atteindre le sol.

Le Petit Homme fit le geste de lancer son arme, mais accomplit une brusque volte-face pour attaquer Nombreuses Baleines par derrière.

Kayugh retint son souffle s'attendant à ce que le coup portât, mais Nombreuses Baleines esquissa deux pas de côté et sauta du toit pour courir aux côtés de Kayugh sans se soucier d'une blessure qui ensanglantait sa joue.

— Est-ce grave? demanda-t-il en désignant le bras de Kayugh.

— Rien de cassé, répondit celui-ci en gardant les yeux sur les Petits Hommes en haut de l'ulaq, deux silhouettes se détachaient dans le brouillard. Ils vont jeter leurs lances sur nous.

— Non, répondit Nombreuses Baleines. S'ils le faisaient ils n'auraient plus d'armes, mais seulement des couteaux. De plus ils nous distinguent sûrement mal dans le brouillard.

Utilisant sa lance, Nombreuses Baleines coupa un morceau de son tablier et s'en servit pour bander la blessure de Kayugh. La pression provoqua une violente douleur chez celui-ci et son estomac se noua.

— Cela va l'empêcher de saigner, expliqua Nombreuses Baleines.

Luttant contre une envie de vomir, Kayugh ne put répondre. La douleur semblait affecter son ouïe et brouiller sa vision. Il eut un vertige. La voix de Nombreuses Baleines semblait venir de très loin.

— Tu as perdu trop de sang.

Kayugh eut envie de se laisser tomber dans l'herbe sur le côté de l'ulaq, mais il pensa à son fils et à Chagak. Comment pourrait-il courir le risque de ne pas les défendre et de laisser tuer ces êtres chers par les Petits Hommes? Il prit une profonde aspiration et se redressa. Ses forces parurent revenir.

— Il faut remonter sur le toit, dit-il à Nombreuses Baleines.

— Non, dit celui-ci, ils sont entrés dans l'ulaq.

— Shuganan!

Nombreuses Baleines secoua la tête.

— Il est vieux, mais c'est un chasseur. Nous ne pouvons l'aider, ils nous tueraient si nous tentions d'entrer dans l'ulaq. D'autres ont besoin de notre aide.

Oui, il y avait les autres. Kayugh entendait des cris étouffés, le bruit d'armes contre d'autres armes. Dans chaque ulaq, des hommes se battaient. Mais où étaient ceux qui se trouvaient sur les collines? Pourquoi n'étaient-ils pas venus se joindre à la bataille? Quelqu'un avait-il changé les plans?

Ses pensées furent interrompues par un brusque cri. Quelqu'un était blessé ou tué!

— Pêcheur de Coquillages, murmura Nombreuses Baleines, un de nos meilleurs chasseurs.

Tenant son bras gauche contre son corps, Kayugh s'efforça de ne pas penser à la douleur qui avait provoqué ce cri. Sa propre blessure semblait le priver d'une partie de ses forces et détruire l'espoir dans son esprit.

Quelle chance avaient-ils contre ces chasseurs d'hommes? Et ce village n'avait pas été attaqué par surprise comme la plupart des autres. Mais où étaient donc les hommes qui devaient descendre des collines? Étaient-ils des lâches qui attendaient que les Petits Hommes s'en aillent pour revenir vers les ulas?

La douleur de sa blessure obligea Kayugh à s'appuyer lourdement contre l'ulaq et sa colère grandit devant sa propre faiblesse et contre les hommes qui ne venaient pas se battre.

— Où sont tes hommes? demanda-t-il. Ils devraient lancer une attaque.

— Ils ne nous voient probablement pas, répondit Nombreuses Baleines. Comment peuvent-ils deviner que la bataille a commencé? Si nous les appelions, les Petits Hommes seraient prévenus de leur venue.

Oui, pensa Kayugh, troublé que sa douleur ait pu affecter son raisonnement. Qui pourrait voir quelque chose dans ce brouillard? Aucun des ulas n'était en feu. Le bruit de la bataille s'était résumé en quelques escarmouches, seul le cri de Pêcheur de Coquillages pouvait avoir été perçu comme un signal.

— Il faut crier, chuchota Kayugh. S'ils nous entendent, ils sauront que nous nous battons. Tout homme crie au cours d'une bataille.

Il éleva la voix et poussa un véritable hurlement qu'il répéta par deux fois. Comme s'ils comprenaient les Chasseurs de Baleines se mirent à crier eux aussi. Des cris partaient maintenant de tous les ulas.

Nombreuses Baleines se mit à rire.

— Oui, dit-il, ils vont venir, maintenant ils vont certainement venir.

41

A l'intérieur de l'ulaq, Shuganan attendait en suivant le combat qui se livrait sur le toit. Nombreuses Baleines avait disposé un cercle des sculptures de Shuganan sur le sol. Un animal fort dans chaque ulaq, avait-il dit. Mais Shuganan ignora les sculptures. Il tenait son amulette dans une main, l'amulette du shaman que Chagak lui avait donnée dans l'autre et il priait. La lutte au sommet de l'ulaq parut s'arrêter et il retint son souffle. Puis il entendit des hommes entrer par l'ouverture du toit.

Ses bras tremblèrent. Kayugh et Nombreuses Baleines ne rentreraient pas à moins d'être trop grièvement blessés pour se battre. Shuganan saisit sa lance posée près de lui et se redressa sur ses pieds.

Il se glissa dans l'obscurité derrière le tronc d'arbre, mais lorsqu'il vit apparaître les orteils, les plantes de pied et les chevilles peints en noir, il comprit.

Une faiblesse le fit frissonner, serra sa gorge et il recula.

Nombreuses Baleines avait vécu une longue vie, mais Kayugh... et qu'allait devenir Chagak? Qui s'occuperait d'elle?

Les Petits Hommes sautèrent les derniers échelons. L'un d'eux se pencha sur la torche éteinte.

— Elle n'a pas brûlé, constata-t-il

C'était un homme robuste avec une épaisse chevelure enduite de graisse et de terre.

— Quelqu'un était là pour l'éteindre, dit l'autre homme et il indiqua les ouvertures à l'extrémité de l'ulaq.

Shuganan les surveilla tandis qu'ils se glissaient dans les chambres. « J'aurais dû les attaquer quand ils sont entrés dans l'ulaq », pensa-t-il. « Je n'aurais pu les tuer tous les deux, mais j'aurais pu en surprendre un. Quand ils n'auront rien trouvé dans les chambres, ils vont fouiller la pièce principale et quelle chance vais-je avoir, moi, un vieil homme contre deux jeunes guerriers ? »

Mais les deux hommes s'arrêtèrent devant le cercle d'animaux sculptés.

— Shuganan ! chuchota l'un d'eux.

Ainsi Homme-Qui-Tue n'avait pas menti. Les Petits Hommes croyaient encore au pouvoir de ses sculptures. « Et s'il existe un pouvoir, c'est celui que je peux déployer », pensa Shuganan.

Il se glissa dans l'ombre et fit deux pas rapides et, ignorant la douleur de ses muscles, il brandit sa lance.

Elle pénétra dans le dos de l'homme avec un bruit sourd comme lorsqu'on arrache une racine dans un sol sec ; l'homme tomba en avant, lentement et tout aussi lentement son compagnon regarda Shuganan.

Celui-ci jeta un coup d'œil vers le tronc d'arbre, mais il savait que ses jambes étaient trop vieilles pour lui permettre de monter rapidement, alors il sortit son couteau de l'étui fixé à son bras et il dit au guerrier qui se trouvait devant lui :

— Je suis Shuganan.

— Tu es mort, répondit l'homme.

— Peut-être.

— Tu es mort, répéta l'homme d'une voix aiguë, et je vais avoir tous tes pouvoirs parce que je serai celui qui t'a tué !

— Non, répliqua Shuganan en reculant pour garder l'avantage de rester dans l'ombre, alors que le jeune guerrier était en pleine lumière, le véritable pouvoir se gagne et ne se prend pas.

L'homme se mit à rire :

— Une lance contre un couteau !

— Essaie, dit Shuganan

A nouveau l'homme se mit à rire.

Shuganan déplaça son couteau, le saisit par la pointe et leva le bras pour le lancer. Le guerrier brandit sa lance.

La pointe du couteau quitta les doigts de Shuganan au moment où il sentit le poids de la lance sur son côté et tout d'abord il ne ressentit aucune douleur, seulement un coup qui le renversa par terre mais en même temps, il vit l'homme porter ses deux mains sur son torse pour saisir le manche du couteau qui sortait de sa poitrine tandis qu'il s'écroulait lentement sur le sol.

Un autre Petit Homme apparut dans le brouillard et, ignorant la douleur de son épaule gauche, Kayugh saisit sa lance et s'avança, mais Nombreuses Baleines le tira en arrière et fit face à l'adversaire. Ils se battaient entre les ulas à l'endroit où le brouillard était le plus épais.

Kayugh vit les deux hommes se faire face, une lance à la main. Nombreuses Baleines utilisait la hampe de sa lance pour repousser l'attaque. Kayugh se concentra pour essayer de percer le brouillard. Puis il se rendit compte que Nombreuses Baleines manœuvrait afin de pousser le Petit Homme dans sa direction. Le dos du guerrier n'était plus qu'à quelques pas de l'endroit où Kayugh se trouvait.

Il attendit que l'homme soit assez près puis il brandit sa lance à deux mains et recula. Nombreuses Baleines fit quelques pas en arrière. L'homme s'arrêta et regarda. Alors Kayugh frappa de toutes ses forces, plantant l'arme sous la cage thoracique de son adversaire, le transperçant de part en part.

L'homme se retourna, bouche ouverte et regarda Kayugh, puis il tomba sur ses genoux et s'écroula.

Kayugh retira lentement sa lance en prenant soin de ne pas laisser le sang faire glisser ses doigts sur la pointe acérée.

Mais il y eut une brusque rafale de vent, et l'on distingua le fracas des lances qui s'entrechoquaient. Un homme tomba contre Kayugh et l'entraîna dans sa chute. Couché sur le ventre, il essaya de se dégager mais sentit une lame glisser sur le dos de sa main. Une blessure peu profonde mais douloureuse.

Il se retourna sur le dos. Nombreuses Baleines marcha sur l'homme mais celui-ci chancela soudain et s'écroula une lance plantée dans le dos.

Nombreuses Baleines s'avança et mettant son pied contre le dos de l'homme mort, il retira la lance qu'il étudia. Puis il se mit à rire et cria :

— Où es-tu, brigand !

— Je suis là, dit une voix du toit de l'ulaq.

Kayugh leva les yeux et vit un homme debout au bord du toit.

— Roc Dur, cria Nombreuses Baleines, viens chercher ton arme ou bien dois-je te la lancer ? Il rit encore et se tourna vers Kayugh en disant gaiement : Ils nous ont entendus en haut des collines. Ils arrivent !

Dans l'ulaq Shuganan était étendu, les yeux fermés, la main pressée contre la blessure à son côté. Il sentait peu de douleur, seulement une profonde fatigue, une lourdeur qui semblait le maintenir allongé de sorte que le plus faible mouvement devenait pénible.

A nouveau il entendit quelqu'un se pencher sur l'ouverture du toit. Il se redressa et le mouvement amena un nouvel afflux de sang à sa blessure. Puis il y eut des pas qui descendaient. La plante des pieds n'était pas peinte. Un Chasseur de Baleines, peut-être ?

Shuganan pressa ses mains contre son côté pour arrêter le sang. En relevant les yeux, il vit Oiseau Gris debout devant lui.

— Le combat est-il terminé ? demanda Shuganan d'une voix sifflante.

— Non, dit Oiseau Gris. Ils se battent encore. Certains ont été tués.

— Kayugh ?

— Je l'ignore.

— Pourquoi es-tu là ?

— Je suis blessé.

Oiseau Gris boita en avançant vers Shuganan et montra une éraflure sur son mollet.

Pendant un moment Shuganan referma les yeux et lutta contre la douleur de son propre flanc, puis il secoua la tête et dit :

— Cette blessure... ce n'est rien du tout, retourne te battre !

Les yeux d'Oiseau Gris brillèrent et il s'agenouilla près de Shuganan.

— Tu es resté à l'intérieur de l'ulaq, s'écria-t-il avec colère. Qui es-tu pour me donner l'ordre d'aller me battre ?

Puis, comme s'il s'avisait de leur présence pour la première fois, Oiseau Gris regarda les deux Petits Hommes étendus sur le sol de l'ulaq :

— Ces deux-là, demanda-t-il, qui les a tués ?

Shuganan ferma les yeux et tourna la tête. A quoi bon répondre ? Quel besoin avait-il de se vanter devant Oiseau Gris ? Que l'homme croie ce qu'il voulait.

Mais Oiseau Gris se pencha sur lui, et l'installa contre une fourrure, en pressant un chiffon mouillé contre sa blessure.

Shuganan laissa son corps se reposer contre la douceur des fourrures.

— Tu vas mourir, dit Oiseau Gris. Je vais rester auprès de toi.

— Va-t'en... aider les autres, supplia Shuganan. Laisse-moi seul.

Oiseau Gris se mit à rire.

— Tu vas mourir, répéta-t-il. Oui, et quand tu seras mort, c'est moi qui recevrai les honneurs. N'ai-je pas tué deux ennemis pour essayer de te sauver ? Chagak se tournera vers moi avec gratitude et acceptera de devenir ma femme et tu ne seras plus là pour l'en empêcher.

Shuganan le regarda et vit les petits yeux durs et méchants. Il essaya de parler, mais les mots ne venaient pas. Il referma les yeux et quand il les ouvrit à nouveau, il vit le visage d'Oiseau Gris et un autre visage, comme la brume qui arrive avant la pluie, le visage d'un esprit penché près d'Oiseau Gris.

Le visage de l'esprit changea et se brouilla comme de la fumée et dessina la forme des yeux, d'un nez, d'une bouche. C'était l'esprit d'Homme-Qui-Tue.

« Je ne suis pas assez fort », pensa Shuganan. « Maintenant il est là, attendant que je meure. » Puis il entendit une voix dire : « Tu croyais pouvoir me détruire, vieil homme? » Et il y eut un ricanement.

Shuganan regarda Oiseau Gris, mais celui-ci ne parut pas entendre la voix ou voir l'esprit.

« J'ai rêvé », pensa Shuganan. « Je suis en train de mourir. Je rêve. »

« Tu te croyais puissant », dit Homme-Qui-Tue. « Ton cercle d'animaux te protège-t-il? »Il frappa plusieurs sculptures mais les animaux en ivoire ne bougèrent pas.

« Ainsi Homme-Qui-Tue a encore du pouvoir », pensa Shuganan, « mais pas suffisamment pour toucher mes animaux. Peut-il faire du mal à Chagak? A Samig? »

La douleur. Soudain elle submergea Shuganan, elle le serra étroitement, précipita ses pensées désordonnées.

« Je vous ai surveillés tout au long de ces mois, toi et Chagak », reprit Homme-Qui-Tue. « Je sais que j'ai un fils. »

— Homme-Qui-Tue, ne fais pas de mal à Chagak, murmura Shuganan. Ne fais pas de mal au bébé. Samig fait partie de ton peuple; les Petits Hommes. Ne le tue pas.

Homme-Qui-Tue se mit à rire, puis son visage commença à s'effacer. La douleur de Shuganan cessa et celui qui se penchait sur lui n'était plus Homme-Qui-Tue, mais Oiseau Gris et c'était lui qui riait.

— Ainsi tu parles aux esprits, vieil homme? ricana-t-il. Maintenant je sais tout. Chagak et toi avez menti. Et que ne me donnera pas Chagak pour sauver la vie de son fils?

Combien d'hommes? se demanda Kayugh. Combien en restait-il encore? Qu'avait-dit Shuganan? Vingt? Trente? Nombreuses Baleines et Roc Dur travaillaient en équipe, s'attaquant aux hommes dès qu'ils arrivaient. Caché à l'ombre des ulas, Kayugh était prêt à utiliser sa lance si un dos se présentait. De cette façon, ils tuèrent trois autres hommes et d'autres arrivaient encore. L'épuisement qu'il éprouvait était presque aussi fort que la douleur à son épaule.

Une forme sombre surgit de l'ombre et s'avança vers Kayugh qui leva son couteau mais l'homme cria :

— Je suis Ventre Rond, et Kayugh se souvint que c'était l'un des Chasseurs de Baleines, un petit homme gras qui riait souvent et portait toujours trois longs couteaux fixés à ses jambes.

Maintenant il tenait deux de ses couteaux, chacun dans une main et son visage était couvert de sang et de poussière.

— Il ne vient plus personne du dernier ulaq, dit-il d'une voix lasse.

Kayugh le tira sur le côté et l'homme s'appuya contre le mur. Au cours de la bataille le soleil avait commencé à se lever, maintenant le ciel s'éclairait de teintes pourpres.

— Ils ont peut-être cessé de se battre parce que c'est le matin, risqua Ventre Rond.

— Ils ont peut-être cessé de se battre parce qu'ils sont morts, poursuivit Nombreuses Baleines.

— Non, dit Kayugh, les deux premiers qui sont venus sont entrés à l'intérieur de l'ulaq.

— Je les ai vus, confirma Nombreuses Baleines. Ils ne sont pas ressortis.

— Shuganan est mort, dit Kayugh mais ces mots semblaient vides de sens et il ne ressentait rien sinon l'horreur de tuer, et de la colère contre la folie des hommes qui les poussait à se battre les uns contre les autres.

— Shuganan les a peut-être tués.

— C'est un vieil homme, murmura Kayugh et il fut surpris du sanglot qui étranglait sa voix.

— Il est vieux mais son pouvoir est grand. Le pouvoir vaut mieux que la force.

Pendant un moment Kayugh tint sa tête contre le mur de l'ulaq. Il aurait souhaité fermer les yeux, mais il ne le fit pas. Qui savait ce qui pouvait arriver dans la brève obscurité de ses yeux fermés ? Le bruit de la bataille avait cessé et la tranquillité de son esprit n'était plus remplie de la pensée du prochain guerrier, du prochain combat. Son épaule se mit à lui faire mal, ses pulsations se répercutaient dans sa tête et jusqu'au côté de son corps. Mais il pensa à Shuganan. Le vieil homme était probablement mort et il songea au chagrin de Chagak.

Quel grand mal avait-elle fait pour mériter les peines qui lui avaient été infligées dans sa vie ? Ce n'était pas une femme appartenant au peuple des Petits Hommes, qui accepterait un mari ayant tué d'autres hommes. Elle n'accepterait pas des colliers arrachés au cou de femmes assassinées pour les porter elle-même. Elle n'avait pas haï son peuple, elle n'avait pas mangé plus que sa part. Elle n'était pas paresseuse.

Kayugh regarda la blessure de son épaule et vit la croûte qui s'était formée. Le sang ne coulait plus. Il se redressa et grimpa sur le toit de l'ulaq. Si les Petits Hommes attendaient à l'intérieur, ils sauraient qu'il arrivait. Le poids de son corps pesait sur le toit et ferait tomber de la poussière, mais il ne pouvait attendre sans savoir.

Kayugh descendit plusieurs échelons, s'attendant à un coup de lance. Finalement il sauta et atterrit dans la pièce principale. Une lampe à huile de baleine était allumée, mais ne donnait plus qu'un faible halo de lumière. Shuganan était étendu sur une pile de fourrure, Oiseau Gris assis à côté de lui.

Deux Petits Hommes baignaient dans leur propre sang devant eux.

— Est-ce Shuganan qui les a tués ? demanda Kayugh.

Oiseau Gris eut un sourire rusé.

— Crois ce qu'il te plaira, siffla-t-il, puis il se pencha sur Shuganan en ajoutant : j'ai essayé de le protéger... Sa voix traîna et il acheva : il est grièvement blessé.

Kayugh fronça les sourcils. Il vit le chiffon ensanglanté sur le côté de Shuganan et la blessure sur la jambe d'Oiseau Gris. Celui-ci n'avait essayé de protéger personne en dehors de lui-même. Kayugh s'approcha du vieil homme et posa doucement la main sur son front. Shuganan ouvrit les yeux et cligna des paupières.

— Kayugh, dit-il, tu es en vie.

— Nous les avons battus, Shuganan. Ils ne reviendront plus.

Shuganan ferma les yeux et acquiesça.

— Alors, il faut faire venir Chagak, je dois lui parler.

— Je vais y aller. Essaie de dormir. Je la ramènerai.

Oiseau Gris prit le bras de Kayugh et l'attira vers lui.

— Tu es fatigué. Je me suis reposé. Je vais aller chercher Chagak.

— Non...

— Il se meurt, Kayugh. Toi-même tu es blessé et épuisé. Tu n'arriveras pas à temps. Shuganan sera mort quand tu reviendras.

Kayugh regarda Oiseau Gris au fond des yeux et comprit qu'il avait raison.

— Va, alors, et hâte-toi.

Il était tôt le matin. Les autres femmes dormaient encore mais Chagak avait eu un sommeil agité, maintenant elle était nerveuse. Les bébés étaient dans leurs berceaux aussi elle ne les dérangea pas, elle roula son matelas et sortit de la caverne.

Dehors la bruyère était couverte de rosée et le brouillard s'étendait au-dessus de la vallée, sans atteindre encore les collines. De hauts nuages gris voilaient le soleil, mais à l'ouest on apercevait des petits morceaux de ciel bleu. Chagak s'assit à l'entrée de la caverne et croisa ses bras autour de ses genoux relevés.

Consciente d'être trop loin du village pour entendre les cris des hommes ou le fracas des armes, il lui semblait que la nuit apportait d'étranges bruits dominant celui du vent. Au cours de la soirée, les femmes étaient restées tranquilles comme si, elles aussi, entendaient cette différence. La voix de la loutre de mer ne s'était pas élevée pour commenter le comportement d'Épouse Dodue, ni pour calmer les inquiétudes de Chagak chaque fois qu'elle pensait aux Petits Hommes.

Elle-même avait essayé de parler à la loutre. Elle avait fait quelques réflexions à propos du parka qu'elle ferait à Shuganan quand ils retourneraient dans leur île, des bottes en peau de phoque qu'elle confectionnerait pour Kayugh, mais la loutre n'avait toujours pas répondu et maintenant, tandis que se levait l'aube d'un nouveau matin, la peur nouait sa gorge et lui faisait serrer les dents au point que sa mâchoire en devenait douloureuse.

— Chagak !

Quelqu'un l'appelait. Elle se rendit compte que la voix venait de la vallée. Un homme émergea du brouillard.

C'était Oiseau Gris et pendant un moment la joie étouffa la peur de Chagak, mais elle remarqua ses traits tirés, la poussière et le sang qui couvraient son visage, signes de bataille et elle se demanda si Oiseau Gris ne s'était pas enfui.

Des questions se pressaient dans son esprit. Mais quand Oiseau Gris se tint debout devant elle, elle ne put que considérer son parka arraché, la blessure de sa cheville, le pansement ensanglanté qui couvrait sa main gauche.

— Ils sont venus, dit-il d'une voix lasse et tendue, dénuée de toute forfanterie.

Les poils qui poussaient sous son menton tremblaient. Il reprit :

— Certains Chasseurs de Baleines ont été tués dans la bataille, mais tous les Petits Hommes sont morts. Même ceux qui ont essayé de s'enfuir. Les jeunes garçons qui les ont vus arriver sont descendus des collines et ont percé le fond de leurs ikyan. Les rescapés qui ont essayé de fuir se sont noyés.

Oiseau Gris grommela et jetant son parka sur ses genoux, il s'accroupit les jambes croisées sur la couverture de Chagak. Elle vit que la blessure à la cheville d'Oiseau Gris s'étendait jusqu'à son mollet. Il passa les mains sur les bords de la plaie. Chagak remarqua :

— Cela n'a pas beaucoup saigné, mais il faudrait faire quelques points de suture.

Oiseau Gris fit une grimace :

— Va dire à Coquille Bleue de m'apporter à boire et à manger, grogna-t-il.

Chagak était furieuse qu'il n'ait pas dit un mot de Shuganan, de Kayugh ni même de Longues Dents et, en tant que femme, elle ne devait pas poser de questions, mais son inquiétude était si grande qu'avant de retourner dans la caverne elle demanda :

— Et Shuganan ? A-t-il été blessé ?

— Tu ferais mieux de m'interroger sur Longues Dents, rétorqua Oiseau Gris, il a tué quatre hommes et il n'a qu'une égratignure sur le pouce pour témoigner de sa participation au combat.

La gorge de Chagak se serra. Toutes les frayeurs qui l'avaient assaillie revenaient, elle demanda :

— Es-tu en train de me dire que Shuganan et Kayugh sont morts ?

— Je n'ai pas dit cela, mais de quel droit poses-tu ces questions ? Je suis un chasseur et tu n'es qu'une femme.

— J'ai le droit de m'inquiéter, répondit Chagak dont la colère faisait place à la peur, et si tu veux manger, tu ferais mieux de me répondre.

— Me refuserais-tu de quoi me nourrir ? demanda Oiseau Gris.

Mais soudain une voix retentit derrière elle :

— Personne ne te donnera à manger.

Chagak se retourna. C'était Épouse Dodue. Elle se tenait à l'entrée de la caverne. Elle ne portait que son tablier, les bras croisés sur ses gros seins tombants, ses pieds posés à terre dans la position d'un chasseur.

— Tu as été envoyé ici soit pour nous prévenir soit pour nous ramener au village, dit-elle, et au lieu de cela tu t'assieds et tu nous menaces. Mon mari est-il mort ou vivant ?

— Ton mari est en vie et il n'est pas blessé, répondit Oiseau Gris, mais ce n'est pas lui qui m'a envoyé. C'est Shuganan.

Le cœur de Chagak battit de joie. Shuganan était vivant ! Mais Oiseau Gris ajouta :

— Il est grièvement blessé, mourant en fait. Il veut parler à Chagak.

L'espoir qui l'avait soutenue tous ces jours dans la caverne s'évanouit et Chagak se sentit vidée de tout comme une outre épuisée et plate.

Puis elle pensa : « Pourquoi Shuganan a-t-il envoyé Oiseau Gris et non Kayugh ? » Il savait certainement qu'Oiseau Gris poserait des problèmes.

— Et Kayugh ? murmura-t-elle, les mots s'étranglant dans sa gorge.

— Il est blessé, lui aussi, dit Oiseau Gris avec un rapide regard du côté d'Épouse Dodue.

— Mourant ?

Oiseau Gris haussa les épaules.

— Je l'ignore. En tout cas, il était trop faible pour venir te chercher.

Chagak serra les lèvres, cachant son chagrin.

— Nous allons partir tout de suite, décida-t-elle en se tournant vers Épouse Dodue.

Mais celle-ci ne parut pas l'entendre :

— Et mon fils ? demanda-t-elle.

— Il était parmi ceux qui ont troué les ikyan des Petits Hommes, répondit Oiseau Gris et Chagak entendit le rire sourd de la mère. Les Petits Hommes l'ont tué avant de s'en aller et de se noyer.

Le rire d'Épouse Dodue se transforma en long gémissement et elle se mit à entonner un chant de deuil. Elle se laissa tomber sur ses genoux et Chagak voulut s'avancer vers elle, mais déjà les femmes sortaient de la caverne, répétant toutes le chant de deuil avant même d'apprendre qui était mort.

— Les Petits Hommes sont morts, cria Oiseau Gris. Ils sont tous morts.

Mais à mesure que les chants de deuil grandissaient, Chagak ne put entendre ce qu'il disait et elle aussi se mit à pleurer, son chagrin allant à Shuganan et au fils d'Épouse Dodue et des hommes qu'elle ne connaissait pas.

42

Chagak se fraya un chemin au milieu de la foule des femmes et entra dans la caverne. Les deux bébés pleuraient. Quelque chose au fond d'elle-même voulait aussi pleurer et crier comme si la colère et le chagrin pouvaient lui ramener Shuganan. Elle commença à ramasser les quelques affaires qu'elle avait apportées, mais ses gestes étaient maladroits et lents.

« Calme-toi, entendit-elle la loutre lui murmurer à l'oreille. Il n'y a aucune raison de te presser. Oiseau Gris ne partira pas avant de s'être restauré. »

« Je partirai sans lui », pensa Chagak. « Je connais le chemin. » Mais la loutre répéta : « Calme-toi. »

Et Chagak baissa la tête en posant les mains sur ses genoux, s'efforçant de modérer les rapides battements de son cœur. Elle sentit la chaleur des larmes sur ses joues.

« C'est un vieil homme, reprit la loutre. Il a vécu une longue vie. »

« Ça m'est égal, répondit Chagak. Je ne veux pas qu'il meure. J'ai besoin de lui. »

« Peut-être désire-t-il se reposer. Peut-être désire-t-il retrouver sa femme dans les Lumières Dansantes. Son corps est vieux et il est fatigué. D'autres ont besoin de toi. Kayugh et son peuple, ton grand-père Nombreuses Baleines. »

« Oui, concéda Chagak, mais Oiseau Gris a dit que Kayugh était blessé. Et s'il meurt ? »

« Alors, tu élèveras son fils. »

Chagak suivit Oiseau Gris pour retourner au village. Elle portait les bébés sous son suk ainsi qu'un panier de ses affaires sur le dos. Oiseau Gris n'avait pas offert de l'aider, mais Chagak ne s'y attendait pas.

L'homme prenait prétexte de sa jambe blessée et tenait une canne pour l'aider à marcher dans le sentier. D'abord Chagak avait voulu se presser et elle sentait l'impatience gonfler sa poitrine, mais en marchant la crainte de trouver Shuganan et Kayugh morts redoubla et alourdit ses pas.

Quand Oiseau Gris s'arrêta brusquement elle faillit buter contre lui. Elle le regarda et demanda :

— Que se passe-t-il ? Pourquoi t'arrêtes-tu ?

— Nous sommes près du village, il y a quelque chose que je dois savoir avant que nous arrivions.

Chagak leva la tête et rencontra son regard. Elle lut la haine dans ses yeux, une haine qui jaillissait de lui comme un feu brûlant. Elle se raidit et s'obligea à rester immobile. Elle ne voulait pas qu'un homme comme Oiseau Gris la vît trembler. Elle serra les bras autour des bébés et Oiseau Gris ricana.

— Un fils appartient à Kayugh, dit-il. Il sera chasseur. Mais l'autre fils... Les lèvres d'Oiseau Gris se retroussèrent dans un sourire méchant : celui d'Homme-Qui-Tue...

Chagak ouvrit la bouche de stupéfaction et Oiseau Gris éclata de rire.

— En mourant Shuganan s'est mis à parler avec les esprits, ricana-t-il.

Chagak se redressa et prit une longue aspiration.

— Il n'est pas rare que l'on parle avec les esprits, répliqua-t-elle.

— Non, ce n'est pas rare, mais il est tout de même étrange que le père de Samig soit un Petit Homme.

— Ce n'est pas vrai ! Le père de Samig est le petit-fils de Shuganan.

Oiseau Gris fit un pas dans sa direction et lui prit les bras.

— Tu mens. N'importe qui peut voir que tu mens. Et je leur dirai la vérité. Ils tueront Samig avant qu'il ne devienne un guerrier et un tueur comme son père.

Chagak leva les bras, repoussa Oiseau Gris et se remit à marcher. Il courut après elle en criant :

— Je le leur dirai à moins que tu ne décides d'être ma femme. Alors peut-être trouverai-je bon d'avoir un tel fils, un tueur comme son père.

Chagak ne se retourna pas. Le cœur battant à tout rompre, elle continua à marcher. Des larmes lui montèrent aux yeux. Elle pria Tugix, elle pria Aka pour qu'ils sauvent son fils d'Oiseau Gris, elle pria pour qu'ils laissent Shuganan vivre.

Mais seule la voix de la loutre vint lui murmurer :

« Shuganan devait être en train de mourir s'il a parlé d'Homme-Qui-Tue. Shuganan battra l'esprit d'Homme-Qui-Tue dans le monde des esprits, quand il ira dans les Lumières Dansantes. Mais c'est toi, et toi seule qui dois battre Oiseau Gris. »

Chagak continua à marcher vers le village, le regard droit. Oiseau Gris la rattrapa, marcha à côté d'elle, mais elle ne le regarda pas.

Ils arrivèrent en haut d'une crête ensemble, Chagak à droite, Oiseau Gris à gauche et à ce moment-là le cœur de Chagak parut remonter jusqu'au fond de sa gorge.

Un Petit Homme se tenait en bas de la colline, ses vêtements étaient arrachés, ses cheveux maculés de sang. Il était plus grand que Homme-Qui-Tue, avec de larges épaules. Il brandit sa lance.

Oiseau Gris sursauta et se cacha derrière Chagak. Le Petit Homme se mit à rire.

Chagak n'arrivait pas à coordonner ses pensées, elle ne sentait plus rien hormis les battements désordonnés de son cœur. Mais Samig bougea sous son suk et le besoin soudain de protéger son fils lui éclaira l'esprit.

— Ton peuple a été battu, cria-t-elle à l'homme.

Il lui répondit quelque chose dans sa propre langue qu'elle ne comprit pas.

— Où est ta lance ? demanda-t-elle à voix basse en s'adressant à Oiseau Gris, mais il ne lui répondit pas.

Sous son suk, Chagak sentit Samig bouger, entendit un faible cri. Laissant tomber son panier elle plongea la main dedans pour saisir son bola. Les pierres étaient petites, destinées à tuer des oiseaux.

« Quelle chance auras-tu contre un homme ? » murmura une voix et Chagak sentit le doute paralyser ses mains.

Mais Samig et Amgigh remuèrent et Chagak entendit la voix de la loutre poursuivre :

« Qui est le plus fort, un homme qui tue d'autres hommes ou une femme avec deux fils à défendre ? Qui est le plus fort ? Qui a le plus de force pour une juste cause ? »

Chagak saisit le manche du bola et fit voler les pierres au-dessus de sa tête. L'homme qui se tenait au bas de la colline en brandissant sa lance se mit à rire au point que des larmes lui montaient aux yeux.

Alors Chagak laissa le bola s'envoler. Elle regarda les pierres se disperser en un large cercle et vit les yeux du Petit Homme s'agrandir et ses bras se dresser pour s'en couvrir le visage.

Les cordes tombèrent sur ses bras et sa tête, les pierres frappant sa bouche et son cou. Il laissa tomber sa lance, la bouche en sang.

Chagak se pencha pour prendre un couteau dans son panier, puis elle courut en direction de l'homme. Elle le frappa au ventre et il lui lança des coups de pied afin de se débarrasser de cette furie, mais en se débattant ainsi il trébucha et tomba par terre. Chagak vit sa courte lance au milieu du sentier, la saisit et avant qu'il ait put se détourner elle la plongea dans son cœur. Le Petit Homme essaya encore de se débattre, mais elle pesa de tout son poids sur la lance jusqu'à ce qu'il s'immobilise.

Oiseau Gris se dressa, alors, à côté d'elle. Il prit le couteau des mains de Chagak et trancha la gorge du Petit Homme.

Stupéfaite, Chagak le regarda et vit ses petits yeux se plisser. Elle cracha dans l'herbe à côté du corps.

— Toi, qui te caches derrière une femme, jeta-t-elle à Oiseau Gris, avec mépris, réponds-moi : qui était le père de Samig ?

Oiseau Gris pinça les lèvres sans oser la regarder. Finalement il dit :

— C'était le petit-fils de Shuganan.

— Oui, dit Chagak. Traqueur de Phoques, le petit-fils de Shuganan.

Chagak s'était attendue à voir des ulas incendiés et des corps gonflés, mais la seule preuve de combat était le nombre d'ikyan sur la plage et les nombreuses armes brisées dans les étroites allées entre les ulas.

— Où sont les corps ? demanda-t-elle.

C'étaient les premières paroles qu'elle adressait à Oiseau Gris depuis leur rencontre avec le Petit Homme. Il désigna un groupe d'hommes sur la plage, rassemblés autour d'un ik rempli par ce qui ressemblait à de la viande et des peaux. Mais Chagak s'aperçut avec horreur qu'il s'agissait de corps d'hommes découpés pour séparer les membres et la tête du tronc afin d'empêcher les esprits de revenir.

— Ils vont pousser l'ik en pleine mer pour le faire sombrer, dit Oiseau Gris. Je vais leur parler de l'homme que nous avons tué.

— C'est moi qui l'ai tué. Moi et mes fils, rectifia Chagak.

Oiseau Gris se redressa et regarda Chagak dans les yeux, puis il détourna son regard.

— Les femmes ne tuent pas les hommes, rétorqua-t-il.

— J'ai vu comment tu les tuais, mais c'est une chose que seuls toi et moi nous savons.

Pendant un instant Oiseau Gris la dévisagea, puis il désigna l'ulaq de Nombreuses Baleines :

— Shuganan est à l'intérieur.

Chagak acquiesça, posa son panier et grimpa sur le toit de l'ulaq. Arrivée au sommet, elle tourna son regard en direction d'Aka. Elle ne pouvait voir la montagne, mais elle confia les mots au vent : « Laissez-le vivre, pria-t-elle, laissez Shuganan vivre ainsi que Kayugh. Je vous ai offert l'esprit d'un Petit Homme. Donnez-moi leurs esprits en échange de celui que je vous ai offert. »

Elle prit une profonde aspiration avant de se laisser glisser à l'intérieur de l'ulaq. Nombreuses Baleines était assis au centre de la pièce. Kayugh se penchait sur Shuganan à l'extrémité de l'ulaq.

— Tu es la bienvenue ici et tu peux y rester pour élever ton fils parmi nous, proposa Nombreuses Baleines. Je lui apprendrai à chasser la baleine.

Il y avait une douceur dans la voix de son grand-père et Chagak vit des traces de cendres sur ses joues en signe de deuil.

— Je suis désolée pour ton fils, dit-elle.

— Il est mort en brave, répondit Nombreuses Baleines.

— Oui, murmura Chagak, puis elle ajouta : que je décide de vivre ici ou que je retourne dans l'île de Shuganan, tu auras toujours un petit-fils. De toute façon, il te connaîtra et tu le connaîtras.

Nombreuses Baleines inclina la tête et Chagak se dirigea vers Kayugh. Il leva les yeux et elle y lut le chagrin.

— Oiseau Gris m'a appris que tu étais blessé, dit-elle en faisant un geste mais elle s'arrêta avant de le toucher.

Kayugh lui saisit la main.

— Je suis blessé à l'épaule, répondit-il, seuls les muscles sont touchés.

Chagak retira sa main et la posa sur le front et le cou de Kayugh. Sa peau était fraîche, aucun mauvais esprit n'était venu aggraver sa blessure.

Kayugh lui reprit la main, mais Chagak se tourna vers Shuganan, pâle et immobile sur son matelas.

— Est-il mort ? chuchota-t-elle d'une voix tremblante.

Mais Shuganan ouvrit lentement les yeux.

— Je ne serais pas parti avant de te dire au revoir, dit-il d'une voix douce et essoufflée. Il y a un autre homme qui te recherche... un ennemi...

Shuganan essaya de lever la tête, cligna des paupières et referma les yeux. Chagak se laissa tomber sur les genoux à côté de lui.

— Ne t'inquiète pas, grand-père, dit-elle. Oiseau Gris ne nous fera pas de mal. Il a peur. De toi et de moi.

Elle plaça sa main dans la sienne et le sentit se détendre.

— Ton grand-père a tué deux Petits Hommes, dit Kayugh.

Mais Chagak ne l'entendit pas. Elle se pencha sur Shuganan. Soudain son courage et sa force l'avaient abandonnée :

— Grand-père, grand-père que deviendrai-je si tu me quittes ? Pour qui ferai-je la cuisine ? Quel parka devrai-je réparer ? Dis aux esprits que tu as besoin de guérir. Dis-leur que tu as une fille qui a besoin de toi.

— Non, Chagak. Je suis vieux. Mon temps est venu de partir.

Il fit une pause, ouvrit les yeux et lui sourit :

— Tu m'as apporté de la joie et une partie de moi voudrait rester avec toi, mais je dois partir. Tu as un fils à élever et il a besoin d'un père. Ton mari, Traqueur de Phoques, voudrait que son fils ait un père. Kayugh sera un bon père pour Samig.

— Non, dit Chagak, ne me demande pas d'être une épouse. Comment pourrais-je supporter le chagrin si mon mari meurt ? J'ai supporté trop de morts.

— Le chagrin de ma mort est-il plus grand que les joies que nous avons partagées ? demanda Shuganan. Quand tu te rappelles ton père et ta mère, Traqueur de Phoques et Pup, te souviens-tu de leurs morts ou bien de ce que vous avez partagé dans la vie ?

Et comme si la question de Shuganan lui apportait une réponse, Chagak soupira :

— Je me souviens de notre vie ensemble.

Shuganan sourit et referma les yeux. Dans le silence de l'ulaq, Chagak surveilla le rythme de sa respiration qui devenait de plus en plus courte, mais le vieil homme ouvrit encore les yeux :

— Au début, quand je fermais les yeux, il n'y avait que l'obscurité ou des rêves. Maintenant il y a de la lumière. Accroche-toi à la vie, Chagak, et ne crains pas la mort.

Puis ses yeux s'obscurcirent et la lumière de l'esprit ne

brilla plus. Chagak retint ses larmes. Pendant un moment elle souhaita pouvoir partir avec Shuganan, pouvoir connaître la liberté de la mort. Mais au même moment, elle sentit Samig remuer sous son suk et la loutre murmura : « Beaucoup de personnes ont besoin de toi ici. Choisirais-tu de quitter Samig, Amgigh ou même Kayugh ? »

Espérant que l'esprit de Shuganan pouvait encore l'entendre, Chagak dit à Kayugh :

— Si tu acceptes d'élever Samig comme ton propre fils, je serai ta femme.

Ils restèrent avec les Chasseurs de Baleines pendant les funérailles et les cérémonies mortuaires et traversèrent ensemble ces jours de deuil. Nombreuses Baleines offrit à Shuganan une place d'honneur dans son ulaq des morts, mais Kayugh le surveilla avec attention et lut le désir dans ses yeux quand il regardait le fils de Chagak.

Beaucoup de Chasseurs de Baleines désiraient avoir Chagak pour femme. Kayugh entendit deux hommes offrir une dot à Nombreuses Baleines et son cœur s'inquiéta. Après des mois de voyage qu'avait-il à offrir à Nombreuses Baleines pour sa petite-fille ? Il ne possédait pas de peaux de phoque, pas de graisse de baleine. Un Chasseur de Baleines pouvait offrir le prix d'une épouse et Nombreuses Baleines aurait son petit-fils élevé dans son propre village, peut-être même dans son propre ulaq. Quel espoir restait-il à Kayugh ?

Mais plusieurs jours après les funérailles, il se rendit chez Nombreuses Baleines et interrompit les cérémonies de deuil. Épouse Dodue était assise dans un coin sombre de l'ulaq. Elle paraissait plus petite, plus calme depuis la mort de son fils.

Nombreuses Baleines avait marqué son corps de charbon et à son côté se trouvait la lance de son fils et un harpon d'homme.

— Ils appartiennent à mon fils, dit-il, un jour ils reviendront à mon petit-fils.

Kayugh fut ému par la douleur qu'il lut sur le visage de cet homme et pendant un moment, il ne put parler.

— Je suis venu te demander le prix de ta petite-fille Chagak que je souhaite épouser.

Pendant un long moment, Nombreuses Baleines ne répondit pas. Et Kayugh pensa : « Quel droit ai-je à faire cette demande ? Quel droit ai-je à lui prendre un petit-fils et une petite-fille ? »

— D'autres se sont déjà présentés, répondit Nombreuses Baleines.

— Je suis un bon chasseur, dit Kayugh, mais ces mots paraissaient une vantardise et non une assurance d'assurer le bonheur de Chagak.

Nombreuses Baleines poursuivit comme si Kayugh n'avait pas parlé :

— D'autres se sont présentés, répéta-t-il. Je n'ai pas eu de réponse à leur donner. Mais pour toi j'ai un prix à demander. Quelque chose de juste. Il soupira et regarda Kayugh longtemps avant de dire : une baleine.

Kayugh retint sa respiration et sentit son désappointement tendre les muscles de son bras blessé.

Nombreuses Baleines désigna le pendant représentant une baleine sur la poitrine de Kayugh et précisa :

— La baleine que Shuganan a sculptée pour toi.

Kayugh ouvrit la bouche et ne sut que dire.

— Serait-il juste de te demander davantage ? dit Nombreuses Baleines. Chagak t'appartient. Promets-moi seulement que je verrai mon petit-fils.

— Oui, assura gravement Kayugh, tu verras ton petit-fils.

L'épaule de Kayugh était douloureuse mais la blessure guérissait. Il pourrait encore chasser et serait capable de lancer son harpon. La douleur n'était rien.

Il enfonça sa pagaie dans l'eau et regarda l'ik des femmes. Chagak était assise à l'avant, Nez Crochu à l'arrière.

Kayugh se posait toujours des questions sur le premier mari de Chagak et les conditions de sa mort. Oiseau Gris évitait Chagak mais si elle laissait Samig près de Kayugh,

Oiseau Gris crachait par terre et parlait de chasse, d'ikyan ou de l'homme qu'il avait tué en ramenant Chagak au village. Et, bien qu'il parlât de choses étrangères aux enfants, il gardait les yeux sur Samig en étudiant le visage de l'enfant, ses mains et ses pieds.

Pour Kayugh, le chagrin de Chagak était quelque chose qui faisait partie intégrante d'elle-même, une ombre planant en permanence sur son esprit — et il n'osait pas lui parler de l'intérêt qu'Oiseau Gris portait à Samig ou lui poser de questions personnelles.

Bien qu'elle ait promis d'être sa femme, il avait pris soin de lui laisser le choix de rester avec les Chasseurs de Baleines ou de revenir avec lui. Elle avait décidé de l'accompagner et pour le moment, ce choix était suffisant.

Sachant qu'ils atteindraient la plage de Shuganan avant la nuit et qu'elle viendrait le rejoindre sur sa couche, Kayugh sentait une immense joie l'envahir et un désir naître au creux de ses reins.

Toute la journée, Longues Dents s'était livré à des plaisanteries douteuses. Il approchait son ikyak de celui de Kayugh en faisant des réflexions sur le mariage et le fait de prendre une nouvelle femme puis il s'éloignait en riant au milieu du bruit des vagues. La dernière fois que Longues Dents s'était approché, Kayugh s'était contenté de répondre en riant :

— Tu es seulement jaloux parce que je vais avoir deux fils.

— Oui, avait dit Longues Dents en souriant toujours, mais tu n'en aurais eu aucun sans Chagak. Sois un bon mari pour elle.

— Je serai un bon mari, assura Kayugh et durant le reste de la journée, Longues Dents ne fit plus aucune plaisanterie.

43

Chagak se redressa pour soulager la douleur de ses épaules. Quand ils étaient arrivés sur la plage de Shuganan, les femmes avaient déchargé l'ik et maintenant elles nettoyaient leurs ulas.

Le premier geste de Chagak avait été d'essuyer la poussière des nombreuses sculptures de Shuganan et elle avait encore soupiré de n'avoir pu ramener son corps avec eux, pour le laisser reposer dans l'ulaq des morts près des restes de sa femme. En travaillant, elle ne put s'empêcher de pleurer mais essuya vivement ses larmes.

— Tu as assez pleuré, dit-elle à haute voix. Finis ton deuil et occupe-toi de tes enfants.

Elle changea les deux bébés et les mit dans leurs berceaux, puis elle s'installa près d'une lampe à huile et sortit son panier de couture. Après avoir enfilé un morceau de fil dans une aiguille elle essaya de travailler à des bottes en peau de phoque qu'elle avait commencées pour Kayugh, mais le fil n'arrêtait pas de se casser et finalement elle posa l'ouvrage et croisa les mains sur ses genoux.

Ses craintes concernant Oiseau Gris et la méchanceté qu'elle lisait dans ses petits yeux noirs n'étaient qu'une partie de ses inquiétudes. Elle savait que Kayugh n'allait pas tarder à revenir et ses doigts tripotaient le collier qu'il lui avait offert. D'une part elle ne pouvait s'empêcher de penser à lui tel qu'il était, sans son parka, ses muscles brillant à la lueur des lampes, et elle riait aux plaisanteries de Nez Crochu sur les rapports entre mari et femme, mais elle n'oubliait pas sa nuit avec Homme-Qui-Tue.

Puis elle entendit des pas sur le toit de l'ulaq, vivement elle enveloppa sa couture et l'enferma dans son panier.

« Du moins, il amène Baie Rouge avec lui », chuchota la loutre de mer et Chagak hocha la tête en pensant avec soulagement que l'enfant leur offrirait un sujet de conversation, quelque chose qui les empêcherait de parler de devenir mari et femme.

Mais quand Kayugh descendit dans l'ulaq, il était seul.

— Nez Crochu a bien voulu prendre Baie Rouge pour la nuit, dit-il en souriant et Chagak essaya de sourire elle aussi.

— Tes fils dorment.

Amgigh était fort maintenant. Il mangeait bien et se retournait vers ses seins, même dans son sommeil, le lait coulant au coin de sa bouche. Chagak se sentait fière de sa force. Elle n'avait pas été capable de sauver Pup, mais peut-être que dans son chagrin, dans sa lutte contre Homme-Qui-Tue, elle avait puisé de nouvelles ressources lui permettant d'aider les autres et de sauver un bébé trop faible pour survivre.

— Amgigh est là, au-dessus de ma couche, dit-elle.

Mais Kayugh se contenta de hocher la tête et ne chercha pas à voir son fils. Il retira son parka et se tint devant Chagak seulement vêtu de son tablier.

Éprouvant le besoin de se sentir habillée, Chagak avait gardé son suk, mais ses mains vides la rendaient maladroite et elle regretta d'avoir rangé sa couture.

— As-tu faim ? Désires-tu manger ? demanda-t-elle.

Kayugh secoua la tête et prononça les premiers mots de la cérémonie de mariage :

— Quelqu'un a dit que tu serais ma femme...

— Oui, répondit Chagak avec précaution, en suivant les instructions que Nez Crochu lui avait données pour répondre par les quelques mots précédant le mariage utilisés dans le village de Kayugh.

Celui-ci prit place à côté d'elle.

— Quelqu'un a dit que ton mari, le père de Samig était mort.

Chagak regarda avec anxiété en direction de sa couche. Pourquoi avait-elle si bien nourri les bébés ? Ils auraient pu être éveillés maintenant et crier pour faire diversion et lui donner du temps pour se faire à l'idée de devenir une épouse.

— Chagak ?

Se rappelant qu'elle devait répondre, elle dit :

— Oui. Il est mort.

Et pendant un moment son esprit se tourna, non pas sur Homme-Qui-Tue ni même sur Kayugh, mais sur Traqueur de Phoques, le seul à avoir été son mari et elle sentit une grande tristesse l'envahir. Puis en levant les yeux elle vit Kayugh qui la regardait interrogativement.

— Veux-tu appartenir à quelqu'un d'autre ? ajouta-t-il doucement, sans colère. A un Chasseur de Baleines, à Longues Dents ou à Oiseau Gris ?

— Non, dit Chagak en baissant les yeux pour cacher son embarras.

— Je garderai cet ulaq plein de nourriture. Je rapporterai de l'huile de phoque et j'apprendrai à nos fils à chasser.

Chagak sentit des larmes lui monter aux yeux et ne put lui répondre. Elle se couvrit le visage de ses mains. Qu'allait-il penser maintenant qu'il avait vu la folie de ses larmes ?

— Tu ne veux pas de moi, constata Kayugh d'une voix sans timbre.

Chagak s'essuya les yeux et resta assise sans parler pendant un moment avant de se décider à avouer :

— J'ai peur.

Le visage de Kayugh retrouva sa douceur et il sourit.

— Tu as déjà eu un mari, Chagak, de quoi as-tu peur ?

— Je suis folle, dit-elle en essayant de sourire.

Alors, il vint s'asseoir à côté d'elle comme un homme s'assied dans son ikyak, les jambes droites, à plat contre le sol et il l'attira sur ses genoux en la serrant contre sa poitrine et en lui caressant le dos, comme elle le faisait pour calmer Samig ou Amgigh quand ils pleuraient.

Elle se tint immobile. Pourquoi avoir peur ? C'était Kayugh, un homme si bon, toujours plein de considérations. Elle n'avait pas été la véritable épouse d'Homme-Qui-Tue. Elle avait été une esclave. Il ne l'avait pas traitée comme un mari doit traiter sa femme.

Elle se pressa contre Kayugh et il glissa la main sous son suk tout en continuant à lui caresser le dos. Mais soudain dans l'esprit de Chagak se dressa le souvenir d'Homme-Qui-Tue tenant un couteau, coupant l'un de ses seins et elle ressentit encore la douloureuse impression éprouvée lorsqu'il l'avait pénétrée, l'odeur de poisson de son haleine, son poids sur elle jusqu'à ce qu'il ait cessé de bouger en supportant sa douleur.

Mais non, se dit-elle, c'est Kayugh. Son haleine est chaude et parfumée. Elle toucha la cicatrice rose sur son épaule et ressentit une grande satisfaction à se dire qu'il guérissait si bien.

Devait-elle lui parler d'Homme-Qui-Tue ? Non, se dit-elle, pourquoi courir le risque que quelqu'un sache ? Pourquoi courir le risque que Samig soit méprisé et peut-être tué ? Cependant elle devait une explication à Kayugh. Au moins une partie de la vérité.

Chagak se détacha de lui et le regardant dans les yeux, elle dit :

— Le père de Samig m'a fait mal.

Et elle lut la surprise sur le visage de Kayugh, puis la colère.

— Il est heureux qu'il soit mort, dit-il.

Puis il lui retira son suk et le posa à côté d'eux. Il prit le menton de Chagak et lui releva le visage :

— Je ne te ferai pas mal, Chagak, assura-t-il.

Il la serra contre lui et elle sentit la chaleur de sa peau contre ses seins.

Chagak lui passa les bras autour du cou et ressentit de la joie à leur intimité. Kayugh la souleva et l'emporta sur sa couche. Il l'étendit sur les fourrures et s'assit près d'elle.

— Je serai un bon mari pour toi, Chagak, murmura-t-il, je ne te ferai jamais mal.

Il caressa doucement ses bras. Chagak retint un frisson,

quelque chose l'attirait vers lui, mais la peur était toujours là et dans l'obscurité, elle tendit la main pour toucher son visage comme pour s'assurer que c'était bien Kayugh qui était avec elle, Kayugh qui la touchait.

Il caressa ses bras et ses jambes, puis passa la main sur son ventre, la touchant aux endroits qu'Homme-Qui-Tue avait touchés, mais avec des gestes doux, ses doigts remuant lentement.

« Était-ce cela que Shuganan voulait me faire comprendre ? » se demanda Chagak. « Qu'il y aurait un autre commencement. Un autre et encore un autre ? Car après chaque fin il y a un commencement. Après chaque mort, une nouvelle vie. »

Et quand Kayugh finalement s'allongea sur elle, Chagak n'eut plus peur.

GLOSSAIRE DES MOTS INDIGÈNES

Aka : (aleut) en haut, qui se dresse.

Amgigh : (aleut) (se prononce avec une voyelle non définie entre le « m » et le « g » et une fin muette) sang.

Babiche : lanière faite de cuir brut. Vient probablement du mot indien Cree « assababish » diminutif de « assabab » fil.

Chagag : (aleut) également chagagh — obsidienne (dans le dialecte aleut Atkan, cèdre rouge).

Chigadax : (aleut) (terminaison muette) parka imperméable fabriqué avec des intestins de lion de mer, d'ours ou d'œsophage de lion de mer, ou de la peau de la langue de baleine. Le capuchon porte un cordon et les manches sont nouées au poignet pour voyager en mer. Ce vêtement arrivant à longueur de genou était souvent décoré avec des plumes et des morceaux d'œsophage coloré.

Ik : (aleut) embarcation en peau, ouverte sur le haut.

Ikyak : (pl.) ikyan (aleut) également iqwas (pl. iqyas.) embarcation en forme de canoë faite en peaux tirées sur une structure en bois avec une ouverture sur le haut pour l'occupant. Un kayak.

Kayugh : (aleut) également kayux. Force du muscle. Pouvoir.

Samig : (aleut) poignard en pierre ou couteau.

Shuganan : (origine et signification obscures) se réfère à un peuple ancien.

Suk : (aleut) (également sugh, terminaison muette) parka avec un col droit. Ce vêtement était souvent confectionné en peaux d'oiseaux et pouvait être porté à l'envers ou à l'endroit (les plumes à l'intérieur pour leur chaleur).

Tugix : (aleut) aorte — grand vaisseau sanguin.

Ulakidaq : (aleut) une multitude d'habitations — un groupe de maisons.

Ulaq : (pl. ulas) également ulax. Habitation creusée sur le flanc d'une colline, renforcée par des chevrons en bois ou de mâchoires de baleine et couverte de chaume ou d'herbe.

Les mots indigènes cités ici sont définis selon leur utilisation dans *Ma mère la terre, mon père le ciel*. Comme de nombreuses langues indigènes rapportées par les Européens, il existe différentes orthographes pour presque chaque mot et souvent des nuances selon les dialectes.

IMPRIMÉ AU CANADA